Ersilia '77

La Cucina delle Nonne

Cuisine authentique
des grands-mères italiennes

CAR
ACT
ERE

Note de l'éditeur
Afin de conserver le caractère authentique de l'ouvrage, nous avons gardé les suggestions de vins de
l'édition originale en sachant que certains seraient difficiles à trouver ici mais qu'un conseiller en vin
pourrait vous proposer un produit équivalent.

© Rusconi Libri Srl - Santarcangelo di Romagna (RN) - Italie

Traduction : Mélanie Caillierez
Révision : Michèle Constantineau
Mise en pages : Folio infographie
Couverture : Cyclone Design

Imprimé en Italie

ISBN 2-923351-37-1
Dépôt légal – Bibliothèque et Archives nationales du Québec, 2006

© 2006 Éditions Caractère pour l'édition en langue française

Introduction

Considérée comme la plus saine, la plus équilibrée et la plus savoureuse, la cuisine italienne est présente aujourd'hui dans le monde entier. Pour nous, Italiens, notre cuisine est source de fierté et de prestige et fait partie intégrante de notre identité culturelle.

Historiquement, la cuisine italienne s'est exprimée et s'exprime encore sous forme de variantes régionales qui ont toutefois en commun l'exaltation des saveurs naturelles, la simplicité et la variété.

Les pâtes sèches ou fraîches, qu'elles soient accompagnées de légumes, de viandes ou de poissons, triomphent depuis des millénaires dans toutes les régions de l'Italie et sont aujourd'hui appréciées partout dans le monde.

Le riz s'utilise dans des plats élaborés, comme les timbales et les couronnes, ou certains plats tout simples de la tradition paysanne.

Les viandes et les poissons sont présentés avec des légumes et des sauces dans d'innombrables variantes régionales et dans des nuances multiples de cuisson et de préparation.

Enfin, *les sauces et les condiments* de toutes sortes, complexes ou rudimentaires, avec ou sans herbes aromatiques, ont le don d'exalter n'importe quel plat : il y en a partout !

La Cucina delle Nonne, Cuisine authentique des grands-mères italiennes se veut un témoignage de la tradition culinaire italienne et de ses coutumes : à travers ses recettes, elle présente l'histoire d'une terre qui a été capable de transformer ses richesses en mets savoureux appréciés aujourd'hui dans le monde entier.

Une recherche de saveurs anciennes nous fait redécouvrir les grands-mères d'autrefois qui, avec une grande imagination, géraient la cuisine, nourrissant chaque jour leur nombreuse famille.

Un livre à utiliser en toute occasion pour en savoir plus sur notre histoire et cuisiner avec fantaisie.

ANTIPASTI E STUZZICHINI

HORS-D'ŒUVRE
ET AMUSE-GUEULE

Alici a "scapece"
Anchois « a scapece »

Préparation : longue

Ingrédients : 250 g (1/2 lb) d'anchois, farine, huile pour friture, sel, 125 ml (1/2 tasse) de vinaigre, 250 ml (1 tasse) d'eau, 2 gousses d'ail, poivre, origan, persil

Niveau de difficulté : facile

Lavez les anchois et, après les avoir farinés, faites-les frire dans de l'huile bouillante. Égouttez-les sur du papier absorbant, salez-les et déposez-les bien pressés dans une terrine. Pendant ce temps, dans une petite casserole, faites bouillir le vinaigre et l'eau. Ajouter l'ail, le poivre et de l'origan au goût. Après quelques minutes, retirez la casserole du feu et versez le liquide encore chaud sur les anchois. Laissez mariner pendant au moins une journée et ajoutez, si vous le désirez, du persil haché.

Le vin conseillé

GRECO DI TUFO. Couleur jaune paille ou doré, parfum agréable et caractéristique ; sec, léger et harmonieux.

Alice 'a Scapece -

Lavate 1/2 Kg. d'alice piccerelle, 'nfarenatele
é frigggetele dint'à na tiella cu voglio bullente, doppo scolatele mettennele 'ncopp'a nu
foglio 'e carta 'a suga.
Pò sparmatele dint'a nu ruoto, salatele é
cummigliatele cu nu cupierchio cu nu pise-
mo 'a coppe. Pigliate nu bicchiere d'acqua,
é miezo bicchiere d'acito, 2 spicule d'aglio,
na fronna 'e pitrusino, nu poco 'e pepe, nu
poco arecheta, mettitele 'a vollere, doppo
poche minute levatele 'a copp'o fuoco é span-
nitele 'a cauro 'a cauro... 'ncopp'alice cu
nu pizzeco 'e sale é lassatele arrepusà
pe tutt'à iurnata.
'E poi, servite 'e buon appetito.

Arvòltoli

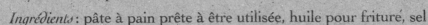

🕐 *Préparation* : rapide
✕ *Ingrédients* : pâte à pain prête à être utilisée, huile pour friture, sel
🍴 *Niveau de difficulté* : facile

Délicieux pour tout type d'en-cas, les arvòltoli s'apprécient en bonne compagnie, avec un bon verre de vin. La recette est particulièrement rapide. Procurez-vous de la pâte à pain déjà fermentée et aplatissez-la en petits disques de l'épaisseur que vous souhaitez ; piquez chaque disque avec une fourchette de sorte que la pâte ne gonfle pas. Faites frire les disques un à un dans une grande quantité d'huile bouillante, faites-les dorer de chaque côté et égouttez-les sur du papier absorbant. Saupoudrez-les de sel et mangez-les rapidement.

Le vin conseillé

 MONTEFALCO ROSSO. Couleur rouge rubis, parfum vineux et caractéristique ; sec, harmonieux et velouté.

Arvoltoli.

'Ncol vino e 'n compagnia, 'n arvòltolo e via.
Se pija 'n pò de pasta de pane, si c'é, se met
tè into la spianatora e se fonno tanti dische,
incol bruno 'n mezzo.
Se friggono, se salano e se magnono.

La Bagna cauda

Préparation : longue

Ingrédients : ail, lait, anchois, huile, beurre

Niveau de difficulté : facile

Hachez menu l'ail, faites-le tremper dans du lait pendant 1 heure (pour en faciliter la digestion), puis mettez-le avec les anchois dessalés, dont vous aurez enlevé les arêtes et que vous aurez défaits en morceaux, dans une casserole en terre cuite (jamais en aluminium). Recouvrez d'huile et faites cuire à feu doux sans que l'ail se colore ni que l'huile bouille.

Remuez doucement et continuellement avec une cuillère de bois pour réduire le tout en bouillie et laissez cuire, toujours à feu doux, pendant environ 10 minutes ; ensuite, incorporez le beurre, toujours en remuant, et après 10 autres minutes de cuisson à feux doux, apportez la casserole sur la table. Trempez-y des légumes et du pain maison.

Le vin conseillé

GRIGNOLINO D'ASTI. Couleur rouge rubis, parfum délicat et persistant ; sec, légèrement amer.

La bagna caoda

Ciapulé l'aj, butelo ant un recipient
special (s. cionfetta) peuj le anciove,
l'euli e fé cheuse a fiama bassa.
Mes..cie lentament per rïdue tutt an
potija e lassé per 10 minute al feu,
gionteje el butir e d'òp aotre 10 minute
porté an taola.

Calamari imbottiti

 Préparation : longue

Ingrédients : calamars, ail, persil, huile, chapelure, 125 g (1/4 lb) de jambon maigre, vin blanc sec, jaune d'œuf

Niveau de difficulté : complexe

Si les calamars sont gros, comptez-en un par personne. Retirez la peau, les yeux, le bec et les entrailles. Nettoyez-les à l'intérieur comme à l'extérieur, en les retournant.

Ôtez les tentacules et les têtes, hachez-les avec quelques gousses d'ail et du persil, et faites revenir le tout dans un peu d'huile ; saupoudrez de chapelure et ajoutez le jambon maigre. Si nécessaire, arrosez d'une goutte de vin blanc sec. Après la cuisson, laissez refroidir dans un bol, puis incorporez un jaune d'œuf. Remplissez de cette farce les calamars qui, pendant ce temps, auront séché. Fermez à l'aide d'un cure-dents, et faites frire dans une grande quantité d'huile d'olive.

Le vin conseillé

TOCAI di SAN MARTINO della BATTAGLIA. Couleur jaune légèrement doré, parfum agréable ; sec, délicatement aromatique, avec un arrière-goût légèrement amer.

Caràmai col pien.

Se i caràmai xe grandeti, ghe ne basta 1
a testa. Prima de tutto se ghe cava la palì
sina de sora, pò i oci e pò el beco e le buè
le. Bisogna lavarli e stralavarli par dentro
e par fóra. Dopo se ghe tagia la testa co tuti
i so rissi e se la trita insieme a qualche
spigoléto de agio, un muciéto de parsemolo,
fasendo rosolar ben in poco ogio, squasi 100gr.
de parsuto magro, e se spolvariza de pan
gratà el tuto, tirandolo a cotura co una
"làgrema" de vin bianco seco. Co el composto
xe squasi fredo, se ghe incorpora un vovéto,
ma solo el rosso. Se forma cussì una pastela
morbida, ma no tanto, e co questa se impenis
se i caràmai, stando atenti de no impenir
li massa: se ghe sera la boca co un steca
dente e se li frize in ogio caldissimo e
abondante.

Cazzilli

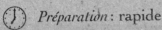

Préparation : rapide

Ingrédients : 1 kg (2 lb) de pommes de terre bouillies, ail, persil, sel, poivre, huile pour friture

Niveau de difficulté : facile

Normalement, avec les «panelle» (voir p. 40), on sert des «cazzilli», ces croquettes de pommes de terre que l'on obtient simplement en réduisant en purée 1 kg (2 lb) de pommes de terre bouillies et en ajoutant à cette purée plutôt dense un peu d'ail haché, du persil, du sel et du poivre. On forme ensuite des croquettes ovales, que l'on fait frire dans de l'huile végétale bien chaude. En Sicile orientale, avant de les faire frire, on roule les croquettes dans du blanc d'œuf battu et de la chapelure.

Le vin conseillé

BIANCO ALCAMO. Couleur jaune paille, parfum délicat et agréablement aromatique ; sec, frais et fruité.

13

Cazzilli.

Passati cu un crivu di sita un chilu di patati
vugghiuti e dopu aviri 'mixcatu 'n'anticchia d'agghia
sminuzzata, 'n'anticchia di pitrusinu, sali e pipi,
cuminciativi a priparari li cazzilli longhi e grossi
quantu li vuliti, ma ne' cchiù grossi ne' cchiù
longhi di lu vostru ditu mediu. Pronti chi sunnu,
mittitili a frriri dintra na padedda cu ogghiu di
semi vugghienti.

A culuri giustu scimuti e mangiati.

Si vi fa piaciri, passati li cazzilli dintra lu biancu
d'ova sbattutu e supra lu pani grattatu, comu fan
ne' mi la piana di Catania, e poi friitili.

Veru vecchiu e ogghiu novu.

Crostini di fegatini di pollo
Croûtons de foies de poulet

Préparation : rapide

Ingrédients : foies de poulet, beurre, 1/4 d'oignon blanc, lait, sel, poivre, croûtons de pain dur

Niveau de difficulté : facile

Faites cuire les foies de poulet dans le beurre dans lequel vous aurez fait revenir l'oignon blanc haché finement et retirez-les du feu avant la fin de la cuisson. Passez-les au hachoir et remettez-les dans la casserole. Attendrissez avec un peu de lait, du sel et du poivre jusqu'à ce que le liquide s'évapore. Laissez refroidir, puis étendez sur les croûtons de pain dur que vous aurez beurrés.

Le vin conseillé

BIANCO PISANO di SAN TORPÈ. Couleur jaune paille, parfum vineux ; sec et harmonieux.

Crostini di milza
Croûtons de rate

🕐 *Préparation* : rapide

🍴 *Ingrédients* : rate de bœuf, 1 anchois, fond de bœuf ou de veau, beurre, 1 tranche de jambon, 1/2 gousse d'ail, croûtons de pain grillé

🍴🍴🍴 *Niveau de difficulté* : facile

Prenez un morceau de rate de bœuf, ouvrez-le avec un couteau de façon à garder la peau du dessous ; raclez la viande, en laissant de côté la peau et les nerfs. Si vous avez déjà du fond de viande, faites cuire la viande raclée avec 1 anchois lavé et sans arêtes dans le fond et du beurre ; sinon faites-la cuire dans du beurre avec 1 tranche de jambon, 1/2 gousse d'ail et 1 anchois lavé et sans arêtes. Une fois la rate cuite, passez-la au hachoir, puis remettez-la dans son fond de cuisson en la laissant se réchauffer sans bouillir. Préparez des croûtons de pain grillé, plongez-les rapidement dans le bouillon et tartinez-les de la préparation.

Le vin conseillé

🍷 BIANCO di PITIGLIANO. Couleur jaune paille, parfum délicat et caractéristique ; sec, légèrement amer.

« *Erbazzone* »

🕐 *Préparation* : longue

🍴 *Ingrédients* : 4 litres (16 tasses) de feuilles de bettes à cardes (ou d'épinards), 125 ml (1/2 tasse) de lard, 250 ml (1 tasse) de pancetta, 1 oignon, ail, persil, 250 ml (1 tasse) de parmesan, 875 ml (3 1/2 tasses) de farine, 30 ml (2 c. à soupe) de saindoux.

🍴🍴🍴 *Niveau de difficulté* : complexe

Pour 6 personnes, lavez soigneusement les feuilles de bettes (ou d'épinards) ; faites bouillir, essorez et hachez finement. Préparez un hachis avec le lard, la pancetta, l'oignon, l'ail et un bouquet de persil haché. Faites revenir à feu doux ; ajoutez les légumes et laissez mijoter pendant quelques minutes. Hors du feu, ajoutez le parmesan râpé, le sel et le poivre. Mélangez la farine avec de l'eau tiède, le saindoux, une pincée de sel et travaillez jusqu'à l'obtention d'une pâte homogène. Abaissez cette pâte et garnissez-en un moule à tarte beurré en laissant retomber le bord. Versez la préparation de légumes et couvrez le tout d'une autre couche de pâte. Soudez les bords en les pinçant, parsemez de copeaux de beurre. Enfournez au four préchauffé à 150 °C (350 °F) pendant environ 40 minutes. C'est encore meilleur le lendemain !

Le vin conseillé

🍷 LAMBRUSCO REGGIANO. Couleur variable allant du rosé au rouge rubis vif, parfum agréable et caractéristique ; sec ou semi-doux, avec une mousse fine mais persistante.

Erbazzàn frétt.

Par 6 parsàun tulì 1 kg. e mèzz ed bìda, cusìla in pôca âqua e strichèla pulìd. Passìla in d'na padèla con 50 gr. ed butìr fèin ch'l' èva pèrs la so âqua avanzè. Adèss in d'na tartìna sbattì 4 òv con 50 gr. ed fàurma gratè e 2 cucièr ed faréina, azuntèi la bìda, al sèl e un pizgutèin ed pàvver nàigher.

Jè scaldèr in d'na padèla piotòsta granda un cucièr ed butìr (o d'grâss bianch ed mineìn) e varsèi dànter al compòst ch'avì preparè in dla tartìna, frizàndla com s'la fòss 'na fritè. Ste piâtt al vèl magnè ban chèld.

Farinata

🕐 *Préparation* : longue

✕ *Ingrédients* : 1,25 litre (5 tasses) de farine de pois chiche, 250 ml (1 tasse) d'huile, sel, romarin ou poivre

🍴 *Niveau de difficulté* : facile

Cette galette de pois chiche est très appréciée en Ligurie, même si l'on ne peut pas parler de recette typique, dans la mesure où elle s'est répandue en Toscane (Carrare) et en Sicile (les fameuses « panelle »). Dans 1,5 litre (6 tasses) d'eau, diluez la farine de pois chiche en mélangeant bien. Laissez reposer la farinata pendant une nuit entière. Le lendemain, enlevez l'écume qui s'est formée à la surface, puis incorporez l'huile et du sel en travaillant le mélange avec une louche. Versez dans un plat bien huilé, assaisonnez de romarin à volonté ou, mieux, de poivre moulu et enfournez. La farinata se sert bien chaude.

Le vin conseillé

ROSSESE della RIVIÉRA LIGURE di PONENTE. Couleur rouge rubis clair, parfum délicat ; sec et souple.

Fainà.

A faina de faenn-a de çeixi a l'è unn-a
gôlôxitè pei liguri. Unn-a votta ô l'ea ô
mangià di camalli, ancheü l'è diventou quel
lo di = becchi fin=. Dixän che a fan anche
i toscani e i sicilien: dommandelô a ôn
xeneise, ô se mettià a rie.
Disfè mexô chillo de faenn-a de çeixi in en
mexô litro d'aegua. Remexelô ben e pâ faelô
riposà unn-a nöette intrega. L'indômän
sciümela, remexè aïcûn e giunteghe l'euio
(1 gotto) e sâ.
Versè ô composto in te in testo basso e, a pre
ferensa, deghe dô romarin, e informè.
L'ideale ô l'è in forno a legna.
A fainà, a Zena, a se mangia lôggente e côn
in sè de peivie neigro.

La fava col pecorino
Haricots au pecorino

 Préparation : rapide

Ingrédients : haricots romains, pecorino piquant

Niveau de difficulté : facile

Voici l'un des grands mérites de la tradition romaine. Plus qu'un hors-d'œuvre, il finit souvent par constituer un plat, parce qu'une bouchée en attire une autre, et l'on en mange toujours beaucoup! Saupoudrez les haricots de pecorino. Attention : les haricots doivent être romains – et surtout frais – et le pecorino, piquant aux larmes. Mais ça ne suffit pas : il faut un bon vin léger, que l'on peut boire allègrement pour étancher la soif causée par le pecorino.

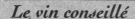

Le vin conseillé

COLLI ALBANI. Couleur jaune paille, parfum vineux, plus ou moins aromatique ; fruité et souple.

La fava cor pecorino-

'N discorso a parte se deve fà però pé la fava
cor pecorino, che nun è propio 'nantipasto
e nemmeno 'no stuzzicarello, perchè a Roma
de fava cor pecorino, pé la verità, se ne
magna 'na montagna!
Si 'nfatti ve capita d'annà foriporta quand'è
staggione, su le tavole de l'osterie o 'n cam-
pagna, ne li prati, potete vede tanta de
quella gente che ce se fà tutto er pranzo e
che poi ce se diverte puro.
Tutto er monno ce la vorrebbe avé, la fava
fresca de l'orti romani co'quer pecorino
piccante, co' la lacrima, che più ne magni,
più bevi e più ne magneresti!
'N par de scafe de fava co' 'n tocchetto de
pecorino bbono, 'n gotto de vino come se
deve, e che se po' volé de più?

Focaccia

 Préparation : rapide

 Ingrédients : 1,25 litre (5 tasses) de farine blanche, sel, huile d'olive

 Niveau de difficulté : facile

Avec la farine blanche, une pincée de sel, quelques gouttes d'huile d'olive et autant d'eau que nécessaire, préparez une pâte plutôt dense. Abaissez-la puis pressez-la dans un plat bien huilé. Tapotez la surface avec les doigts, salez et mouillez avec un peu d'huile, puis cuisez au four préchauffé à 180 °C (350 °F). Il y a de nombreuses variantes à cette focaccia : dans certaines régions, on insère de fines tranches d'oignon cru dans la surface de la pâte. Dans d'autres régions, on saupoudre de romarin et de poivre noir moulu.

Le vin conseillé

 PIGATO della RIVIERA LIGURE di PONENTE. Couleur jaune paille, parfum intense et aromatique ; sec et plein, avec un arrière-goût d'amande.

Fûgassa.

Con 500 grammi de faenn-a gianca, un pò de sâ, un pò de gosse d'êuio bon e tanta aegua quanta ne basta, preparè unn-a pasta ciut tostô spessa. Scianèla in te ôn testo êuiou. Picchela con e die de dato e bagnaela ancun con olo sâ e êuio, cheûreila in forno ben câdo E varianti de sta fûgassa son tante: in certe zone, ghe mettan da cioûla crua comm-e giardinetto. In atri posti, in pehisegun de cor mabuggia o romarin o odo de peivie maxenou.

Granceola
Araignée de mer

🕐 *Préparation* : longue

✗ *Ingrédients* : araignées de mer, huile, jus de citron, sel, poivre, persil

🍴 *Niveau de difficulté* : facile

Pour vous assurer de préparer un petit plat délicieux, il vaut mieux acheter une araignée de mer mâle (sa chair est plus savoureuse) et une femelle (sa chair est plus abondante). Faites bouillir les crustacés pendant exactement 7 minutes, laissez-les tiédir et détachez la chair, en cassant aussi les pinces. Gardez le corail. Les gourmets aiment aussi la bouillie marron que l'on trouve dans les araignées de mer. Sa couleur est toutefois plutôt douteuse et peu convaincante ; c'est pourquoi on l'enlève, à moins que l'on ne veuille la conserver pour donner de la saveur à un risotto.

Quoi qu'il en soit, rassemblez la chair, le corail et l'intérieur des pinces dans une seule coquille et assaisonnez le tout avec de l'huile, du jus de citron, du sel, du poivre et du persil haché.

Le vin conseillé

 BIANCO di CUSTOZA. Couleur jaune paille, parfum vineux, légèrement aromatique ; sec, souple, légèrement amer.

Grançeola o Granséola.

Par far un magnareto delizioso, bisogna comprar una grançeola mas-cio, che xe de polpa più gustosa, e anca una femena, che de polpa che ne ga de più.

Le povare bestie ga da bògiar par sete minuti precisi e, quando che le xe deventae tepide, se le verze e se ghe destaca la polpa, metendo da parte el coralo. Anca le zate più grosse vien spacae e spolpae. A qualche bona boca ghe piaxe la polpa maronéla che ghe xe soto el scorzo. Alora, se la mete da parte e se la adopara par conzar un risotin.

La polpa bianca, el coralo, la polpina de le zate, se le missia insieme e se le conza co ogio, sugo de limon pevare, sal e una pio vèta de parzémolo tritá fin e se impenisse el scorzo de la grançeola e se la porta in to la, che la par bon.

Gnocco fritto
Gnocchis frits

🕐 *Préparation* : longue

✗ *Ingrédients* : 1 litre (4 tasses) de farine, 125 ml (1/2 tasse) de saindoux, 125 ml (1/2 tasse) de levure de bière, bicarbonate de sodium, sel, lait

🍴 *Niveau de difficulté* : facile

Travaillez la farine avec, le saindoux, la levure de bière, une pincée de bicarbonate de sodium, du sel, et la quantité de lait tiède nécessaire pour obtenir une pâte bien moelleuse. Laissez lever pendant 1 heure. Abaissez la pâte jusqu'à une épaisseur d'environ 1/2 cm (1/4 po), puis découpez en losanges que vous ferez frire dans une grande quantité de saindoux bouillant. Les gnocchis frits se mangent chauds, accompagnés de fromage tendre ou de jambon cru.

Le vin conseillé

LAMBRUSCO di SORBARA. Couleur rouge rubis ou grenat, parfum agréable, avec des arômes de violette ; sec ou semi-doux, effervescent, avec une mousse vive et pétillante.

Carsinteini fretti.

Tuli mèzz chillo ed faréina e 40 gr. ed grâss ed ninéin, 40 gr. ed livadür ed bérra, un mizz cuciaréin ed bicarbonè, un pòch ed sèl e tant lâtt tàvd quant a in vòl per fèr, con tott i ingrediènt ch'avàn dìtt, un impâst piotòst tander. Lassi in arpôs l'impâst in mod ch'as possa livèr pian pian, almanch pri un' aura.

Dap a stindì la pasta col matarell savra al tu lìr in mòd da fèr com 'na gran carsàut dal spessaur ed mizz zentémeter, brisa de piò; adèss taièla col curtèl in tant quadrè e frizzii in dal grâss buiànt. El carsintéini is màgnen chèldi còl parsòtt o con dal furmài tànder e piò ai n'é e piò a s'in màgna tant i 'én stuzigàusi; mò ai vòl autsèin anche dal bon véin.

Gratin di cipolle
Gratin d'oignons

🕐 *Préparation* : rapide

✕ *Ingrédients* : beurre, 5 à 6 oignons frais hachés finement, poivre, muscade, sel, 8 tranches de pain noir rassis, lait, la chair de 2 grosses saucisses, 250 g (1/2 lb) de *fontina* et 60 ml (4 c. à soupe) de kirsch

🍴 *Niveau de difficulté* : facile

Recette annotée et cuisinée par Felicina Bos.
Faites revenir dans du beurre les oignons hachés que vous aromatiserez de poivre, de noix de muscade et que vous salerez comme il se doit. Dans une terrine qui va au four, préparez 8 tranches de pain noir rassis mouillées de lait, sur lesquelles vous ajouterez les oignons, la chair à saucisse, la *fontina* coupée en tranches épaisses et 2 petits verres de kirsch. Enfournez à basse température et laissez cuire de 20 à 25 minutes. Apportez la terrine directement sur la table et servez dans des assiettes chaudes.

Le vin conseillé

 CHAMBAVE ROSSO della VALLE D'AOSTA. Couleur rouge rubis, parfum vineux et caractéristique ; sec et sapide.

Rehua de s-eignon.

Pe apresté la rehua de s-eignon féiède rehu,
dedeun an pila bien voucundua de beuro,
800 gram de s-eignon feque; salède, pei-
drède é baglième-lei un bon parfeum a-
vou de gnavé moscata.

Deoleun an cocotta dla for arendrède 8 litse
de pan ner arousète avoui 1 veiro de laci é
vouedrède-lei dessu le s-eignon, 300 gram de
polia de soiceusse, 200 gram de fontia copéte
a fette tchica épesse é 2 tchiquet de Kirsh.

Beuttède i for, a an températeua bossa, é
féiède couéé pe 20 au 25 menute.

Pe servi eumpléiède de s-achitte trode é por
tède la cocotta eun tobla.

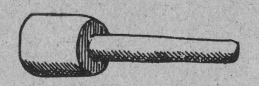

Insalata di frutti di mare
Salade de fruits de mer

🕐 *Préparation* : longue

✗ *Ingrédients* : 1 kg (2 lb) de moules, 500 g (1 lb) de palourdes, huile, 500 g (1 lb) de petits poulpes, 2 ou 3 gousses d'ail, 500 g (1 lb) de homard, ail, moutarde, 2 citrons, persil, sel, poivre

🍴 *Niveau de difficulté* : complexe

Pour 6 personnes, lavez soigneusement les moules et les palourdes. Faites revenir dans un peu d'huile jusqu'à ce que les coquilles s'ouvrent. Retirez du feu et enlevez les coquilles. Réservez le liquide de cuisson. Lavez les petits poulpes et cuisez-les pendant 30 minutes dans de l'huile avec 2 ou 3 gousses d'ail, en ajoutant au fur et à mesure l'eau de cuisson des moules. Ajoutez ensuite le homard avec la coquille (on enlèvera la coquille après la cuisson) et laissez cuire avec les poulpes pendant 15 minutes. Il est important de respecter cet ordre parce que les fruits de mer ont des temps de cuisson différents. Mélangez dans un bol les différents fruits de mer et assaisonnez avec une cuillerée de moutarde, le jus de 2 citrons, beaucoup d'huile, du persil haché, du sel et du poivre. La salade se sert froide.

Le vin conseillé

🍷 ISCHIA BIANCO. Couleur jaune paille, parfum délicat et vineux ; sec et harmonieux.

'A 'nzalata 'e frutte 'e mare -

Pe sei persone : lavate 'e pulezzate bbone 1 Kg.
'e cozzeche e 1/2 Kg. 'e vongole oppure 'e lupine,
facenno in modo ca nun restano vicino 'e
sfilacce. Mettitele 'a cocere cu nu poche
d'uoglio fino 'a che s'arapene, pò 'e levate
'a copp'o fuoco 'e 'nce levate 'e frutte 'a dinto, mettennele dint'a nu piatto.
Pulezzate 1 Kg. 'e purpetielle 'e morze (chilli
piccerille) 'e facitele cocere pe 1/2 ora cu
l'uoglio 'e duie spicule d'aglio, allunganno
mano mano cu l'acqua da cuttura de cozzeche. Lavate 1 Kg. 'e gamberi e facitele cocere cu tutti 'e scorze 'nzieme 'a 'e purpetielle
pe nu quarto d'ora.
Doppo 'nce levate 'e scorze 'e miscatele cu 'e
purpetielle 'e cu 'e frutte d'e cozzeche 'e d'e
vongole, : premmitece 'a coppo 'o zuco 'e duie
limone, uoglio in abbundanza, nu pizzeco
'e pitrusino, sale 'e pepe.
Chesta 'nzalata se magna 'a friddo.

Olive ripiene
Olives farcies

🕐 *Préparation* : longue

✗ *Ingrédients* : olives vertes d'Ascoli, huile, beurre, 150 g (5 oz) de veau, 150 g (5 oz) de porc, 150 g (5 oz) de poitrine de poulet, 125 ml (1/2 tasse) de marsala sec, pecorino, salami et jambon cru (150 g [5 oz] en tout), 3 tomates pelées (ou 30 ml [2 c. à soupe] de concentré de tomates), truffe, sel, poivre, 2 œufs, farine, chapelure

🍴 *Niveau de difficulté* : facile

Les olives vertes d'Ascoli, garnies d'une farce riche, accompagnées d'un Verdicchio bien frais, constituent les prémisses raffinées d'un repas qui porte l'empreinte des Marches : il faut compter une soixantaine d'olives, dénoyautées à l'aide d'un ustensile approprié de sorte qu'elles restent intactes. Préparez la farce. Dans un mélange d'huile et de beurre, rissolez le veau, le porc et le poulet. Ajoutez le marsala sec que vous laisserez évaporer. Hachez la viande et mélangez-la avec une cuillerée de pecorino râpé, le salami et le jambon cru hachés, la pulpe sans les pépins de 3 tomates pelées (ou 30 ml [2 c. à soupe] de concentré de tomates), un peu de truffe râpée, sel, poivre ; le tout amalgamé avec 2 jaunes d'œufs. Vous devrez obtenir une pâte moelleuse et compacte. Remplissez les olives avec la farce, passez-les dans la farine puis dans le blanc d'œuf battu et, enfin, dans la chapelure. Faites-les frire dans de l'huile bouillante et servez-les bien chaudes.

Le vin conseillé

 VERDICCHIO di MATELICA. Couleur jaune paille, parfum délicat ; sec, harmonieux, avec un arrière-goût légèrement amer.

Ulive ripiene.

Si voi fa 'n pranzo tuto a la marchigiana, l'hai da incumincia cul piato più soprofino che c'è cume sturmighi, saria a di' l'ulive ver- de d'Ascoli Piceno, purtate in gloria da 'n bel ripieno e cumpagnate du 'n Verdichio giacio.

Te ce vòle 'na sessantina d'ulive, disdussate cu' la macchineta speciale che le svota e nui le sbrè- ga. Fa' 'l ripieno.

Sint'un mischieto d'ojo è buro, fa' rusolà 'n d'e mèzi de carne de vitèlo, ideme de porco e 200 gr. de pèto de polo. Fa' fini a rusolà cun mèzo bi- chieri de marzala sciuco fin'a quanto che svan- pisce. Macina la carne e lavorela cu' 'n cuchia- ri de peguri gratugiato, salame e presciuto cru- do trinciati, 150 gr. in tuto, la polpa senza se- mini de 3 pumidori spelati (si' no, un cuchia- ro de salsete), 'na gratugiatina de tartufo de te- ra nero, sale, pepe, e mischia ben bè tuto quan- to cun 2 rosci d'ovo. T'ha da veni 'n impasto legero e streto.

Pempe l'ulive cun ripieno, infarinele, po' passe- le in chiara d'ovo sbatuta e, per fini, dàje 'n'im- panata. Frigele in ojo bulente e portele a tavula che scota. Sentirai che fame che te viene!

Pane frattau

🕐 *Préparation* : rapide

🍴 *Ingrédients* : carta da musica (pain sarde non levé, en feuilles très fines), jus de tomate, viande hachée, oignon, ail, fromage « casizzolu », œuf poché

🍴 *Niveau de difficulté* : facile

Pour ce plat, qui est aussi une spécialité de la Barbagia, faites bouillir de l'eau salée dans une grande casserole. Plongez-y pendant quelques instants une galette de carta da musica que vous déposerez ensuite dans une assiette où vous aurez préparé une sauce avec du jus de tomate, de la viande hachée, de l'oignon et 1 gousse d'ail. Ajoutez du « casizzolu » râpé et un œuf poché au centre de chaque galette.

Le vin conseillé

MONICA di CAGLIARI. Couleur rouge rubis pâle, parfum délicat et intense ; sec, chaud et plein.

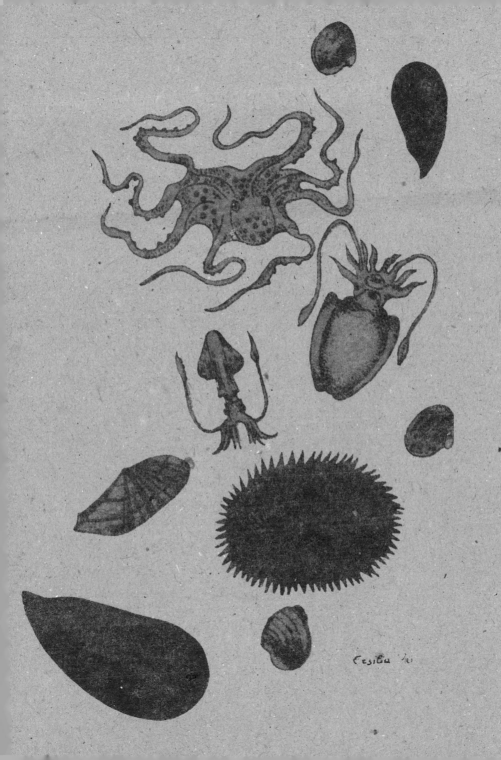

Pani frattau.

Piga unu tianu largu e poninci acqua buddendi salia, sfundinci arrogus de pa- ni carasau e poniddu in d'unu prattu finsas a candu non sia tuppau su fun- du, giá preparau cun d'unu pagu de bagna fatta de tomatas, perra macinara, perdusemini, allu e cipudda. Ghetta custa bagna puru in pizzus de su primu fil- lu de pani carasau, acciungendi una spruinara de casu sardu trattau.

Sighi in su proppiu modu finsas a candu su prattu non aressi casi prenu. Si 'nci poniri in pizzus un ou in cammisa, chi sia beni segau e amalgamau a su pani frattau.

Si serbiri a mexa prattu po prattu.

Pane sgocciolato

🕐 *Préparation* : rapide

✖ *Ingrédients* : huile d'olive, carta da musica (pain sarde non levé, en feuilles très fines), sel, poivre

🍴 *Niveau de difficulté* : facile

Versez de l'huile d'olive sur une galette de carta da musica, ajoutez du sel et une pincée de poivre, réchauffez au four et mangez bien chaud.

Le vin conseillé

🍷 MONICA di CAGLIARI. Couleur rouge rubis pâle, parfum délicat et intense ; sec, chaud et plein.

Pani guttiau.

Si prigara unu pillu de pani carasau, si fairi scolai in pizzus unu pagu de ollu e si 'nci ghettara unu pagu de sali. Si poniri in forru e, cummenti i callenti, si pappara.

Panelle

🕐 *Préparation* : rapide

✗ *Ingrédients* : 500 ml (2 tasses) de farine de pois chiche, persil, huile

🍴 *Niveau de difficulté* : facile

Si, comme nous l'avons vu dans les recettes précédentes et celle-ci, on ne peut pas vraiment parler de hors-d'œuvre, il existe dans notre cuisine des préparations simples qui servent, plus que tout, à combler l'appétit et à permettre de percevoir le goût des différents plats qui composent le repas. En voici quelques exemples, à commencer par les «panelle» caractéristiques. Il s'agit, au fond, de simples beignets de farine de pois chiche, très répandus dans la région de Palerme. Dans 500 ml (2 tasses) d'eau salée froide, délayez 375 ml (1 1/2 tasse) de farine de pois chiche. Mettez le récipient sur le feu et, sans cesser de remuer, laissez cuire la farine jusqu'à l'obtention d'une pâte plutôt solide et compacte. Ajoutez du persil haché, retirez du feu et pressez la pâte dans les moules en bois prévus à cet effet qui mesurent à peu près 4 cm x 8 cm (1 1/2 po x 3 po). Quand la pâte a refroidi, démoulez et faites frire les «panelle» dans de l'huile végétale bien chaude, à la friteuse si possible.

Le vin conseillé

BIANCO ALCAMO. Couleur jaune paille, parfum délicat et agréablement aromatique ; sec, frais et fruité.

Panelli.

Pari nenti cu lu nenti
E però pi Giati 'mpisu
Cu 'stu nenti 'ntra li denti
Ti n'acchiani 'n paradisu!

Dintra mezzu litru d'acqua salata e fridda jttà-
tici 200 grammi di farina di ciciri e cu 'na cucchiara di lignu riminàti e riminàti. Pigghiàti la pi -
gnàta e sempri riminannu faciti còciri la farina
finu a falla 'ncueddari tutta. A 'stu puntu pigghia
ti 'n'anticchia di pitrusinu tritatu e siminaticil
lu dintra. Ora scinniti la pignata, pigghiati li for-
mi di lignu fatti apposta e cu 'na palittedda
mittitici di supra la pasta e cantiatili 'sti furmi,
una pi una, pi falli arripusari.
Fraddi chi sunnu livàti li panelli di la furma e jttatili dintra 'na padedda cu ogghiu di semi bollenti.
Facitili matari 'ntra l'ogghiu rivutannuli a momentu
giustu e scinnitili cavudi cavudi.

Piadina

 Préparation : longue

 Ingrédients : 1,25 litre (5 tasses) de farine, 375 ml (1 1/2 tasse) de saindoux, sel, bicarbonate de sodium

 Niveau de difficulté : facile

Voici la spécialité la plus classique de Romagne. C'est un pain azyme (c'est-à-dire sans levain) de tradition très ancienne, cuit pendant un certain temps sur le «testo», une pierre spéciale posée sur des braises. Aujourd'hui, on a remplacé le «testo» par une poêle en fer normale. Mélangez la farine avec le saindoux, du sel, une pincée de bicarbonate de sodium, et autant d'eau tiède que nécessaire pour obtenir une pâte plutôt dure. Abaissez la pâte à environ 1/2 cm (1/4 po) et découpez en disques de 15 cm (6 po) de diamètre. Cuisez les piadine sur le «testo» ou à la poêle, en les retournant souvent et en les piquant avec une fourchette. La piadina se mange coupée en deux, farcie de fromage tendre, de tranches de pancetta rissolées ou de choux à la façon de Romagne (voir la recette). On accompagne toujours les bonnes piadine maison de beaucoup de vin rouge.

Le vin conseillé

 SANGIOVESE di ROMAGNA. Couleur rouge rubis avec des reflets violacés, parfum vineux ; sec et harmonieux, avec un arrière-goût agréablement amer.

Piadina

L'è la piò rumagnôla dal specialitê rumagnô
li. L'è un pân sènza lêvol dla piò intiga usân
za, còt int la lastra d'sas o int la tégia d'têra
còta messa sôra ala fiamba viva (d'sarmént).
Impasté 500 gr. d'farêna cun 300 gr. d'gras, sêl,
un pirgòt d'bicarbunê e tânt'agua tévda
quânta ui n' vó par fê un impast piòtòst dur.
Stindìil in zirc grós ciuca ½ cm. e de diametro
ad 15 cm.. Cusì la piadina sôra e' têst o la
lastra, zirêndla spes e furêndla d'sôra cun
al pônt d'una furrêna.
La s'mâg ma spachêda a mitê, imbutida ad
furmàj murbi (squaquarôn) o ad fet rusêdi
d'panzèta, o ad chêzul ala rumagnôla (u j è
la rizèta).
Al bon piadìn fati in ca a gli ha da éssar
sempar acumpagnêdi da un bièl pö d'ven
rós (sansvés o cagnina).

Pitta chicculiata

Préparation : longue

Ingrédients : 5 à 6 tomates, ail, persil, huile, 5 ou 6 filets d'anchois, 180 ml (3/4 tasse) d'olives, 15 ml (1 c. à soupe) de câpres, 1 boîte de thon conservé dans l'huile de 170 g

Niveau de difficulté : complexe

Préparez la pâte tel qu'indiqué dans la recette précédente. Pour la garniture, concassez les tomates pelées et épépinées, faites-les cuire pendant 5 minutes dans un hachis d'ail et de persil, et laissez refroidir. Abaissez la pâte, garnissez-en un moule à tarte et y versez la sauce. Dans un récipient à part, mélangez 125 ml (1/2 tasse) d'huile, 5 ou 6 filets d'anchois salés, puis ajoutez les olives dénoyautées et hachées, les câpres et le thon à l'huile. Versez ce mélange sur la sauce et couvrez la pitta d'une autre couche de pâte. Percez-en la surface et enfournez.

Le vin conseillé

CIRÒ BIANCO. Couleur jaune paille, parfum caractéristique ; délicat et harmonieux.

Pitta ch': chjappari.

Conzàti 'a pasta comu vi dissimu 'nt'a ricetta prima i chista.

P'o 'mpastu ('u chjnu d'intra), pezzijàti, mmorza mmorza, 'nu chile 'i pumadora pilati senza stogghj; facitili 'i si cucinanu pa cincu minuti cu agghju e petrusinu e faciti 'i ffridda. Apoi 'a mentiti 'nt'a 'na cassalora foderata i d'intra, i pasta. A 'n'attra vanda, faciti 'na miscela cu 1/2 bicchjeri d'ogghju, 5 o 6 sardi salati e poi jungiti 100 grammi d'alivi senza cuccogghja e pezzijati fini fini, 'na cucchjarata 'i chjappari e 150 grammi 'i tunnu sutt'ogghju.

Divacati 'sta miscela 'i supa d'a sarza e cum bogghjati 'a cassalora c'a pasta chi vi 'ndavia restatu.

Apoi 'a faciti bruxia bruxia e 'a mentiti 'nt'o furnu.

Pitta con ricotta

🕐 *Préparation* : longue

🍴 *Ingrédients* : 1,5 litre (6 tasses) de farine, 125 ml (1/2 tasse) de levure sèche, sel, eau, 375 ml (1 1/2 tasse) de ricotta fraîche, 125 ml (1/2 tasse) de ricotta salée, 125 g (1/4 lb) de salami calabrais, 3 œufs cuits durs, huile ou saindoux, blanc d'œuf

🍴 *Niveau de difficulté* : complexe

La pitta est une focaccia de pâte à pain farcie. Avec la farine, la levure sèche, une pincée de sel et autant d'eau que nécessaire, préparez une pâte moelleuse que vous ferez lever pendant 1 heure dans un endroit tiède. Pendant ce temps, préparez la farce. Mélangez la ricotta fraîche et la ricotta salée râpée. Coupez en tranches le salami calabrais pas trop piquant et 3 œufs durs. Retravaillez la pâte, dans laquelle vous incorporerez un peu d'huile ou de saindoux. Avec les 2/3 de cette pâte étendue, garnissez un moule de diamètre adéquat, puis étendez en couches la ricotta, le salami et les œufs. Couvrez avec la pâte restante, en soudant bien les bords; percez des trous dans la pâte, afin que la vapeur qui se forme pendant la cuisson puisse s'échapper. Enfin, badigeonnez la pitta de blanc d'œuf battu et enfournez à four déjà chaud. Faites cuire à température constante (180 °C [350 °F]) sans quoi la pitta ne sera pas bien dorée. La pitta se sert froide.

Le vin conseillé

🍷 CIRÒ ROSATO. Couleur rosée, parfum délicat et vineux; chaud et harmonieux, velouté avec le vieillissement.

Pitta cu rricotta.

Vi dicimu, ora, ddui' maneri, 'ncignandu
c'a pitta c'a ricotta.
Cu 600 gr. 'i farina, 30 'i lavatu, 'na pizzicata 'i sali e acqua quantu basta, conzà
ti 'na pasta tènnera e facitila 'i glièvita,
pa 'na sira, 'nt'a 'nu postu tepitu.
'Ntantu, conzàti 'u 'mpastu cu 300gr. 'i ricotta fisca e 50 gr. 'i casàrica. Apoi faciti
fletti fletti 100 grammi 'i salami calabrisi,
chi no 'n' bruscia assai, e tri ova gugghjiu-
ti belli tosti.
Pigghjati 'n'attra ota 'a pasta e 'a 'mpastà
ti ancora, dappu chi si 'ndaviti mmurvra-
tu 'na ppena 'i ogghju o 'i saimi.
Cu 2/3 'i 'sta pasta foderati 'u culacchju e
i lati 'i 'na cassalora, no 'n randi e no 'n
picciula, e ssi montiti 'nu solu 'i ricotta, u-
nu 'i salami e unu 'i ova. Cumbogghjati 'a
cassalora c'a pasta chi vi 'ndavìa restatu e,
i supa, si dassati 'na para 'i brucia pa-
damuri 'i nesci 'u vapuri.

Si passati 'i supa janchi d'ova sbattuti e 'a
montiti 'nt'o fivrnu cardu.
'Ndaui 'i si cucina (180°) fin'a chi 'a pitta no-
'n esti 'o culuri 'i ll'oru, 'si mangia fridda.

Pizza napoletana
Pizza napolitaine

🕐 *Préparation* : longue

✗ *Ingrédients* : pour chaque personne, 250 ml (1 tasse) de farine, 2 sachets de 8 g de levure sèche, sel

🍴 *Niveau de difficulté* : facile

L'association cuisine napolitaine et pizza est évidente. S'il y a mille façons d'assaisonner la pizza, il y a un goût et un amour particuliers pour ce plat très simple, devenu l'un des plus connus et des plus répandus de notre cuisine. Indépendamment des divers condiments, où chacun peut donner libre cours à sa fantaisie, la recette de base pour obtenir une bonne pizza est la suivante. Calculez pour chaque personne 250 ml (1 tasse) de farine et 2 sachets de levure sèche. Délayez la levure dans un peu d'eau tiède, mélangez-la à 1 poignée de farine et laissez reposer pendant environ 1 heure. Faites un puits avec le reste de la farine, placez au centre le petit pain levé et le sel nécessaire, et mélangez avec de l'eau tiède, en travaillant la pâte avec une certaine force. Laissez reposer pendant 2 heures. Abaissez ensuite la pâte à une épaisseur d'environ 1/2 cm (1/4 po), assaisonnez la pizza et enfournez au four préchauffé à 180 °C (350 °F) pendant environ 10 minutes.

Le vin conseillé

CAPRI BIANCO. Couleur jaune paille clair, parfum agréable et caractéristique ; sec et frais.

Pizza napoletana -

Cucina napoletana é pizza formene une nomme. 'nce stanne mille mode 'e fà 'a pizza, usando 'o cundimento cu gusto, é n'ammore particulare pe stu piatto... Semplice é cunusciuto cà é addeventato 'o simbolo d'a cucina napulitana.

Ognuno 'a po fà a modo suio gustannela cu svariate cundimente.

'A ricetta base pe fà na bona pizza é chesta: calculate pe ogne persona 100 gr. 'e farina é 15 gramme 'e lievito. Scinglite 'o lievito dinto 'a nu poco d'acqua calda tiepida, 'mpastatela cu na vranca 'e farina é facitela arrepusà pe quase n'ora.

Facite na funtana cu 'o riesto d'à farina é mmiezo 'o centro, 'nce mettite 'o panetto allielitsto cu 'o sale nicessario, pò 'mpastatelo cu l'acqua tiepida é faticate 'a pasta cu nu poco 'e forza, é facitela crescere 'o 'mpasto pe quase doie ore. Stennite 'a pasta pe nu spessore 'e miezu centimetro, cunditela comme 'a vulite é 'nfurnatela 'a forno caldissimo pe diece minute.

Pizza di farina gialla
Pizza à la farine de maïs

🕐 *Préparation* : longue

🍴 *Ingrédients* : 1 litre (4 tasses) d'eau, 500 ml (2 tasses) de farine de maïs, 125 ml (1/2 tasse) de parmesan (ou moitié pecorino, moitié parmesan), 125 ml (1/2 tasse) d'huile, 4 œufs, poivre

🍴 *Niveau de difficulté* : facile

Voici une pizza ancienne, jadis très répandue dans les maisons des paysans ; ils la cuisaient directement sur la cendre pour éviter que le contact direct avec la braise ne la brûle. Naturellement, de nos jours, on la cuit au four, mais le goût demeure authentique. Les ingrédients d'origine étaient la farine de maïs, le sel et l'eau ; aujourd'hui, on l'enrichit avec des œufs, du fromage et de l'huile. La recette est la suivante : versez en pluie dans 1 litre (4 tasses) d'eau bouillante 500 ml (2 tasses) de farine de maïs et du sel. Faites cuire pendant environ 30 minutes en remuant continuellement. Hors du feu, ajoutez le parmesan râpé (ou moitié pecorino, moitié parmesan), 125 ml (1/2 tasse) d'huile et 4 œufs. Terminez avec une pincée de poivre. Huilez généreusement un moule et versez-y le mélange. Enfournez dans un four préchauffé à 180 °C (350 °F) pendant environ 20 minutes.

Le vin conseillé

MONTEFALCO ROSSO. Couleur rouge rubis, parfum vineux et caractéristique ; sec, harmonieux et velouté.

Torta de grenturco.

'Na sorta se magnava 'sta torta dai conta_
dini, che pè nun falla abrugià, la metteron
sotto la cenere. Adesso che 'l camino ce l'onno
solo quilli che voglion fa i fini sul salottino
quil bono, se coce ntol forno.
Vien bene listesso.
Se faceva nco la farina de grenturco, 'l sale
e l'acqua, ma adesso s'è arpulita e ce se met_
teno ovi e formaggio.
Se pija sempre du etti de farina de grenturco,
'l sale e se 'mpasta nco l'acqua come pè fa
la polenta. Se mischia sul foco per mezzora
e poi se leva per mettece mezz'etto de formag
gio grattato, mezzo bicchiere d'olio e 4 ovi.
Ce se mette anche 'l pepe macinato.
Se unta bene 'na teja, ce se mette 'l composto
e poi se coce pè 'na ventina de minuti.

Polenta friulana
Polenta du Frioul

🕐 *Préparation* : longue

✖ *Ingrédients* : farine blanche et farine de maïs, sel, beurre, courge, 1 kg (2 lb) de pommes de terre

🍴 *Niveau de difficulté* : facile

C'est une polenta qui se fait avec de la farine blanche et de la farine de maïs en quantités égales, une pincée de sel et, à la fin de la cuisson, une noisette de beurre. On la mange avec du lait froid. Cette polenta est encore meilleure si vous y ajoutez de la courge bouillie et réduite en purée. Meilleure également si vous faites cuire des pommes de terre et les réduisez en purée. Conservez l'eau de cuisson et remettez-y les pommes de terre en purée. Quand l'eau bout, on ajoute peu à peu la farine de maïs. Laissez cuire en remuant pendant une quarantaine de minutes

Le vin conseillé

🍷 REFOSCO dal PEDUNCOLO ROSSO di AQUILEIA. Couleur rouge violacé, parfum vineux avec une note herbacée ; sec, légèrement amer.

53

Tuf.

'E je une polente che si fâs cun farine di flôr e
farine di sorc miez e miez, une prese di sâl e,
une volte cuete, un sbreghenin di spongje.
Si mangje cun lat frêt.
Cheste polente 'e devente ancjmò plui buine
quant che si zonte côce pulide in pastele.
Ancjmò miôr se si met te cjalderie cu l'aghe
salade un chilo di purè di patatis.
Quant che l'aghe 'e jeve il bol si bute-jù
la farine di sorc e si fâs la polente.

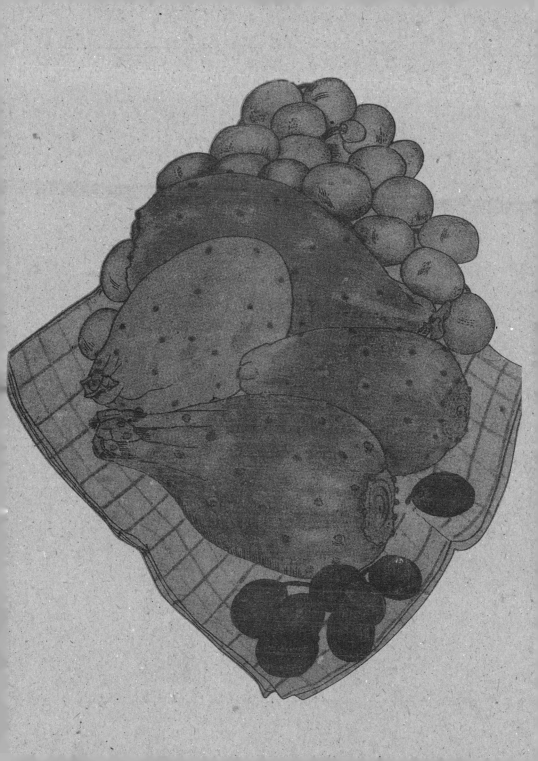

Polenta d'erbe
Polenta d'herbes

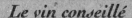

🕐 *Préparation* : longue

✕ *Ingrédients* : choux, épinards, feuilles de navet, bettes à cardes, huile, beurre, haricots, eau, lait

🍴 *Niveau de difficulté* : facile

Peuple frugal, les habitants du Frioul savent depuis longtemps comment utiliser toutes leurs « herbes », tous leurs légumes, avec cette recette typique. Faites bouillir choux, épinards, feuilles de navet et bettes. Égouttez-les, coupez-les en petits morceaux et remettez-les tous ensemble dans une casserole avec un peu d'huile et de beurre, des haricots bouillis, de l'eau et du lait. Le tout doit bouillir jusqu'à l'obtention d'une consistance de polenta.

Le vin conseillé

RIESLING ITALICO del COLLIO. Couleur jaune doré, parfum caractéristique ; sec et frais, corsé.

Vite.

Papul a la bruine e di pocje spese, il furlan al sa doprâ dutis lis sôs "arbis", dutis lis sôs verduris cun cheste tipiche ricete.

Si fàsin lessâ, pôs o trôs secont che un al ûl, brocui, spinaze, ravivarre, blede. Si disgòtin, si pèstin fins fins cul curtis e si tòrni ju a meti in tune pignate cun tun freghenin di ueli e di spongje, fasui lessâz, agre e lat. La misture 'e à di bulî dute insieme fin ch'e rive a sujâsi e a indurîsi a ûs di une polente tenare che si mangje compagnade cul lat.

Pomodori secchi
Tomates séchées

Préparation : longue

Ingrédients : tomates italiennes ou tomates Sammarzano si vous en trouvez, sel, vinaigre, piment fort, huile d'olive

Niveau de difficulté : facile

Choisissez des tomates italiennes saines, fermes et mûres ; lavez-les, essuyez-les et tranchez-les dans le sens horizontal. Mettez les tranches de tomate sur une planche, saupoudrez de sel fin et laissez sécher au soleil en prenant la précaution de ne pas les laisser dehors pendant la nuit ou quand le ciel est nuageux. Une fois les tomates séchées, lavez-les avec un peu de vinaigre, égouttez-les et placez-les dans un pot de verre ou d'argile avec de petits morceaux de piment fort et recouvrez-les d'huile d'olive. C'est une spécialité des Pouilles, au goût incomparable, souvent plagiée mais jamais égalée.

Le vin conseillé

LEVERANO ROSATO. Couleur rouge cerise, parfum caractéristique et fruité ; sec, frais et harmonieux.

Pamadura saccata.

A-da capà la pamadura bbuèna Sam marzana; la lava, l'assucha, la tagghj-a vrècchja, la mitta sop-a na tàuua., nga ammìna u ssala e la lassa sta sop-o u-àscra mbàccambrònd-o sola pa na sa mana.

Acquanna sa so' saccata, làvala cha nu piccha d'acita, schauìscala e mìttala jind-a na capasèdda cu diauicchja e acchamagghjata d-ègghja.

Sardine alla cipolla
Sardines aux oignons

🕐 *Préparation* : longue

✕ *Ingrédients* : sardines, oignon doux, huile, citron (ou vinaigre), sel, poivre

🍴 *Niveau de difficulté* : facile

Choisissez des sardines très fraîches ; coupez les sardines étêtées en deux, ôtez l'arête, essuyez-les avec un linge propre, étendez-les avec soin dans un plat de service, couvrez de tranches très fines d'oignon doux, assaisonnez avec de l'huile, du jus de citron, du sel et du poivre. Certains préfèrent le vinaigre au citron. Ces sardines ne se dégustent que 18 heures au moins après avoir été préparées, afin de permettre au vinaigre ou au citron de les « cuire ».

Le vin conseillé

TOCAI ITALICO di LISON-PRAMAGGIORE. Couleur jaune paille, parfum léger, légèrement fruité ; sec et velouté.

Sardèle co le ségole.

Cavarghe la testa a le sardèle fresche de alba e verzarle a metà, cavandoghe el spin. Sugarle ben co una canevassa neta e metar le, co un fià de sesto, sul piato da portar in tola. Par sora, se le coverse co tante fetine de ségola, tagiae fine fine, e se le consa co ogio, sugo de limon, sal e pevare.

Se pol metarghe anca l'aséo, al posto del limon, ma el gusto xe più fortesin.

Sto piato se ga da pariciar almanco 18 ore prima de magnarlo parchi l'aséo, o el limon, possa cusinar le sardèle.

Schiacciatine di farina di granturco
Petits pains à la farine de maïs

🕐 *Préparation* : rapide

✗ *Ingrédients* : farine de maïs, huile, sel

🍴 *Niveau de difficulté* : facile

En période de disette, les habitants des Pouilles ont dû céder aux flatteries de la farine de maïs en en faisant des petits pains pour survivre. Vous faites une polenta. Une fois qu'elle est assez solide, mettez-la sur la huche, étalez-la et coupez-la en rectangles d'environ 6 cm x 8 cm (2 1/2 po x 3 po) que vous laissez refroidir. Ensuite, faites-les frire dans de l'huile bouillante ; salez un peu. Lorsque les petits pains sont en forme d'œuf, on les appelle « popizze ».

Le vin conseillé

 ROSATO di GIOIA del COLLE. Couleur rouge rubis délicat, parfum légèrement vineux ; sec, frais et harmonieux.

Sgagliozz-e popizze.

Sa mètta jind-a ma cazzaròla la bastanza da l'acqua e u ssàla pa la farina da granona ca sa vola e sa fasca assì
a fferva.

Acquanna l'acqua acchammènz-a rrusca,
s-ammèna a ppicch-a la volda la farina
razzauànnala cha ma chacchjara da tàuua.
Sa fasca cosca pazzingh-acquanna chèdda
acchammènz-a molastarsa; po' s-ammèna
sop-a tavaliara, sa fasca la stèssa e sa tagghj-a quadratina. N' addola da sala sopa
e sa poddana mangià.

P-avè la popizza, nvèsca da taggrijall-a
quadratina, a picch-a la volda sa razzauì
scana mmana, facèmmala a iusa d'òva da
pabbra e sa tèmana da cchjù a cosca.
Sop-a ttutta u iabbrastòmacha bavita u
mmiara bbiàngha Martina-Strippue.

« Smacafam »

Préparation : longue

Ingrédients : 500 ml (2 tasses) de lait, 500 ml (2 tasses) de farine de sarrasin, 1 oignon, sel, poivre, lard, 1 ou 2 saucisses

Niveau de difficulté : facile

C'est la pizza typique du Trentin, dont les variantes sont multiples. La plus ancienne est à base de farine de sarrasin et de saucisse séchée. Réchauffez à peine le lait dans lequel vous délaierez 500 ml (2 tasses) de farine de sarrasin : vous devrez obtenir une pâte qui n'est pas trop dense. Faites revenir à part 1 oignon émincé que vous ajouterez au mélange. Salez, poivrez et versez le tout dans un moule graissé de lard, et ajoutez des tranches de saucisse sur la surface. Enfournez au four préchauffé à 150 °C (300 °F).

Le vin conseillé

LAGO di CALDARO. Couleur rouge rubis ou grenat ; parfum légèrement fruité, caractéristique ; harmonieux et souple.

Smacafam.

el smacafam el saria ma spere de pizá ala trentina con tute le so variazion.

La pu vecia l'ei fata de farina de formenton e de luganega stagionada. Se fa scaldar, pena pena, mez litro de lat sfregolandoghe drento en par de eti de farina de formenton; se do veria far ma moseta pitost tendra.

En d'en padelin sa fa rosolar ma zigola taia da su fina fina e se ghe la zonta ala moseta con en migol de sal e en migol de peiver e dopo se onze de lardo la tera de ram e se ghe la smeca zo; ma prima de meterla 'en del forn se ghe taia sora alguante fetine de luganega e se la lasa coser pian pian.

Testina di capretto
Tête de cabri

Préparation : longue

Ingrédients : tête de cabri (petit de la chèvre), chapelure, huile, sel, piment, céleri, persil

Niveau de difficulté : facile

Coupez en deux une tête de cabri, saupoudrez-la de chapelure, assaisonnez-la avec de l'huile, du sel et du piment, puis enfournez-la au four préchauffé à 160 °C (325 °F). Servez, en garnissant le plat de céleri et de persil.

Le vin conseillé

MONTEPULCIANO d'ABRUZZO. Couleur ROUGE RUBIS, PARFUM VINEUX ; SEC, SOUPLE, TANNIQUE, DU NERF.

Testina re capritte...

Sparxate a mmieze na testina re capritte ;
mmantàtela re pane rattate, cunditela che l'o
glie, sale e riaulille e 'nfurniatela.
Ara coce a fuoche liente.
Purtàtela 'ntaula rente a na sperlanca, uar-
nita che mazzette re lacce e tanta purdesinere.

Torta di erbe pasqualine

⏱ *Préparation* : longue

✗ *Ingrédients* : beurre, oignons, pancetta, 4 litres (16 tasses) d'herbes (épinards, sauge, romarin, ciboulette, roquette et toutes les laitues sauvages des prés ou des bois), poivre, noix de muscade, 4 œufs, 250 g (1/2 lb) de saucisse, lait, 1,25 litre (5 tasses) de farine de seigle ou de fleur de maïs, 1,25 litre (5 tasses) de farine blanche de type 0[1], fromage frais

🍴 *Niveau de difficulté* : facile

Recette annotée et cuisinée par Felicina Bos.
Ce gâteau aux herbes printanières doit être préparé en deux temps. La veille, faites revenir dans un hachis à base de beurre, d'oignons et de pancetta environ 4 litres (16 tasses) d'herbes hachées grossièrement (épinards, sauge, romarin, ciboulette, roquette et toutes les laitues sauvages des prés ou des bois) aromatisées de poivre et de noix de muscade, que vous déposerez dans un grand plat en terre cuite. Vous ajouterez, à froid, les œufs, la saucisse et enfin, en vous aidant du lait, la farine de seigle ou de fleur de maïs et la farine blanche. Mélangez avec soin de façon à obtenir une pâte homogène. C'est seulement après que votre préparation aura reposé toute la nuit que vous serez en mesure de procéder à la seconde phase de la réalisation de la torta. Abaissez soigneusement la préparation avec une cuillère de bois, ajoutez une fine couche de fromage frais et beaucoup de copeaux de beurre. Enfournez à température modérée et attendez avec confiance la réussite de l'un des plats les plus traditionnels du Val d'Aoste.

1. La farine 0 se trouve dans la plupart des épiceries italiennes. Vous pouvez la remplacer par de la farine blanche.

Le vin conseillé

ROSATO della VALLE D'AOSTA. Couleur rosée, parfum vineux et frais; sec, agréable, parfois perlant.

Tourta i s-erbe de l'ifauri

Heutta tourta i s-erbe de l'ifauri (erbe de meison é erbe sarvodze (2 Kg), de s-épeatse, de sarve, de rasmareun, de s-eignon é de totte le salode sarvodze de pro au de bauqui), dei ihé aprestete eun 2 ten. Lo mat féiede rosolé, avoui de beuro de montagne, le s-erbe, le gou é totte le salode sarvodze.

Quan l'è fret adjeundéde lt s-au, 3 eito de poha de salceusse é, eun vo aéidren avoui de laci, ½ Kg. de faèna de meurga é ½ Kg. de faèna blantse.

Mécléde lo tot eun tsertsen de dtchai an poha compatta é lichéde repausé pe totta la mat. Spatode la poha avoui chauen é eun eumpleien an couiglier de bauque, adjeundéde un ten de fromadzo frique é sensa economia, de cariglion de beuro.

Catsède i for, a an température mouaienna é attégnéde avoui confiance la réussia de un di plat pi tradichonel de la Val d'Ouha.

« *Tortel* »

Préparation : longue

Ingrédients : 5 à 6 grosses pommes de terre, farine, fromage, lait, 2 jaunes d'œufs, sel, poivre

Niveau de difficulté : facile

Voici une autre pizza du Trentin. Celle-ci s'accompagne de saucisses, de légumes et de charcuterie. Râpez les pommes de terre crues pelées et mélangez-les avec 30 ml (2 c. à soupe) de farine, du fromage râpé, du lait, 2 jaunes d'œufs, du sel et du poivre. Quand vous aurez obtenu une pâte dense mais pas trop, versez-la dans un moule bien huilé et cuisez-la au four préchauffé à 150 °C (300 °F).

Le vin conseillé

SORNI ROSSO. Couleur rouge rubis, parfum délicat et agréable ; souple et harmonieux.

El tortel.

'El tortel sel fa de patate crude o de erbe cote e se ghe zonta pò luganega o panzeta o altri salumi. Con mez chilo de patate crue, za pelade e gratade en de na scudela se empasta dei cuciari de farina, doi pugni de formai gratà dai goze de lat, doi rossi de of, sal e pever.

Se doveria star atenti che no la fusa masa mola, ma gnanca massa dura. na roba che va ben prima de meterla 'en de l'a tesa onta de oio e de farla coser 'en del forno.

Vitello tonnato

🕐 *Préparation* : longue

🍴 *Ingrédients* : 1 kg (2 lb) de noix de veau, 1 branche de céleri, 1 carotte, 1 oignon, laurier, 125 ml (1/2 tasse) de vinaigre, 1 boîte de 170 g de thon à l'huile, 125 ml (1/2 tasse) de filets d'anchois, 30 ml (2 c. à soupe) de câpres, 1 jaune d'œuf cuit dur, 125 ml (1/2 tasse) d'huile d'olive, 2 citrons

🍴🍴🍴 *Niveau de difficulté* : complexe

Déposez dans une casserole le veau enroulé dans un linge propre ; couvrez d'eau et ajoutez 1 branche de céleri, 1 petite carotte, 1 oignon, 1 feuille de laurier et le vinaigre. Laissez mijoter pendant 2 heures. La viande doit refroidir dans son bouillon, pour être ensuite coupée en tranches et déposée sur le plat de service. Couvrez-la alors de la sauce suivante. Passez au tamis le thon, les filets d'anchois (sans arêtes), les câpres, le jaune d'œuf, et battez le tout avec l'huile d'olive et le jus de 2 citrons. Vous devez obtenir une sauce aussi homogène que de la mayonnaise.

Le vin conseillé

CHIARETTO della RIVIERA del GARDA. Couleur rouge cerise, parfum délicat et agréable ; souple, avec un arrière-goût d'amande amer.

Vitell "tonné"

Se mett in d'ona pignatta, sottcent gramm
de fesa (mej se se tratta de magattell),
involtiada in d'on pann de tela nett, se
quatta de acqua, se ghe gionta ona gamba
de siller, ona carotolina, ona scigollètta,
ona foeuja de l'avor e mezz biccèr de
asée. Poeu se lassa coeus per dò or.
La carna, dopo che la s'è lassada
sfreggi in del so broeud, la se taja a
fett e la se distend sul piatt de portada.
A part s'era preparàa ona salsa passand
al sedass cinternquanta gramm de tón
sott'oli, cinquanta gramm de incaiod (lavaa,
nettàa, di res'ch), vint gramm de càper
e el ross d'on oeuv in ciappa, sbattend
poeu tuttcoss con mezz biccèr de oli d'òliva
e cont el sugh de dù limon.
Gh' ha de riessi ona salza spessimma
come le "mayonnaise".

Salse, Sughi e Condimenti

Sauces et condiments

Bagnetto rosso

 Préparation : longue

 Ingrédients : tomates, ail, oignons, vinaigre, sucre, sel, moutarde, huile

Niveau de difficulté : facile

Faites bouillir dans une quantité moyenne d'eau salée les tomates avec de l'ail et des oignons qui auront été hachés ensemble. Ajoutez le vinaigre, le sucre et une pincée de sel. Laissez mijoter à couvert pendant 2 heures (un peu moins s'il s'agit de tomates pelées). Passez la sauce au tamis, remettez sur le feu et remuez le temps nécessaire pour que la sauce ait la densité voulue. Ajoutez alors la moutarde, mélangez et laissez refroidir. La sauce peut se conserver pendant quelque temps dans des pots en verre, fermés hermétiquement (en ajoutant un filet d'huile sur le dessus). Cette sauce est particulièrement indiquée pour le «gran bollito piemontese».

Bagnèt ross

Fè beuje, ant una pignata, le tomatiche,
aj, siola ciapulà ansema. Quand a beujo
giontje aj e siola già ciapulà, asil, sucher
e un pëssion ëd sal.
Lassè cheuse per circa e ore.
Passè tult a le siass, butè torna al feu e
mes_cié finché la saossa sia consistenta.
Giontje un pëssion ëd senëvra e lassé anfreidé
La saossa peul esse conservà anche ant
i vasèt ëd veder con ansema 'na fila d'euli.
Costa saossa a l'è indicà per el "gran
buji piemontèis,,

Guazzetto di Ciavarre

🕐 *Préparation* : longue

✕ *Ingrédients* : 375 g (3/4 lb) de viande de mouton, 125 ml (1/2 tasse) d'huile, ail, romarin, 250 ml (1 tasse) de vin blanc sec, 8 tomates, 1/2 piment, sel, poivre

🍴 *Niveau de difficulté* : facile

Il s'agit d'une sauce tomate à base de jeune mouton. Dans 125 ml (1/2 tasse) d'huile, faites revenir 2 gousses d'ail et quelques feuilles de romarin. Rissolez la viande et, quand elle aura pris une belle couleur, vous y ferez évaporer le vin blanc sec. Ajoutez ensuite les tomates pelées et concassées, le piment, du sel et du poivre. Faites cuire à feu doux, à demi couvert. Cette sauce peut accommoder les pâtes ou le riz.

Guazzittu de ciavarre.

È nu normale ragù compostu da polpa de pechera giovine, senza fijà. Ci serveno 350 gr. de porpa de pechera tritata capata alla coscia.

A mezzu picchieru d'aiju, fecete suffrigge du spicchi de aiju e quacche fojetta de rosomarinu.

Aiju suffrittu fecete arrossà la carni, la quale, quandu ha pijatu nu culurittu scuru, feceteci 'vaporà nu picchiere di vinu biancu siccu.

Aggiungetici dapò 8 pumaore a focu lentu co ju ticane graci chiusu.

Co sta salsa ci potète cundì pasta o risu.

« Licurdia »

🕐 *Préparation* : rapide

✗ *Ingrédients* : 3 à 4 oignons, 3 à 4 pommes de terre, 2 litres (16 tasses) d'eau, huile, pecorino, tranches de pain maison grillées

🍴 *Niveau de difficulté* : facile

Originaire de Cosenza, ce terme peut désigner deux préparations distinctes : une soupe ou une sauce. Pour la soupe, coupez les oignons et les pommes de terre et faites cuire le tout dans l'eau salée, à feu très doux. Servez la licurdia assaisonnée d'huile et de pecorino râpé sur des tranches de pain maison grillées.

Licurdia minestra.

Si faci 'nt'a gli parti 'i Cusenza.
U dittu voli diri ddui cosi viversi : 'na
minestra e 'na savsa.
P a minestra faciti ffetti ffetti 100 grammi
i cipugli e 400 grammi i patati e faciti 'i
si cociunu 'nt'a 2 litri d'acqua salata, a
focu lentu. 'Ndavi 'i si mangia cunduta cu
ogghju e furmaggiu pecurinu stricatu, sup'a
ffetti 'i pani 'i casa 'mprustulutu

Pearà

 Préparation : longue

Ingrédients : beurre, moelle de bœuf, chapelure, bouillon, poivre

Niveau de difficulté : facile

C'est une sauce qui sert à relever le goût du bouillon. Faites fondre dans une petite casserole, en terre cuite si possible, une portion de beurre pour deux portions de moelle de bœuf très fraîche. Ajoutez ensuite de la chapelure très fine et attendez qu'elle absorbe le gras, en remuant avec une cuillère de bois. Mouillez avec du bouillon, idéalement de viande. Laissez mijoter pendant au moins 2 heures, en brassant de temps en temps avec la cuillère de bois. Salez et rehaussez avec du poivre noir fraîchement moulu.

À la place du poivre, vous pouvez utiliser du raifort râpé dilué dans du vinaigre, vestige de la domination autrichienne.

Pearà.

Questa xe una salseta che se sposa da dio co la carne lessa. Se la prepara dentro una tecéta de cocio, de quele dei nostri noni, fassendo descolar insieme un tocheto de butiro e el dopio de megola de bò. Se ghe zonta un fià de pangratà e se missia fin che el grasso zà sugà el pan gratà. Me racomando de adoparar el mescolo de legno. Adesso se ghe zonta un pocheto de brodo e se se desmentega la tecéta sul canton del fogo, che la pipa adasieto, almanco par do orete bone.

Ogni tanto se ghe dà 'na missiadina col mescolo. Sal e pevare, quelo nero, becante. Chi che xe rafinato, o che ghe piase megio, pol zontarghe, al posto del pevare, un fià de "cren" gratà e stemparà nell'asèo.

Cussì co i magna, i se ricorda de Cecó Bepe, parchè sta riceta col "cren" ne la ga lassà da i austriaci.

Pesto alla genovese
Pesto à la génoise

🕐 *Préparation* : rapide

🍴 *Ingrédients* : basilic (50 feuilles), ail, sel, parmesan, 375 ml
(1 1/2 tasse) d'huile

🍴🍴 *Niveau de difficulté* : facile

Les quantités indiquées permettent de préparer un pesto suffisant
pour assaisonner 1 kg (2 lb) de pâtes. Lavez soigneusement une
cinquantaine de feuilles tendres de basilic, laissez-les sécher et
écrasez-les au mortier avec 2 gousses d'ail et une pincée de sel.
Manipulez le pilon de sorte que les feuilles se défassent contre les
parois du mortier. Ajoutez petit à petit 30 ml (2 c. à soupe) de
parmesan et, quand vous aurez obtenu une pâte, versez-la dans
une terrine et diluez-la avec 375 ml (1 1/2 tasse) d'huile que vous
verserez en filet tout en remuant avec une cuillère de bois. Vous
obtiendrez une sauce d'une belle couleur verte, plutôt dense.

Pesto a zeneise.

E doxi che indichemmô servan per un pesto cô
basta pë 800 grammi de pasta. Mondè 50 feüggie de baxaicò (e ciü tenië), lavele, sciüghele e
metteile in to môrtà con düu gaeli d'aggiô e
un pelinsegun de sâ.
Manôvre o pestello in moddo che e feüggie se
possan disfà in sciä parete dô môrtà e nôn
seggen pestæ in tô fondô. Giuntêghe, un pô pe
votta, 2 cüggià de parmiggian e, ad amalgama ottegnüa, travasè in unn-a terinn-a lun-
gando con in gotto e mezô d'euio e remesciando
con un cüggià de legnô.
Aviei côsci un di ciü antighi mangià de Zena.
Peguo ü ciü celebre e quello che ciü cônta, saieivô-

« *Peverada* »

🕐 *Préparation* : rapide

✕ *Ingrédients* : filets d'anchois, foies de poulet, persil, citron, ail, quelques tranches de soppressata ou de salami, pain râpé, huile, sel, poivre, jus de citron, vinaigre

🍴 *Niveau de difficulté* : facile

Faites un beau hachis avec des filets d'anchois, des foies de poulet (ou encore de pintade ou de pigeon), du persil, de l'écorce de citron râpée, de l'ail (1 gousse) et quelques tranches de soppressata (ou de salami). Mettez le tout dans un bol et mélangez avec du pain râpé. Dans une casserole, faites revenir dans de l'huile d'olive une gousse d'ail que vous retirerez dès qu'elle sera dorée, puis ajoutez le mélange, avec du sel et du poivre. Mélangez avec une cuillère de bois, mouillez avec du jus de citron et une pointe de vinaigre de vin. Si vous le souhaitez, vous pouvez également ajouter un peu de gingembre, souvenir du commerce vénitien avec l'Orient. Si vous en avez sous la main, vous pouvez enrichir le jus de citron de jus de grenade, réminiscence médiévale.

On peut aussi préparer la peverada de la façon suivante : l'ail peut s'accompagner d'un petit oignon tranché que vous ne retirez pas une fois cuit et auquel vous ajoutez du persil haché, quelques câpres et 1 ou 2 piments verts forts. Cette variante se dilue dans le jus de cuisson des volatiles rôtis.

Autres possibilités : Vous pouvez ajouter à la sauce 1 rognon sauté au persil, à la sauge et au romarin, vous pouvez également ajouter un mélange d'écorce d'orange et de cédrat confit, autre souvenir oriental.

Pearada.

'Sta salsa xe stada inventada aposta par darghe
tono al polame rosto e se la serve sempre co la farao
na, i colombini e i polastreli.

Prima de tuto, se fa un impasto co un pochi de fileti
de sardèle salae, ben lavàe e senza spin, qualche
figadèlo de faraona o de colombo, un poco de parzé
molo, un spigoleto de agio, un fià de scorzo de limon
gratà, e qualche fetina de sopressa o de salame.

Se trita tutto e se lo impasta insieme co un fià de
pangratà par darghe una certa consistenza.

Yntanto se fa desfrizar in una tecia, un spigoleto
de agio in bastanza agio e, apena che l'agio se ga roso
là, se lo cava e se ghe buta dentro l'impasto che dopo
vien stemparà co un poco de sugo de limon e un po
co de asèo de puro vin. Se tasta se el va ben de sal e de
pevare, se missia un pocheto col mescolo de legno, e chi che
xe nostalgico de le glorie del Leon venexian in Oriente,
ghe zonta anca una puntina de xénxero.

Se, par caso, se pol procurarse un trocheto de sugo de
pomo-granà, se ghe lo zonta col sugo de limon. La sal
sa gavarà un gustesin de piri, e farà vegnir in mente
el medioevo, quando che i pomi-granai gera molto de moda

Variante n° 1.

In 'sta salsa pevarada se pol zontarghe anca una segoléta a fetine che se desfrixaco l'agio. El spigoleto de agio se lo caxa e la spigoléta resta e se ghe buta in compagnia anca un pixeghéto de parxémolo tritá, un pachi de càpari e 1 o 2 pevaroncini verdi e becanti. Sta salseta va de stemparada co el sugheto dei polastreli, dele faraone o dei colombini rosti a seconda de quelo che passa el convento.

Variante n° 2.

Ala salsa pevarada, pareciada nela solita maniera, se pol zontarghe un rognonsin spelá e saltá in farsora co un pixeghéto de parxémolo tritá, una fogéta de salvia, un rameto de osmarin.
Chi che vol, ghe grata dentro anca un fiá de scorzo de naransa e qualche tocheto de cedro candio.
Proba tirca, ma bastanxa bona.

Ragù alla bolognese
Sauce bolognaise

🕐 *Préparation* : longue

✖ *Ingrédients* : 125 ml (1/2 tasse) de beurre, huile, 1 oignon, 1 carotte, 1 branche de céleri, 125 g (1/4 lb) de pancetta, 250 g (1/2 lb) de viande de porc, 250 g (1/2 lb) de viande de bœuf maigre, 125 ml (1/2 tasse) de chair à saucisse, 125 ml (1/2 tasse) de vin blanc sec, sel, poivre, 30 ml (2 c. à soupe) de sauce tomate, 250 ml (1 tasse) bouillon de viande, 125 ml (1/2 tasse) de crème (ou de lait), foies de poulet, champignons

🍴 *Niveau de difficulté* : facile

Cette recette classique de la sauce bolognaise est exclusivement à base de viande et donne 6 portions. Faites revenir dans du beurre et de l'huile l'oignon émincé, la carotte et la branche de céleri tranchées, et la pancetta hachée. Quand le hachis commence à dorer, ajoutez toutes les viandes hachées, laissez-les rissoler et mouillez avec le vin blanc sec. Lorsque le vin s'est complètement évaporé, ajoutez du sel et du poivre, la sauce tomate et le bouillon de viande. Poursuivez la cuisson à feu doux, en rajoutant du bouillon si nécessaire. Au bout d'environ 1 heure, incorporez la crème liquide ou le lait et laissez réduire rapidement. Terminez la sauce avec 1 noix de beurre, et pour l'enrichir, ajoutez des foies de poulet et des champignons que vous aurez apprêtés à part.

Ragò a la bulgnàisa.

La vaira rizéta dal ragò a la bulgnàisa l'é
quasta: par si parsàun tuli 200 gr. ed pàulpa
ed ninéin 200 gr. ed mègher ed manz (car-
tèla), 100 gr ed panzatta e 50 gr. ed sulzézze;
1 zivalla; 1 pistinéga; 'na còsta ed sàrel
Pisté la panzatta, avrì la sulzézza e mitì i
su grasu, la panzatta e i' udùr tridè fäin
(zivalla, pistinéga e sàrel) tótt a sufrézzer
dantr'a 'na cazaròla.
Quand la panzatta la sta par dvintèr biande
ai mitrè dantèr la chèren ed ninéin e qual
la ed manz. Lasè sufrézzer un puctéin pó
ai azuntarì mèzz bichèr ed vin biànch sacch.
Quand al vin al srà stè tiré, ai mitrè trei
quèrt ed bichèr ed cunsèrva ed pondòr dsfàta
in d'un pòch d'àqua o d'bròd, un pòch ed
sèl e d'pàvver màigher.
Andè avanti con la cottura fagandi tirèr un bichèr ed pàna o ed làtt, sàmper andand ed longh
a firel grillèr.
A cottura cumplèta i grassù dla chèren i' hann
da èsser cùtt; al gràss l'ha da fèr com un
vàil par d'saira sanz'èsser dimandi; pruvè
a sénbrel pr'al sèl e s'al vli fèr piò rìcch a
psi azuntèri degli archèst ed gallèina o di fonz
o dla arvàia (che però, i' hann da èsser bèli stè
cùtt a pèrt)

Ragù di castrato
Sauce tomate au mouton

🕐 *Préparation* : longue

✗ *Ingrédients* : 30 ml (2 c. à soupe) de gras de porc, 1 oignon, 1 carotte, romarin, 375 ml (1 1/2 tasse) de viande de mouton, 1 verre de vin rouge sec, sel, poivre, 8 tomates pelées, épépinées et hachées, 1/2 piment

🍴 *Niveau de difficulté* : facile

Faites revenir le gras de porc, l'oignon, la carotte et le romarin, et ajoutez la viande, que vous ferez bien rissoler. Versez le vin et laissez-le s'évaporer, salez, poivrez et ajoutez les tomates avec le piment. Faites cuire la sauce à feux moyen et à demi couvert. Idéal pour accommoder les macaronis « alla chitarra ».

Ragù de crastatu.

Pe ottené stu ragù che te fa leccà ji baffi, ci serveno 300 gr. de porpa de crastatu tritatu, 50 gr. de rassu de porcu tajatu a pizzitti, na cipolla, na carota, mezzu pipiruncinu tritatu, 8 pumagg re pelate senza semi e tajate a pizzitti, sale, pepe, rosomarinu e mezzu picchiere d'ojiu co un picchieru di vinu rusciu-siccu.

Suffriggete lo rassu de porcu, la cipolla, la carota e lo rosmarinu, a aju suffrittu a fecete arrosolà la ciccia de crastatu. Versèteci lu vinu e fecetelo 'vaporà, salete, pepete, e mettetici quacche pumaora co ju pipiruncinu. Cocete la salsa a focu lentu co ju ticame quaci copertu.

Sta salsa è magnifica pe cundi i maccarù al la chitarra.

Salsa di pomodoro alla romagnola
Sauce tomate de Romagne

Préparation : longue

Ingrédients : 125 ml (1/2 tasse) d'huile, ail, oignon, persil, 3 à 4 tomates fraîches, sel, poivre

Niveau de difficulté : facile

Faites revenir dans 125 ml (1/2 tasse) d'huile 2 gousses d'ail, que vous ôterez ensuite, et un hachis à base d'oignon et d'un beau bouquet de persil. Ajoutez les tomates fraîches pelées, épépinées et hachées, du sel et du poivre. Faites réduire, en brassant de temps en temps. À la fin de la cuisson, vérifiez le sel et passez la sauce au tamis. C'est le condiment idéal pour les tagliatelles et les bouillis.

Sêlsa d' pandor ala rumagnòla.

Fasi sufrixar int ½ bicir d' öli, 2 spigul d'aj che pu a mitrì sü e un trid d' ½ zvôla e 1 bèl max d' pidarsul. Uni a e' sufrit 500 gr. d' pa dur fresch, plé, senz' anum e tajé a pzultin, sêl e pvar. Lassi cundinsê, armis-cénd di tânt in tânt. A cîtura fnìda cuntrulé e' sêl e passì la sêlsa a e' sdax. R' è quest un cundimént bén bon par tajadèl e alès.

Besciamella
Béchamel

Préparation : rapide

Ingrédients : 500 ml (2 tasses) de lait, 30 ml (2 c. à soupe) de beurre, 30 ml (2 c. à soupe) de farine, sel, poivre noix de muscade

Niveau de difficulté : facile

Cette sauce, que l'on retrouve quasiment dans toutes les cuisines régionales, est particulièrement utilisée en Romagne où elle est présente dans presque toutes les recettes de timbales et de pâtes. Avec 500 ml (2 tasses) de lait, on obtient suffisamment de béchamel pour toute préparation de 6 portions. Faites bouillir le lait. Faites fondre à part le beurre dans lequel vous incorporerez la farine, du sel, du poivre et une pointe de noix de muscade. Ajoutez le lait chaud petit à petit et faites cuire pendant environ 10 minutes en remuant constamment pour éviter la formation de grumeaux.

Balsamëla.

Sta sëlsa, ch' la j'è in quési tot al ausén re giumêli, l'è soratot usêda in Rumâgna, indó la s' tröva in quési tot al risèt ad timbêl e pasti sôti. Cun ½ litar d' lat u s' fa una balsamêla ch' la basta par igna preparazion par 6 parsôn. Fasi bulî ½ lt. d' lat. Da una pérta fasi sfè 30gr. d' butî e incuirpuréj 30 gr. d' farina, sêl, pevar e una pônta d' nôsa muschêda. Azunzi e' lat chêld pôc ala vôlta e fasi cusar par sirca 10 minut, armiscénd sempar parchi ch' m'n's' fêra di palôt.

Salsa calabra
Sauce calabraise

🕐 *Préparation* : longue

✗ *Ingrédients* : 45 ml (3 c. à soupe) de saindoux, 1 oignon, ail, 125 g (1/4 lb) de jambon cru, une dizaine de tomates, sel, basilic, piment rouge

🍴 *Niveau de difficulté* : facile

Il s'agit d'une sauce tomate très dense, que les Calabrais utilisent fréquemment pour accompagner les viandes bouillies ou assaisonner les pâtes. Dans une casserole en terre cuite, faites revenir dans le saindoux l'oignon émincé, la gousse d'ail hachée et le jambon cru coupé en morceaux. Une fois que les ingrédients sont bien rissolés, ajoutez les tomates pelées et épépinées, et un peu de sel. Laissez mijoter longtemps. Ensuite, passez la sauce au tamis et versez-la dans une casserole propre. Toujours à feu doux, faites-la réduire en ajoutant à la fin 15 ml (1 c. à soupe) de basilic haché et du piment rouge coupé en tout petits morceaux.

Sarza calabbrisi.

Pastì 'na sarza 'i pumadoru, bella quaggjjata, chi facìmu d'i parti nostri, pammi cundìmu 'a pasta e mu 'ndi man jamu 'a carni guggjiita. 'Nt'a 'nu testicegliu 'i crita ('a pignata) facìti 'i si frijìmu 3 cucchjari 'i saimi, 'no cipuglia fatta ffetti ffetti 'nu spicchju d'agghju perzijatu finu finu e 100 grammi 'i capicogliu tagghjatu mmorza morza.

Quandu tutti 'sti cosi sunnu belli arrussicàti, jungìti 'nu chilu e menzu a pumadora pilati, senza stogghj e 'n'appena 'i sali.

Facìti 'i si coci a llongu, a ffocu lentu. Apoi, passati tuttu c'u sitacciu e mentìti 'a sarza 'nt'a 'na teglia pulita. E comme si vaj quagghjandu, a ffocu lentu, 'na cucchjarata 'i riganegliu fattu mmorza mmorza e pipaloru.

Salsa al "cren"
Sauce au raifort

Préparation : rapide

Ingrédients : 180 ml (3/4 tasse) de raifort, beurre, 125 ml (1/2 tasse) de chapelure, moutarde, sucre, vinaigre, bouillon

Niveau de difficulté : facile

Râpez environ 180 ml (3/4 tasse) de raifort. Dans une petite casserole, faites fondre 1 noix de beurre dans lequel vous ferez rissoler la chapelure. À feu moyen, ajoutez le raifort râpé, une pointe de moutarde en poudre et 30 ml (2 c. à soupe) de sucre. Mélangez bien avec une cuillère de bois avant d'ajouter 15 ml (1 c. à soupe) de vinaigre et autant de bouillon. Ne faites bouillir qu'une seule fois.

Salsa de cren.

Gratè un poco de cren, zirca 10 deca. Metè int'un pignatin una nosa de britiro, po' fe inrialir zinque deca de pangratà. Lassè la fiama basa, zontè el cren, un cuciarin de senape in polvere e dò cuciarini de zucaro. Missiè ben col cuciar de legno, prima de zontar un cuciar de asedo e un de brodo. Fe' boir un atimo.

Tocco de noxe

Préparation : rapide

Ingrédients : 500 g (1 lb) de cerneaux de noix, mie de pain, huile d'olive, sel, lait caillé, marjolaine, parmesan râpé

Niveau de difficulté : facile

Pour préparer le « tocco de noxe », qui sert à assaisonner des pâtes ou des raviolis maigres, voici les ingrédients pour 6 portions : 500 g (1 lb) de cerneaux de noix, un peu de mie de pain mouillée avec de l'eau, du sel, de l'huile d'olive et du lait caillé, 1 feuille de marjolaine. Dans un mortier, pilez les noix et la mie de pain. Lorsque la pâte est bien amalgamée, versez-la dans un bol et incorporez à l'aide d'une cuillère de bois 60 ml (4 c. à soupe) d'huile, une pincée de sel et autant de lait caillé que nécessaire pour obtenir une sauce dense. Ajoutez du parmesan râpé.

Tocco de noxe.

E dosi presentè servan pe condi pasta o ravieu pe 6 personn-e. Se piggian 600 grammi de gaeli de noxe a cui aviei levoü a pelle, un pò de maûla bagnà con aegua, sâ, èuio de aiva, laete caggioû, 1 feûggia de persa. Ym te ô mortà pestè ben noxi e a maûla de pan. Quando l'impasto saià ben a malgamaû, verselo in te in ciatto fôndo, e travaggelo con ôn cûggiâ de legnô, versando 4 cûggiâ d'èuio, un pizzico de sâ e tanto laete caggioû quanto basta pe ottegni unn-a pasta compatta.

O parmiggian grattoû, abbûndante, ô completa degnamente ô tocco de noxe.

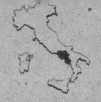

Salsa al pomodoro
Sauce tomate

Préparation : rapide

Ingrédients : huile, 1 oignon, 5 à 6 tomates fraîches, basilic, sel, poivre

Niveau de difficulté : facile

La sauce napolitaine par excellence, celle des spaghettis «co' a pummarola», est naturellement la sauce tomate, très simple à faire et toujours appétissante. Pour 6 personnes, faites revenir dans de l'huile 1 petit oignon ; quand il commence à blondir, ajoutez les tomates fraîches, pelées et épépinées, et un beau bouquet de basilic. Laissez mijoter pendant environ 30 minutes. Quand la sauce commence à réduire, assaisonnez de sel et d'une pincée de poivre. Les pâtes les plus utilisées avec la sauce tomate sont les vermicelles al dente avec beaucoup de parmesan râpé.

'A sarza cu 'a pummarola-

'A sarza napulitana, che sarebbe chella de
"spaghette c'a pummarola" é chella ca se fà
solo cu 'a pummarola.
È semplice é appetitosa.
Pe sei persone: soffriggete dint'a ll'uoglio
na cepolla tritata piccerella, quanno 'a
cepolla accummencia a se 'mbiundi ag-
giungitece nu chilo 'e pummarole fresche,
spellicchiate 'e senza semmente 'e nu mazzette 'e vasenicola. Facite cocere pe na me-
z'ora 'a juoco lento, quanno 'a sarza se
accummencia 'a stregnere mettitece 'o sale,
'e nu pizzeco 'e pepe.
'O tipo 'e pasta indicato songo 'e "vermicielle" cuotte al dente, cunditele 'e menatece
'a coppa na bella vrancata 'e parmiggiano
grattato.

Salsa di ribes
Sauce aux groseilles

🕐 *Préparation* : rapide

✕ *Ingrédients* : groseilles, 180 ml (3/4 tasse) de sucre

♨ *Niveau de difficulté* : facile

Lavez et séchez les groseilles, versez-les dans une casserole et faites-les cuire à feu doux avec le sucre pendant une petite 1/2 heure, en remuant souvent. Passez la sauce au tamis et servez-la bien chaude pour accompagner des rôtis de mouton, de bœuf et de porc. Cette sauce se conserve longtemps dans des pots en verre à la condition de les mettre au réfrigérateur. On prépare de la même manière la sauce aux framboises ou aux groseilles à maquereau.

Salsa de ribis.

Lavè e sughè el ribis (che noi ghe disemo anca "ua de San Giovani"), metèli in un pignatin e feli cusinar a fogo baso, co' vinti deca de zucaro. Missiè ben e cusinè per meza oreta, po' passè co'l passarin e servì la salseta sbrovente, con castrà, manzo, porco rosto. Podè conservar sta salsa in vetro, te grindola in frigo. In modo compagno podè prontar la salsa de lamponi e de ua spina.

Salsa ghiotta

Préparation : rapide

Ingrédients : 500 ml (2 tasses) de vin rouge, 125 ml (1/2 tasse) d'huile d'olive, sauge, câpres, ail, romarin, sel, poivre, 1 anchois

Niveau de difficulté : facile

C'est dans l'accompagnement des rôtis, notamment du gibier, que figure l'un des plats les plus renommés de la cuisine d'Ombrie. L'habitude la plus courante consiste à cuire le gibier à la broche en le badigeonnant constamment de cette sauce que l'on aura versée dans la lèchefrite, le récipient prévu à cet effet situé sous la broche. La « ghiotta » la plus traditionnelle se compose de vin rouge, 125 ml (1/2 tasse) de bonne huile d'olive, 7 ou 8 feuilles de sauge, 15 ml (1 c. à soupe) de câpres émincées, 2 gousses d'ail, 1 brin de romarin, du sel et du poivre qu'on laisse réduire pendant quelques minutes à feu vif. À cette sauce traditionnelle, vous pouvez ajouter 1 anchois émincé.

Salsa ghiotta.

Quanno se fa 'l rosto a lo spito, o je se
da 'e pillotto o, si se tratta de cacciagio-
ne, se fa 'na salsa che se mette 'nto la
ghiotta, che saria pue 'n tegammo de coccio
lungo da mette sotto lo spito quin che gi-
ra pé 'n fa' sprechi gnente del sugo che cola.
'Nto la ghiotta se metton du bicchier de vino
rosso, mezzo bicchiere de olio quil bono, 'n po
de foje de salvia, 'na cucchiaiata de capperi a
pezzettini, du specce d'ajo, 'l rosmarino, sale e
pepe. Co 'n pennellino se da la ghiotta tal
rosto, s'arcoje e je s'ardà finché 'l rosto n'è
cotto. Ta sta salsa ce se po mette anche
n'alice tritata e, su 'n tegamino, se fa strigne 'ntol foco forte e po s'adopra sempre
pe 'l rosto.

Salsa piemontese
Sauce piémontaise

🕐 *Préparation* : rapide

✕ *Ingrédients* : huile d'olive, ail, 250 ml (1 tasse) de farine, 250 ml (1 tasse) de bouillon de viande, 3 anchois salés, 1 petite truffe, sel poivre

🍴 *Niveau de difficulté* : facile

Faites revenir dans de l'huile d'olive les gousses d'ail entières, que vous retirerez quand elles commenceront à blondir ; ajoutez la farine blanche que vous délaierez dans l'huile en mélangeant bien. Laissez-la rissoler brièvement, puis versez le bouillon bouillant, mélangez et laissez mijoter. Quand la sauce commence à bouillir, ajoutez les anchois pilés ; après quelques minutes, ajoutez la truffe râpée ou coupée en tranches très fines et, après avoir salé et poivré, retirez la sauce du feu. Cette sauce accompagne les œufs durs ou pochés, les légumes crus ou cuits, ainsi que les bouillis de viande et de poisson.

Saossa piemonteisa

Fè frise ant l'euli le fische d'aj antreghe,
gavandie quand a comensso à pië color
Gionteje la farin-a ch'a va smasia
ant l'euli, mes-ciand bin.
As continua parej, lassand rosolé, peuj
as vërsa un bicer ed brod bujent, as
mes-cia e as ten tutt a fiàmà bassa
Quand el bagnèt a comenssa a beuje,
as gionto le anciove ciapulà ò pistà,
dòp pòche minute anche la trifola a
fëtte sutile e dòp avei salà e ampeivrà
as gava el bagnèt dal feu.
Con cost bagnèt as compagno j'euv
dur ò an camis-a, verdure crue ò
cheuite, e anche el buji ed carn ò ëd
pess.

Salsa rossa
Sauce rouge

Préparation : rapide

Ingrédients : tomates, 250 ml (1 tasse) de pancetta, huile, beurre, ail, sauge, laurier, sel

Niveau de difficulté : facile

Ébouillantez les tomates, pelez-les, épépinez-les et passez-les au tamis. À froid, mettez-les dans une casserole avec la pancetta hachée, un filet d'huile, 1 noix de beurre, 1 gousse d'ail, 2 feuilles de sauge et 1 feuille de laurier. Laissez mijoter jusqu'à obtenir la consistance voulue, en ajoutant une pincée de sel. Retirez l'ail, la sauge et le laurier, et servir comme garniture de viande bouillie.

Salza rossa –

Se sbroja di Tomates in acqua bujuita, se pelen, se ghe leva i gandolitt e se passen al sedass. Quand hin fregg, se metten in d'ona cassiroeula cón cent gramm de panscetta triada, on bel pòo d'oli, ona niscioeula de buttér, ona coa d'aj, dò foeui de erbasavia e soeumma de l'asor.
Se lassa coeus fin che se otten el spessor che se soeur, e finalment se ghe matt on presinm de sàa. Se leva l'erbasavia e el lasor, e se serviss cónt el less.

Salsa verde
Sauce verte

🕐 *Préparation* : rapide

✗ *Ingrédients* : mie de pain, vinaigre, ail, 1 anchois salé, câpres, persil, huile, sel, citron

🍴 *Niveau de difficulté* : facile

Passer au tamis la mie de pain et ensuite mouillez-la avec le vinaigre, ajoutez 1 gousse d'ail hachée, 1 anchois salé (lavé, vidé, sans arêtes), quelques câpres. Ajoutez 1 poignée de persil haché finement. Mélangez bien et assaisonnez avec de l'huile, du vinaigre et du sel, au goût. Vous pouvez également ajouter un peu d'écorce de citron râpée. Idéal pour le bouilli.

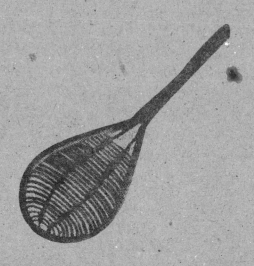

Salsa verda -

Se passa al sedass la quantità che se
voeur de moll de pan bágnàa in l'asée e
storgiùu, insèmma a ona coa d'aj schi-
sciada, ona incióda sottsàa (lavada,
mettada di res'ch) e on quij càper.
A la fin se ghe gionta ona bella presa de
erbórinn triàa. Se mes'cia ben e se condiss
cónt oli, asée e sàa, a seeonda del giust.
Po piasè ona scorzetta de limon grattada.
Ottima cónt el less.

Minestre, Zuppe, Primi asciutti

Soupes, sauces
et entrées

Acqua cotta

Préparation : rapide

Ingrédients : huile, 15 ml (1 c. à soupe) de lard, 5 à 6 oignons, sel, poivre, 3 tomates, menthe (ou basilic), 1,5 litre (6 tasses) d'eau, tranches de pain rassis ou grillé, pecorino ou parmesan

Niveau de difficulté : facile

Voici une recette que l'Ombrie et la Toscane ont en commun, même s'il y a quelques variantes, au goût particulièrement authentique. Pour 6 personnes, faites revenir dans un peu d'huile le lard haché, les oignons émincés, ajoutez du sel et du poivre ; quand les oignons seront attendris (ne les laissez pas dorer), ajoutez les tomates mûres, pelées et épépinées, et quelques feuilles de menthe. Si vous préférez, vous pouvez substituer à la menthe quelques feuilles de basilic. Après environ 10 minutes, ajoutez l'eau, et laissez cuire pendant 1 heure. Vérifiez si c'est suffisamment salé, puis versez la soupe directement dans les assiettes où vous aurez déposé des tranches de pain maison rassis ou grillé. Assaisonnez avec un filet d'huile, beaucoup de pecorino ou de parmesan râpé et du poivre moulu. Attendez quelques minutes avant de déguster l'acqua cotta, pour que le pain absorbe bien le bouillon.

Le vin conseillé

 MONTEFALCO ROSSO. Couleur rouge rubis, parfum vineux et caractéristique ; sec et harmonieux.

Pancotto.

Ce avusemo nco la tradizione, ma i sempre 'na tradizione da poretti, ola gente che s'ha da contentà de poco e num vole buttà via gnente. 'N fatti ce vole 'l pan vecchio, quillo che nun s'adopra, così se da ta le galine. Nto la solita cazzarola de coccio, ce se mette 'n po d'olio, 'l lardo battuto, li cipolle a fettine e doppo ce se buttono anche i pomidori puliti benino co 'ma foglina de basilico o de mentuccia. Ce se butta l'acqua e se fa coce pe 'n 'oretta.

Se serve ntol piatto dove ciavete messo 'l pan duro. Se magna doppo 'n po e se condisce anche nco l'olio e 'l formaggio.

Aglio e basilico

tombin 77

Agnolotti

 Préparation : longue

Ingrédients : 1 litre (4 tasses) de farine blanche, 4 œufs, beurre, parmesan, 2 kg (4 lb) de pommes de terre, 180 ml (3/4 tasse) de sucre, 250 ml (1 tasse) de cannelle, persil, menthe, marjolaine, sauge, basilic, géranium parfumé, verveine citronnelle, oignon, sel, poivre, 1 petit verre de cognac

Niveau de difficulté : complexe

Mélangez la farine blanche avec 4 œufs. Travaillez bien la pâte, mais ne l'abaissez pas avec le rouleau à pâtisserie. Roulez et coupez la pâte en petits morceaux et aplatissez-la avec le fond d'un verre. Dans le creux, mettez la farce, couvrez l'agnolotto avec un autre morceau de pâte qui a subi le même traitement. Avec les doigts, pressez les bords de l'agnolotto, puis jetez-le avec les autres dans l'eau bouillante salée. Dès qu'ils sont cuits, égouttez et assaisonnez les agnolotti de beurre et de parmesan râpé. Préparez la farce de la façon suivante : dans un bol, réduisez en purée les pommes de terre bouillies et épluchées, ajoutez le sucre, la cannelle moulue, du persil, de la menthe, de la marjolaine, de la sauge, du basilic, du géranium parfumé et de la verveine citronnelle hachés menu, un peu de beurre dans lequel vous avez fait rissoler des oignons (mais ne mettez pas les oignons dans la farce), du sel, du poivre et 30 ml (2 c. à soupe) de cognac.

Le vin conseillé

PINOT BIANCO di GRAVE del FRIULI. Couleur jaune paille, parfum délicat ; souple et velouté.

Cjalsons di Timau.

Impastâ uns quatri etos di farine di flôr cun quatri ûs. Gramolâ bein a man ma no distirâ cul menariûl. La paste 'e va fate-su a ròdul e tajade a tociz, ch'a van sfracajâr cul cûl di une tace. Tal ingjôf si met il plen. Si tapone il cjalson cun altre paste, simpri lavorade cemût che si à dit. Cui dêz si cjàlcjn tôr atôr i ôrs dal cjalson che po, insieme cun chei altris al va butât te aghe bulint, salade. Une volte cuez, i cjalsons, disgotâr, si cuincin cun spongje e formadi vecjo, ancje forest. Il plen si prepare cussì. In tune plàdine sfracajâ pôc su pôc jù doi chilos di patatis cuetis ta l'aghe e xussadis, misclizzâj un eto e miez di zucar, un eto di canele masanade, savôrs mentegrèe, salvie basili garofolât tazâr fins, un freghenin di spongje fate slìdi e brustulâ cun civole tajade a tociz (ma no meti la civole tal plen), sâl, pevar, un bussul di cognac.

Agnolotti della nonna
Agnolotti grand-mère

🕐 *Préparation* : longue

🍴 *Ingrédients* : bettes à cardes ou épinards bouillis, longe, beurre, romarin, marsala, bouillon, ris, cervelle, amourettes, jambon, œufs, grana padano, noix de muscade, sel, poivre, 125 ml (1/2 tasse) de vin rouge (idéalement, du Barbera)

🍴🍴🍴 *Niveau de difficulté* : complexe

Faites bouillir des bettes ou des épinards, essorez-les et hachez-les ; faites rissoler la longe avec le beurre et un peu de romarin, puis faites cuire à feu doux en arrosant de temps en temps de marsala et d'un peu de bouillon. Pendant ce temps, faites bouillir le ris, la cervelle et les amourettes, faites-les à peine rissoler dans du beurre, salez, puis passez toutes les viandes au hachoir à viande avec le jambon. Versez les ingrédients dans la terrine avec les épinards ou les bettes, les œufs, beaucoup de grana padano, de la muscade, du sel et du poivre, et mélangez la farce. Faites cuire les agnolotti dans une grande quantité de bouillon, auquel vous aurez ajouté le vin rouge (idéalement, du Barbera). Égouttez-les bien et assaisonnez-les avec du beurre fondu et du grana râpé ou autre.

Le vin conseillé

 GRIGNOLINO del MONFERRATO CASALESE. Couleur rouge rubis clair, parfum délicat ; sec, légèrement amer.

Agnolot dla nona

Të beuje erbëtte e spinass, scolèje e ciapulèje; rosolé el franch ëd cran con metà del butir e un pòch ëd rosmarin portandlo a cotura meusia, bagnandlo con el marsala e pòch bròd. Antratant as dësbeujò le animele, le servele, e ij filon, as fan rosolé ant el butir vanssa; as buta la sal, peuj as passa tut ant el triacarn con el giambon e ciapulé tut motobin fin.

Brodo
Bouillon

🕐 *Préparation* : longue

✕ *Ingrédients* : 125 g (1/4 lb) de viande, eau, oignon, carotte, céleri, tomate fraîche

🍴 *Niveau de difficulté* : facile

La préparation d'un bon bouillon constitue l'une des opérations fondamentales dans la cuisine de Romagne. Il doit être bien savoureux, parfumé et réduit à point : c'est seulement alors qu'il pourra accompagner dignement les cappelletti, les passatalli, la tardura et autres spécialités de cette cuisine. La viande la plus adaptée est la viande de bœuf, notamment le morceau dit « piccione » (qui a en outre l'avantage d'offrir un excellent bouilli). En Romagne, il est courant d'ajouter au bœuf de la viande de poulet ou de chapon. Vous pouvez calculer environ 125 g (1/4 lb) de viande et 500 ml (2 tasses) d'eau par personne. Immergez la viande dans l'eau froide salée et assaisonnez avec l'oignon, la carotte et le céleri. Le bouillon devra mijoter pendant environ 3 heures ; après 1 heure, vous ajouterez une tomate fraîche bien mûre ou, si ce n'est pas la saison, 1 ou 2 petites tomates conservées exprès pour l'hiver. Passez ensuite le bouillon à la passoire et dégraissez-le selon votre goût.

Le vin conseillé

PINOT GRIGIO dei COLLI PIACENTINI. Couleur jaune paille, parfum caractéristique ; sec, frais, très agréable.

E' bröd.

 'Ê un bon bröd l'è ôn di quell piò im_purtent dla cuséna rumagnöla.

Bègna ch'e' épa dl' amor, de parfóm e ch'e' sipa ristret e' giost, sinò u n'à e' merit ch'u si cusa i caplèt, i pasadén, la tardura ed ëtar mmëstri, ch'a gl'j è specialitê ad sta cuséna.

La chêrna piò adata l'è quela 'd manz, sora_tôt e' pëz det "pizôn" o e' capël da prit (ch'i dà menca un liss bon cuma puch).

In Rumâgna l'è custom par tajê e' bröd, d'aznzar a e' manz un pëz d'galéna o, mej d'gapon. A puti calculî 150 gr. d'chêrna e 1/2 litar d'aqua a testa. Miti la chêrna int l'aque giazèola, e salida insém cun j udur (sàral, zvóla, caröta). E' bröd l'ha da buli adèsi per tre or. Dop en ora e mëz ch'e' boll, aznzni pandôr fat ben (sl'è la su stason) o i pandurin tnù da cont par l'invëran.

Pu pas° e' bröd pr' e' culadur e tulij e' grass sgónd e' vost góst.

Bucatini all'amatriciana

Préparation : rapide

Ingrédients : joue de porc (125 ml [1/2 tasse] par personne), saindoux, 1 oignon, 125 ml (1/2 tasse) de pulpe de tomate, piment fort, sel, poivre, 500 g (1 lb) de bucatini, pecorino piquant

Niveau de difficulté : facile

Pour l'amatriciana, la joue de porc est irremplaçable. Coupez-la en petits dés. Faites-la revenir dans du saindoux ou de l'huile avec 1 oignon. Ajoutez ensuite la pulpe de tomate (on n'utilise pas de sauce tomate dans cette recette), du piment fort, du sel et du poivre. Pendant ce temps, faites bouillir les bucatini al dente, égouttez-les, puis remettez-les dans la casserole avec la sauce, pour qu'ils s'imprègnent bien du goût. L'une des caractéristiques de cette sauce, c'est la tomate pas trop cuite, qui doit rester en morceaux plutôt consistants. Une dernière chose sur laquelle on ne peut pas transiger : sur les bucatini all'amatriciana, le pecorino piquant est de rigueur.

Le vin conseillé

FRASCATI. Blanc de couleur pâle, parfum typique, légèrement aromatique ; sec et persistant.

Li bucatini a l'amatriciana.

Qui nun se pò sgarà: ce serve pé forza er guanciale. Sempre pé 6 perzone ne serveno 50 gr. a testa. Tajato bhene a dadarelli se mette a soffrigga lentemente drento 'na padella co' 'na cucchiarata bhona de strutto (puro l'ojo va bhene si nun c'è lo strutto) e 'na cipolla affettata.

Appena che er tutto stà a rosolà aggiugnetece 500 gr. de pommidoro pelato, un pezzo de peperoncino piccante, sale quanto ciassoddisfa e pepe a sazzietà. Quanno che er mezzo chilo de bucatini è arisato cotto ar dente, se scola e va ripassato ne la padella 'ndò c'è er zugo e qui se sèguita a còce pé antri du' minuti bboni, pé 'nzaporisse ar mejo. Aricordateve che er pommidoro drento 'sto zugo nun se deve da seiojé ma deve da restà a tocchetti. N'urtima cosa 'nportante: 'nzù 'sto piatto ciavete da mette 'na nevicata de pecorino fresco piccante grattato li pé lli, nun se lo scordate!

Cappelletti di magro alla romagnola
Cappelletti de Romagne

🕐 *Préparation* : longue

✗ *Ingrédients* : 500 g (1 lb) de ricotta, 500 g (1 lb) de fromage tendre « bazzotto », 250 ml (1 tasse) de parmesan, 8 œufs, noix de muscade, sel, 1,5 litres (6 tasses) de farine, bouillon de viande

🍴 *Niveau de difficulté* : complexe

C'est le plat fort de la cuisine de Romagne et certainement l'un des plus connus et des plus répandus. Ces cappelletti se différencient nettement de leurs voisins, les tortellinis bolognais, dans la mesure où ils ne contiennent aucune viande. Afin d'obtenir suffisamment de farce pour 6 personnes, mélangez dans un bol la ricotta et le fromage tendre « bazzotto », le parmesan râpé, 2 œufs entiers, une pincée de muscade et du sel. Pour la pâte, mélangez la farine et 6 œufs, et travaillez-la jusqu'à ce qu'elle soit lisse et homogène. Coupez-la ensuite en petits carrés de 5 cm (2 po), et déposez au centre de chaque carré 1/2 cuillerée de farce ; refermez-le en triangle en soudant bien les bords, puis enroulez chaque triangle autour d'un doigt et superposez les deux extrémités. Le cappelletto de Romagne authentique prendra de cette manière la forme caractéristique de « petit chapeau ». La meilleure façon de déguster les cappelletti est sans conteste de les faire bouillir dans un bon bouillon de viande. Servez-les avec beaucoup de parmesan râpé.

Le vin conseillé

SANGIOVESE di ROMAGNA. Couleur rouge rubis avec des reflets violacés, parfum vineux et délicat ; sec et harmonieux.

Y caplit

L'è questa la mnustra più impurtânta dla cuséna
rumagnòla, d'zert ôna dal più cuusù di inola
partòt. Y è different dai turtlén bulgnis parchè
u n'gn'j è gnint chèrna, o u j è sol l'udòr:
pit d'gapôn o, mej, lônza d'pòrc.
Par e' cumpéns di caplit par 6 parson tuli 500 gr.
d'arcòta e ad furmaj squaquaron bazógn in
pàrt uguêli e armis-cila int una tiréna cun
100 gr. ad forma gratéda, dó òv intiri, un piz
got d'nòsa muschéta, l'udòr de limon e e' sèl
ch'u j vò. Armis-cé bèn bèn tòta sta roba.
Prepari una spòja cun 600gr. d'faréna e sì òv,
tiréndla fena ch'la n'sarà bèn lisa e tòt u
guêla. Tajéla in quadarrin ad 5 cm. ad lât e
int ignon mitì int e' mèz 1/2 cuciarén d'cumpéns; ciudlil a triangul attachend bèn j urél e
pu fasì zirê e' triangul atornà a un did dla man
e mitì ôna sôra l'ètra el do pônt. E' ciaparà
in sta manira la forma de' caplit. E' mòd più bon
d'magnê i caplit l'è in bròd. Mittì j alìss dônca
int un bon bròd ed chèrna e sarvij cun un bèl pò
'd forma gratêda.

Fonduta valdostana
Fondue du Val d'Aoste

🕐 *Préparation* : longue

✕ *Ingrédients* : 500 g (1 lb) de fontina, 1 litre (4 tasses) de lait, 125 ml (1/2 tasse) de beurre de montagne, 4 jaunes d'œufs, sel, poivre, tranches de pain grillé, truffe

🍴 *Niveau de difficulté* : facile

Recette annotée et cuisinée par Delfina Lucianaz de Gressan.
Coupez en petites tranches la fontina et faites-la macérer dans 1 litre (4 tasses) de lait pendant une nuit. Faites cuire le mélange à feu doux dans une casserole en cuivre et ajoutez, en remuant avec une cuillère de bois, le beurre de montagne et 4 jaunes d'œufs. La réussite de la fondue dépend de votre patience : le fromage va se cailler, puis se transformer en une crème soyeuse et compacte. Salez légèrement en tenant compte du goût savoureux du fromage et poivrez. La fondue du Val d'Aoste est prête : versez-la sur les tranches de pain grillé que vous aurez déposées dans les assiettes et, si vous le souhaitez, garnissez de truffe.

Le vin conseillé

🍷 **ENFER d'ARVIER della VALLE D'AOSTA. C**ouleur **rouge** grenat, bouquet caractéristique ; sec, velouté, relativement corsé, agréablement amer.

Fonduia valdotène.

Copède a pitchaude tiste 5 èito de fontia é lé-
chède-la eunmeuglié avari ½ litre de laci pe
an nat. Y moman de la couéé beuttède dessù
lo fouà bosse lo melandro é adjeuntède, eun
mèeglien avari an couiglier de bouque, 80
gram de beuro é 4 dzono d'ou.
La réussia de la fonduia depen de la doutra
pachike : lo fromadzo devan broche pe se tchan-
gé apri eun an crème compatta é soupla.
Salède avari discréchon é eun tchagnein cont
cho di gou savoi di fromadzo, é peivrède.
La fonduia valdotène l'è presta : douedzède-la
dessu an donutèa de litze de pan rehè que do ari
deusposò dedeun le s-écouile é, se vo crèiède miou,
garnissède avari de litzette de "tartufo".

Fusilli al ragù
Fusilli à la sauce tomate à la viande

🕐 *Préparation* : longue

✕ *Ingrédients* : fusilli (625 g [1 1/4 lb]), 150 g (1/3 tasse) de viande de porc, 150 g (1/3 tasse) de viande d'agneau, ail, persil, 125 ml (1/2 tasse) d'huile, sel, poivre, 500 ml (2 tasses) de sauce tomate, piment rouge en poudre, ricotta salée râpée

🍴 *Niveau de difficulté* : facile

En Lucanie, les fusilli se préparent encore à la maison. Vous pouvez toutefois les acheter tout faits. Faites-les cuire al dente, vous pourrez assaisonner de la sauce suivante. Coupez en petits dés la viande de porc et la viande d'agneau. Faites-les rissoler avec de l'ail et du persil dans 125 ml (1/2 tasse) d'huile, salez, poivrez, diluez avec la sauce tomate et laissez mijoter pendant au moins 2 heures. Assaisonnez les pâtes en terminant avec du piment rouge en poudre et beaucoup de ricotta salée râpée.

Le vin conseillé

AGLIANICO del VULTURE. Couleur rouge rubis intense ou rouge grenat vif, parfum vineux et caractéristique, qui se bonifie avec le vieillissement ; sec et harmonieux.

Fusilli a lu raù.

I = "Fusilli" in Lucania s'appreparano ancuò-
ra 'ncasa. Li puoi accattà a 'do' vuoi fatte e
bone. Assottene 650 gr. ca, dilissare a lu dente,
haia cungià cu lu raù fatte accusì.
Taglia a pezzetti 150 gr. d' polpa d' porce e 150gr.
d'carna d'aine. Arrosola inda a nu menz'buc-
chiere d'uoglie cu agli e petrisino scazzare;
sala, 'mpepa e adotonga cu menz' litro d'salsa d' pummadore e lascia cuosce a fuo-o
lente p' doie ore.
Congià la pasta cu l'aggionta d'cerasedda
'mpolvera, cu assaie recotta salara rattara.

Gnocchetti in brodo
Gnocchis au bouillon

Préparation : longue

Ingrédients : pommes de terre, viande hachée, foie haché, cervelle, persil, sel, poivre, marjolaine, noix de muscade, 1 ou 2 œufs, beurre, 1 oignon

Niveau de difficulté : complexe

Il existe de nombreux types de gnocchis à servir avec du bouillon de viande. Vous pouvez les préparer en mélangeant dans un bol des pommes de terre bouillies et bien écrasées avec une cuillère de bois. Enrichissez-les de viande hachée (crue ou revenue dans le beurre), de foie haché (cru) et de cervelle (blanchie pour enlever la membrane) émincée. Donnez-leur de la saveur avec du persil haché, du sel, du poivre, de la marjolaine, une pincée de muscade. Liez-les avec 1 ou 2 œufs. Formez à la main des petites boules que vous ferez frire dans le beurre, où vous aurez fait revenir 1 oignon émincé. Dès que l'on a un petit creux, on dépose 3 ou 4 gnocchis dans une assiette creuse et l'on couvre de bouillon de viande très chaud.

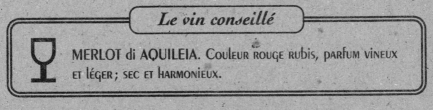

Le vin conseillé

MERLOT di AQUILEIA. Couleur rouge rubis, parfum vineux et léger ; sec et harmonieux.

Gnocheti in brodo.

Missiè int'una piadina patate baide, struca
de ben co' un cuciar de legno. Zontè carne tara
da (cruda o anca cota co' un toco de butiro),
figà tarà (crudo) o zervèl (che gaverè sbrovà
un momento, per tirarghe via la pele) sfregolà.
Zonteghe do' foie de parsemolo tarà, sal, peve
re, maxorana, una gratadina de nosa mus'
ciada. Missiè anca un dò oi. Bagnerè le man,
e fè dele balete no 'ssai grosse, che frixerè int'el
butiro, andove gaverè zà sofigà una sivola ta
zada fina. A seconda dela fame e .... del stòmi
go, metè int'ei piati tre, quatro o anca più
gnocheti, e pò zontè qualche cariol de brodo de
carnè.

Grano pestato

🕐 *Préparation* : longue

✕ *Ingrédients* : grosses graines de blé de qualité supérieure, sauce tomate à la viande, pecorino, oignons verts, huile, poivre, ricotta

🍴 *Niveau de difficulté* : facile

On prépare le grano pestato également dans certains villages de Bari, mais c'est surtout une spécialité de Salento, où on l'appelle « cranu stumpatu ». Les gros grains de blé de qualité supérieure, dits « calò » ou « ranu puèrcu » sont broyés, selon la quantité voulue, au pilon (« varra »), pour enlever la balle, dans un gros mortier en pierre (« stompu ») pour écraser les amandes et le sel. Après les avoir nettoyés, faites-les cuire à feu doux dans une grande quantité d'eau salée pendant 4 heures, en remuant régulièrement. Condiment : une sauce tomate à la viande et du pecorino râpé ou des oignons verts (« spenzale ») tranchés dans le sens de la longueur et revenus avec de l'huile et du poivre, ou de la ricotta forte.

Le vin conseillé

CASTEL del MONTE ROSATO. Couleur rougé rubis, parfum délicatement vineux ; sec et harmonieux.

Grana cazzata.

Sə fasə purə dallə vannə nostə, ma lə
spəgialistə so' cchiddə ca iavətèscənə
pròbbətə alla pondə olu Taccha.
Sə pigghjə u mègghjə granə, sə cazzə cu
pəsaturə jìmd-o martalə pə ləvangə-u
sfuègghjə. Sə lavə, sə fasə coscə jìnd-a
ll'acqua salzə e sə conzə o cu suchə rus
sə e formaggə o chə la spənzalə frascintə
e ppèpə o chə la racott-asekuandə.

Lasagne verdi alla bolognese
Lasagnes vertes à la bolognaise

🕐 *Préparation* : longue

✕ *Ingrédients* : 1/2 oignon, 1 carotte, 1 branche de céleri, 125 ml (1/2 tasse) de beurre, 500 ml (2 tasses) de viande de bœuf, 375 ml (1 1/2 tasse) de viande de porc, 250 ml (1 tasse) de foies de poulet, 250 ml (1 tasse) de sauce tomate, sel, poivre, 1,125 litre (4 1/2 tasses) de farine, 2 œufs, 250 ml (1 tasse) d'épinards, 500 ml (2 tasses) de lait, parmesan

🍴 *Niveau de difficulté* : complexe

La préparation de ce plat est certes un peu laborieuse, mais le résultat en vaut toujours la peine. L'opération préliminaire consiste à préparer une bonne sauce : pour 6 personnes, faites revenir l'oignon émincé, la carotte et la branche de céleri hachés dans la moitié du beurre. Ajoutez la viande hachée de bœuf, la viande hachée de porc et les foies de poulet. Faites rissoler pendant quelques minutes, puis ajoutez la sauce tomate, du sel et du poivre. Pendant que la sauce mijote, préparez les lasagnes en mélangeant 1 litre (4 tasses) de farine avec 2 œufs et les épinards préalablement bouillis et essorés. Abaissez la pâte de façon à obtenir une feuille mince et recoupez-la en carrés d'environ 10 cm (4 po). Couvrez la pâte d'un linge propre pour éviter qu'elle ne se dessèche trop.

Préparez maintenant la béchamel. Dans une petite casserole, faites fondre le reste du beurre, puis incorporez 125 ml (1/2 tasse) de farine et faites cuire pendant quelques minutes en remuant constamment. Ajoutez le lait bouillant, une pincée de sel, et faites cuire pendant 10 minutes, toujours en remuant, pour éviter la formation de grumeaux. Cuisez les lasagnes al dente dans une grande quantité d'eau salée et égouttez-les sur une nappe. Dans un plat en pyrex beurré, étendez une première couche de sauce, saupoudrez de parmesan râpé, ajoutez une couche de lasagne puis, de nouveau, une couche de sauce, une de béchamel, une de lasagne, jusqu'à épuisement des ingrédients. Finissez avec une couche de béchamel et quelques copeaux de beurre. Enfournez au four préchauffé à 180 °C (350 °F) pendant environ 40 minutes.

Le vin conseillé

CABERNET SAUVIGNON dei COLLI BOLOGNESI. Couleur rouge rubis, parfum vineux avec des arômes herbacés; sec, souple et harmonieux.

Lasâgn vàirdi a la bulgnàisa.

La preparaziàn ed ste piâtt l'é piotòst da im
pàgn, mo l'é ban cumpensè dal risultèt ch'l'é
quall d'un piâtt ed granda cuséina.
Par prémma còsa bisàggna preparèir al cundi-
mànt tulànd par si parsàun 200 gr ed chèren
ed manz, 150gr. ed chèren ed ninćin e tridila
tatta; azuntèi 100 gr. d'archèst ed galéina, pò
tuli mèzza zivalla, 'na còsta ed sarel, 'na pi
stinèga brìsa tant granda e anćh sti udùr trì
dèi tott e fèi rusulèir in d'un tegâm con 30gr.
ed butìr; quand la zivalla l'ha ciapè al biand
azuntèi un bichìr ed sèlsa ed pondòr léquida,
sèl e pàivor nàigher; azuntèi la chèren.
Lassè grillèr ste ragò a fûgh dàbbel, dandi o-
gni tant un'uciè; s'al s'asughéss tròpp, ai azun-
turì un pôch ed bród.
In qal mànter impastè 400 gr. ed faréina con 2àv
e 250gr. ed spinâzz ch'arè prémma cùtt da par
sé sanz'âqua, sculè pulid e passè al sdâzz o pi-
stè in dal murtèr.
Adèss taiè la spòia in tant quadrì ed 10 centé
meter ed lè. Stindìi sti quadrè sàura a un

burâzz bia ch, mànter a prepararì la balsa
mèla. Qua i a la farì acsé: in d'na caza
ròla a mitrì a dsfèr 50 gr. ed butìr, e sàm
per ermisdand ai azuntarì 500 gr. ed lât bu
iànt, pó pianéin 50 gr. ed farûina mitandla
zà adési sàmper ermisdànd parché in végghen
brisa di balûcch, un pôch ed sèl e 'ma grata
déina ed nûs mschèta; fè cùser par 10 mi
nùd zirca.
In d'ma pgnáta con dimondi âqua, fè cùser
adèss i quadrètt ed pasta, mitandi zà a pûck
a la volta in môd da psàvri tòri sò con
la raméina e standri saura a un burâzz
bianch. Y' hann da èsser piatôst al dant, par
ché in èven da ràmpres in dal traspurtèri.
Adèss in d'ma ròla o in d' un tegâm ch'as
pôssa métter al fàvren, onta pulìd ed butìr, a
mitrì premma una stindrè ed ragò, pó 'ma stài
sa ed quadrètt ed pasta (lasâgn), pó 'ma bèla
infurmaiè, 'na stàisa ed balsamèla, un'ètra
stàisa ed lasâgn, un' ètra infurmaiè, un'ètra
stàisa ed ragò, un' ètra stàisa ed lasâgn,
un' ètra ed balsamèla e acsè d' longh, féin

ch'ai n'é, tgnand a mant che l'ultum strè
l'ha da èsvr ed ragò, con quèlet fiucàtt ed bu
tìr in zà e in là.
Aolèss cruvì con 'na chèrta mòia parchè la cra
stà par dsàura la n'èta da dvintèr tròpa du
ra, e lassè cùser a calàur brisa tant fòrt par
so minùd.

LA NAVE,
dal Porto naviglio

Buon Pesce

Maccheroni alla « chitarra »

Préparation : longue

Ingrédients : 1,25 litre (5 tasses) de farine de blé dur, 5 œufs, sel, sauce tomate, piment, parmesan

Niveau de difficulté : facile

Comme les habitants des Abruzzes le savent bien, le terme « chitarra » (guitare) est dû à l'ustensile particulier au cadre rectangulaire en bois dans lequel, des deux côtés les plus longs, sont tendus de minces fils d'acier. On étend sur ces fils la pâte qui, pressée au rouleau à pâtisserie, sera sectionnée en maccheroni caractéristiques. Pour la pâte, travaillez la farine de blé dur avec les œufs et une pincée de sel. Quand la pâte est bien homogène, laissez-la reposer pendant environ 30 minutes. Faites-en ensuite des feuilles rectangulaires des dimensions de la « chitarra ». Procédez tel qu'indiqué ci-dessus et les « maccheroni » seront prêts. Faites-les bouillir dans une grande quantité d'eau salée et assaisonnez-les de sauce tomate, de piment et de beaucoup de parmesan râpé, ou de sauce tomate à la viande de bœuf.

Le vin conseillé

MONTEPULCIANO d'ABRUZZO. Couleur rouge rubis avec des reflets violacés, parfum vineux et léger ; sec et sapide, souple, légèrement tannique.

Maccarù alla chitarra.

Pe potè fa ji maccarù "alla chitarra", que sto j'abbruzzesi lo sanno, ci serve nu certu attrezzu formatu da nu telaru ole legnu rettangolare, dale la quale, lungu i lati chijù lunghi, ci stanno tirati parecchi fili d'accaru fini fini nussi apparallelù. Sopra a quisti se spanne la sfoja de pasta che, primuta daju rutulu, fanno isci ji fannu maccarù "alla chitarra" secundu come ji volemu nù.

Pe potè fa la pasta ci 'onno 500 gr. de farina de granu duru co cinque ove e nu pizzichiju de sale. Quandu avete ampastatu ova e farina finu affalla divendà morbida morbida, fecete la ripusà pe quaci mezz'ora. Spianete co ju rutulu e fecete tante sfoje della dimenziò della =chitarra=, dopò fecete come so 'ittu sopre e ji maccarù so belli e pronta.

Allessetij a parecchia acqua salata e cunditij colla selsa de pumaora, pipirincinu co parecchiju parmiggianu, sennò co ju ragù de ciccia de manzu.

Maccheroni con ricotta
Macaronis à la ricotta

🕐 *Préparation* : rapide

✕ *Ingrédients* : macaronis, ricotta fraîche et saindoux (ou sauce tomate à la viande de porc), ricotta salée

🍴 *Niveau de difficulté* : facile

Préparez les pâtes, faites cuire les macaronis al dente et, avec un peu de leur eau, assaisonnez-les avec de la ricotta fraîche, du saindoux fondu et une bonne quantité de ricotta salée râpée ; ou bien avec une sauce tomate épaisse à la viande de porc et de la ricotta salée râpée.

┌─────────────── *Le vin conseillé* ───────────────┐

🍷 LAMEZIA. Couleur rouge cerise, parfum agréable et délicatement vineux ; sec et harmonieux, relativement corsé.

└──┘

Maccarruna c'a ricotta.

'A pasta 'i casa (... c'u frusigliu), mo 'n cotta e mo 'n cruda cunditila, cu 'na ppena d'a stessa acqua, cu ricotta frisca saimi squagghjata 'e casàrica stricàta ; sennò 'na fara 'i cucchjarati 'i rragù 'i maiali e, ancora casàrica, viditi chi piattu...

Minestra di "tinnirumi"
Soupe de « tinnirumi »

🕐 *Préparation* : rapide

✗ *Ingrédients* : 1 kg (2 lb) de pousses de courgettes blanches, huile d'olive, 6 filets d'anchois, ail, 3 tomates, sel, poivre, 350 g (2/3 lb) de pâtes courtes, eau ou bouillon

🍴 *Niveau de difficulté* : facile

Les « tinnirumi » sont les feuilles et les pousses de courgettes blanches, minces et très tendres, produites dans la région de Palerme. Lavez-les bien et faites-les bouillir dans de l'eau salée. À mi-cuisson, égouttez et hachez grossièrement. Dans une casserole, faites fondre dans de l'huile d'olive 6 filets d'anchois salés, puis ajoutez 2 gousses d'ail hachées, les tomates pelées, du sel et du poivre. Laissez cuire pendant quelques minutes, puis ajoutez les « tinnirumi ». Diluez le tout avec 1,5 litre (6 tasses) d'eau ou de bouillon et poursuivez la cuisson pendant encore 5 minutes. Vous aurez fait cuire à part les pâtes courtes, que vous ajouterez à la soupe. Portez à ébullition et servez.

Le vin conseillé

ALCAMO. Blanc de couleur jaune paille clair, parfum délicat ; sec, frais, sapide.

Minestra di tinnirumi.

Procurativi un chilu di tinnirumi, lavati
li a duviri e facitili sugghiri dintra 'na pigna
ta cu acqua salata. A menza cuttura sculatili
e tagghiatili a pizzudda pizzudda.
Dintra un tianu squagghiati dintra l'ogghiu
d'oliva, sei filetti di acciuca salata, mittitici dui
spicchiteddi d'agghia sminuzzata, menzu chilu
di pumadamuri pelati, sali e pipi.
A puntu giustu, pigghiati li tinnirumi sminuzzati e jttatili dintra lu tianu juncennu 'n'au
tru menzu litru d'acqua o di brodu.
Faciti cociri ancora pi cinqu minuti.
A parti priparativi l'attuppateddi o l'occhi di per-
nici e, quannu la pasta è quasi cotta, mmiscati
la cu li tinnirumi facennu dari l'ultimu sug-
ghiuni. Sanniti e 'nipiattati.

Minestrone

🕐 *Préparation* : longue

✕ *Ingrédients* : 50 g (1,5 oz) de lard ou de pancetta, persil, ail, 1 courgette, 3 carottes, céleri, 250 ml (1 tasse) de haricots, 1 tomate ou 15 ml (1 c. à soupe) de sauce tomate, 500 ml (2 tasses) de couenne, 2 grosses pommes de terre, sauge, romarin, sel, 1/2 chou, 6 poignées de riz, parmesan râpé

🍴 *Niveau de difficulté* : complexe

Coupez le lard ou la pancetta, auxquels vous ajouterez une petite poignée de persil et 1 gousse d'ail (hachés). À froid, dans une marmite remplie d'eau, mettez la courgette, les carottes et le céleri (coupés en petits morceaux), les haricots frais écossés, 1 tomate (pelée) ou 15 ml (1 c. à soupe) de sauce tomate, la couenne (si elle n'est pas fraîche, faites-la tremper la veille), les pommes de terre entières épluchées, de la sauge et du romarin. Salez avant la première ébullition. Faites cuire à feux doux pendant 4 heures. Ajoutez de l'eau, toujours chaude, au fur et à mesure qu'elle s'évapore. Une heure avant la fin de la cuisson, ajoutez le chou coupé en lamelles. Si c'est un chou d'hiver, déjà cuit par le gel, ajoutez-le seulement 20 minutes avant d'éteindre le feu en même temps que 6 poignées de riz. Avant de servir, écrasez les pommes de terre pour épaissir le bouillon. Assaisonnez avec une bonne quantité de parmesan râpé.

Minestròn -

Per prima se batt su l'assa de la carna
cinquanta gramm de lard (mèj anmò de
pansetta) cónt on póo d'erborinn e ona
coa d'aj, già triàa. Se mett in d'ona
pignatta e se fà indorà insèmma a ona
zucchetta, tri o quatter carotol, ona gamba
de seller tajàa a tocchèj, dusent gramm de
codegh frésch (se se troeuven no frésch
bisogna mettej a bagn la sera prima), du
gross pòmm de terra integher e pelàa.
On póo de erbasavia e on póo de usmarin.
Dópo che tutta sta robba l'è indorada, se
ghe gionta acqua e tanta, mettend el sàa
al primm bùj. Se lassa coeus adasi adasi

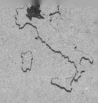

per circa quattr òr e, naturalment, bisogna
mettegh de l'acqua, semper calda, a mesura
che la se conzumma.

Un' oretta prima de la fin de la cottura,
se pò giontagh ona mezza verza tajada
a listèj. Se semm d'inverno, la verza,
che l'è gianmò stada còtta dal frègg,
la va messa denter domà vint minütt
prima de smorzà el foeugh, insemma a
ses pügn de ris. Per avegh el broeud on
póo pussée spess, prima de servi el minestròn, l'è mèj schiscià con la forclètta
i pòmm de terra.

Naturalment anca chi tanto bon formagg
grattàa 'el ghe stà ben. D'estàa, quand
se voeur servi el minestròn frègg, l'è mèj
versall bel cald in di tazzinn, mettegh su
tant formagg grattàa e lassàl lì on para
d'òr a sfreggi.

Minestrone di fave
Minestrone aux haricots

🕐 *Préparation* : longue

✗ *Ingrédients* : 500 ml (2 tasses) de haricots blancs, 1 oignon, 125 ml (1/2 tasse) de lard, 750 ml (3 tasses) de couenne, bettes à cardes, 6 tomates, pâtes

🍴 *Niveau de difficulté* : facile

Dans une grande casserole, remplie presque à ras bord d'eau salée, mettez les haricots, que vous aurez laissés tremper toute une nuit. Ajoutez 1 oignon émincé, le lard, la couenne coupée en petits dés, de fines tranches de bettes, les tomates fraîches ou, si ce n'est pas la saison, des tomates séchées préalablement immergées dans de l'eau tiède et sans sel. Laissez mijoter les ingrédients jusqu'à cuisson complète, puis ajoutez vos pâtes préférées pour le minestrone.

Le vin conseillé

 MANDROLISAI ROSSO. Couleur rouge rubis qui prend des reflets orangés avec le vieillissement, parfum agréable et vineux ; sec, sapide, avec un arrière-goût légèrement amer.

Minestroni de fai.

Si priganta 500 gr. de fai e si poninti in s'acqua po doxi oras, pai si segara su croxu o sa longaria. Si poniri immoi in d'una pingiara una cantitari de acqua salia pari a tres cuppineddus po persona, s'acciungiri su croxolu segau a arrogus, su lardu, 200 gr. de era segara a fittixeddas, sa cipudola puru a fittixeddas, unu pocu de perdusemini, ses tomatas friscas o quattru tomatas siccaras sciacqueras in s'acqua tepida po 'ndi bogai su sali, e tritaras. Si fai buddiri tottu finsas a cottura de is fais; a custu puntu si ghettara sa pasta po su minestroni. Si serbi callenti e esti plus saporiu si pruparau calincuna ora prima.

« Mus »

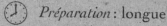

🕐 *Préparation* : longue

✕ *Ingrédients* : 250 ml (1 tasse) de farine de maïs, 500 ml (2 tasses) de farine blanche, 2 litres (8 tasses) de lait, 330 ml (1 1/3 tasse) d'eau, sel, beurre, graines de pavot

🍴 *Niveau de difficulté* : complexe

Cette soupe est typiquement montagnarde. Mélangez la farine de maïs et la farine blanche, et délayez dans le lait allongé de 330 ml (1 1/3 tasse) d'eau. Salez et faites cuire pendant 40 minutes en remuant constamment. En fin de cuisson, assaisonnez avec du beurre fondu aromatisé aux graines de pavot.

Le vin conseillé

PINOT NERO dell'ALTO ADIGE. Couleur rosée, parfum délicat et fruité ; sec, harmonieux et frais.

Ersilia '77.

La mosa

Se sa' che la mosa l'è 'en magnar de monta_
gna. Se mesda ensema n'eto de farina zalda e
doi eti de farina bianca e se la fà fora pian pian
'en de doi litri de làt slonga' zo con aqua.
Se ghe mete la sal e se la mesda sora al foc
per pu' de mezora senza mai fermarse maga_
ri zacolando, ma a tegnirghe d'ocio che no se
faga fregoloti. Se ghe mete sora el boter rosti,
saorì con le somenze de papavero.

Orecchiette con broccoli di rapa
Orecchiette aux rapini

🕐 *Préparation* : rapide

🍴 *Ingrédients* : 250 g (1/2 lb) de rapini, 250 g (1/2 lb) d'orecchiette, 125 ml (1/2 tasse) d'huile d'olive, 3 anchois, poivre

🍽 *Niveau de difficulté* : facile

Triez les rapini, en gardant les branches et les feuilles les plus tendres. Lavez-les et faites cuire dans une grande quantité d'eau salée, dans une casserole suffisamment grande. Lorsque l'eau entre en ébullition, ajoutez les orecchiette et faites cuire al dente. Pendant ce temps, dans une petite poêle, faites revenir dans 125 ml (1/2 tasse) d'huile d'olive les anchois salés, sans arêtes, lavés et défaits en morceaux. Égouttez les pâtes et les légumes, servez et assaisonnez avec les anchois frits et du poivre.

Le vin conseillé

SALICE SALENTINO ROSSO. Couleur rouge rubis, parfum vineux, éthéré, caractéristique et intense ; plein, sec, robuste et velouté, chaud et harmonieux.

Racchjstèdd-e ccime do rape

Vattà 3/4 chils do cime do rape, lassanne la fròmmue menstèddə. Lavalle e mèttel-a ecò ses jind-a na caldare che iàcqus assà e ssalze. Accome ièss-u vugghjs, s'ammènane 300 gr. do racchjstèdde, ea se fàccone cosce sop-a lla tenute. Ntratande se pslìzzane trè alìse du sprone, se làvəne e se mèttəne a cròce tagghjsrrate jind-a mmìənze quinde d-ègghjə. Se satèmene la paste e le cime rape jind-a le piatte e s-ammène sope l'alìse, u-ègghj-e ppèpe.

Pappardelle con la lepre
Pappardelle au lièvre

🕐 *Préparation* : longue

✕ *Ingrédients* : 500 g (1 lb) de viande de lièvre, 1/2 oignon, 1 branche de céleri, 1 carotte, 250 ml (1 tasse) de pancetta, beurre, huile, clous de girofle, 1,5 litre (6 tasses) de farine, 250 ml (1 tasse) de vin blanc sec, 3 tomates, noix de muscade, 6 œufs, parmesan, sel, poivre

🍴 *Niveau de difficulté* : complexe

Pour 6 personnes. Nettoyez et coupez en morceaux ou hachez la viande. Préparez un hachis avec l'oignon, la branche de céleri, la carotte et la pancetta. Faites revenir le tout dans un peu de beurre et quelques cuillerées d'huile. Ensuite, ajoutez le lièvre, 2 ou 3 clous de girofle et 15 ml (1 c. à soupe) de farine et faites revenir le tout à feux doux pendant environ 15 minutes ; mouillez avec 125 ml (1/2 tasse) de vin blanc sec et laissez évaporer. Ajoutez les tomates bien mûres, pelées et coupées en morceaux, du sel, du poivre, une pincée de muscade et laissez réduire la sauce. Pendant ce temps, préparez les pappardelle, qui sont en fait de gros fettucine. Mélangez la farine avec les œufs et 125 ml (1/2 tasse) de vin blanc. Travaillez la pâte avec une certaine énergie et abaissez-la en une feuille mince. Découpez-la en fettuccine plutôt gros ou, si vous préférez, en lasagnes de forme irrégulière. Laissez sécher pendant quelques heures, puis faites bouillir dans une grande quantité d'eau salée. Égouttez les fettuccine alors qu'ils sont al dente, et assaisonnez immédiatement avec la sauce préparée et beaucoup de parmesan râpé.

Le vin conseillé

SANGIOVESE dei COLLI MARTANI. Couleur rouge rubis, parfum vineux et caractéristique ; sec et harmonieux.

Pappardelle nco'l lepre.

È 'n piatto sopraffino e chi cià 'n lepre che j onno arigalato o che s'è comprato n'sel fa scappae.

Ce vol la carne del lepre pulita e tajata a pezzettini e 'ntanto nto 'na cassarola, se prepara 'n sufritto nco la cipolla, 'l sellero, la carota e la pancetta insieme a 'n tantin de burro e de olio. Ce se butta pue 'l lepre nco i chiode de garofeno e 'n po de farina.

Se fa rosolà pè 'n quarto d'ora e pue ce se mette 'n bicchiere de vin bianco chi ha da svaprà. Ce mettete pue i pomidori puliti e fatti a pezzettini, 'l sale, 'l pepe e 'n pizzichino de noce moscata e pue 'l fate coce pè fa ar tirà 'l sugo.

'Ntanto preparate le pappardelle come i tajatelli, solo che là sfoja là tajate larga. Le pappardelle se leveno aldenti e se condiscono ncol sugo del lepre.

Passatelli

🕐 *Préparation* : rapide

🍴 *Ingrédients* : 125 ml (1/2 tasse) de chapelure, 500 ml (2 tasses) de parmesan, 4 œufs, noix de muscade, 125 ml (1/2 tasse) de moelle de bœuf (ou de beurre), sel, 2 litres (8 tasses) de bouillon de viande, parmesan

🍴 *Niveau de difficulté* : facile

Pour cette soupe, de tradition ancienne dans les maisons de Romagne, mélangez pour 6 personnes la chapelure, le parmesan râpé, les œufs entiers, 1 pincée de muscade et, selon la recette la plus authentique, la moelle de bœuf (vous pouvez aussi utiliser du beurre). Amalgamez bien la pâte et salez. Pendant ce temps, portez à ébullition un bon bouillon de viande. À l'aide d'une écumoire (à travers laquelle vous faites passer la pâte), formez les passatelli de la longueur désirée et faites-les cuire dans le bouillon. Ils seront prêts dès qu'ils remonteront à la surface. Servez-les bien chauds avec du parmesan râpé.

Le vin conseillé

 TREBBIANO di ROMAGNA. Couleur jaune paille, parfum vineux et agréable ; sec, sapide et harmonieux.

Pasadén.

Par sta mnèstra d'antiga tradiziôn int al ca
rumagnôli, impastì par 6 parsôn, 150 gr. ad pân
gratê, 200 gr. ad forma gratêda, 4 ôs intîri, un pin
gutin d' nôsa muschêda e, sgond la riziêta piô gi
sta, 50 gr d'ambrôla ad bò (sinò de brutì).
Fasì incurpurê ben l'impast e mitìj e' sêl giost.
Burtì intant in brlôr squési du litar ad brôd
ad chèrna bén bon.
Aun e' fir spasadén, caichénd bèn sôra l'impast,
fasì i mpasadén dla lunghèzza ch'a vli.
Au fasìj cúsar int e' brôd bulént. I sarà côt
quand j asnirà a gala.

Pasta con le sarde
Pâtes aux sardines

Préparation : longue

Ingrédients : 1 gros bulbe de fenouil, 125 ml (1/2 tasse) d'huile d'olive, 2 oignons, 4 filets d'anchois, 1 kg (2 lb) de sardines fraîches, sel, poivre, 125 ml (1/2 tasse) de raisins secs, pignons, 125 ml (1/2 tasse), safran, 500 g (1 lb) de bucatini

Niveau de difficulté : facile

Dans une auberge du centre de la Sicile, on entendait l'écho de la voix d'un homme qui, sur une place voisine, haranguait une centaine de volontaires sur la possibilité d'exprimer un vote d'opposition. « Moi, pour l'instant, je me contente d'archiver », disait Michele Perriera qui était assis en face de nous, l'air humble, « on ne doit rien perdre de ces années même si tout semble inutile ou ordinaire ». Dans sa voix on sentait une rancune paisible. Nous le comprenions. Essayiste, homme de théâtre, certains des textes les plus significatifs de la dramaturgie italienne contemporaine portent son nom. Ainsi, même chez Perriera primait le refus de toute forme de résignation. Nous nous sentîmes franchement mieux. « Des pâtes aux sardines », hurlâmes-nous à l'unisson à l'hôte qui attendait patiemment la fin de notre discours. Un peu lourd pour un plat du soir, mais peu importe : il nous fallait reprendre des forces.

Faites bouillir dans beaucoup d'eau salée le fenouil sauvage des montagnes (qu'on ne trouve qu'en Sicile). Égouttez dans une passoire et pressez-le à l'aide du dos d'une cuillère afin d'en extraire le plus de liquide possible. Hachez-le et réservez ; réservez également son liquide de cuisson. Dans 125 ml (1/2 tasse) d'huile d'olive, faites revenir les oignons émincés, dans lesquels vous ferez fondre les filets d'anchois salés. Préparez les sardines fraîches; enlevez les arêtes, coupez têtes et queues, coupez-les en morceaux et faites-les revenir dans le hachis. Ajoutez le fenouil, salez, poivrez et laissez cuire pendant 5 minutes. Complétez la sauce avec les raisins secs que vous aurez fait tremper dans l'eau tiède, les pignons et quelques brins de safran dilués dans un peu d'eau. Dans l'eau de cuisson du fenouil, faites cuire les bucatini, égouttez à la mi-cuisson et versez dans la casserole avec la sauce où, toujours en remuant, ils finiront de cuire. Les pâtes aux sardines se servent tièdes ou froides.

Le vin conseillé

BIANCO SUPERIORE dell'ETNA. Couleur jaune paille avec des reflets verts, parfum délicat et fruité ; sec et harmonieux.

Pasta cu li sardi.

Faciti vugghiri dintra 'na pignata cu acqua e
sali un chilu di finucchieddi di muntagna, scu
latili a duviri sprimennuli dintra lu sculapasta
e tagghiatili a pizzudda a pizzudda, senza scur
darivi di sarvari l'acqua di cuttura.
Pigghiàti un tianu cu mezzu bicchieri d'ogghiu
d'oliva e faciti suffriiri dui cipudduzzi sminuz
zati, junciti quattru acciuchi salati e facitili
squagghiari, dintra l'ogghiu. Pigghiàti ora un
chilu di sardduzzi frischi, lavatili, sculatili, livati
ci la resca, la testa e la cuda, tagghiatili a pizzud
da e facitili ruselari dintra lu suffrittu.
A 'stu puntu, pigghiàti li finucchieddi e mittitili
dintra lu tianu, cu sali e pipi, facennu cociri
pi cinqu minuti abbuccateddi.
Contemporaniamenti pigghiati un pugniddu di
passula alliviscìuta mmi l'acqua caauda, un pu
gniddu di pignola e 'na bustina di zafferanu
squagghiatu mmi l'acqua e jttati tutti 'sti cosi din
tra la salsa.
Pigghiàti l'acqua di li finucchieddi, faciti spag
cari lu vugghiu e cucitivi, dddà dintra, 600 gr.

di bucatini. A mità cuttura, sculati la pasta e mittitila dintra lu tianu cu la salsa e, rciminannu e riminannu, facitila finiri di cociri. Scimmitila, facitila ripusari 'n'anticchia, e 'mpiattati.

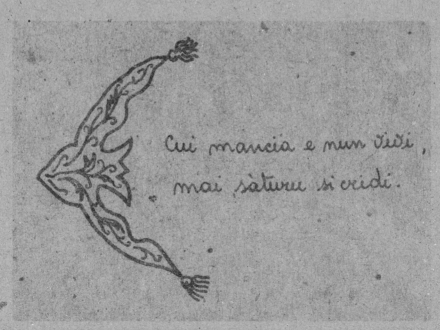

Cui mancia e nun vivi, mai saturu si cridi.

Ceci e pasta
Pois chiches et pâtes

🕐 *Préparation* : rapide

✗ *Ingrédients* : 500 ml (2 tasses) de semoule, eau, 500 ml (2 tasses) de pois chiches, bicarbonate de sodium, feuilles de laurier, sel, huile

🍴 *Niveau de difficulté* : facile

Les pâtes alimentaires qui conviennent le mieux pour cette recette sont les petites lasagnes maison, que l'on fait de la manière suivante. Mélangez la semoule avec de l'eau tiède jusqu'à l'obtention d'une pâte lisse. Façonnez des boules de la taille d'un poing, abaissez au rouleau à pâtisserie et coupez en lamelles de la largeur d'un doigt et de la longueur d'une main. Laissez sécher pendant une demi-journée. Prenez les pois chiches cuits, qui auront trempé toute la nuit, avec une pointe de bicarbonate de sodium, et faites-les mijoter avec quelques feuilles de laurier, un peu de sel et beaucoup d'eau, à feu très doux. Ajoutez de temps en temps un peu d'eau chaude. Faites cuire les petites lasagnes, déposez avec les pois chiches dans les assiettes et assaisonnez avec de l'huile. Il s'agit de la version commune.

Dans la région de Lecce, en revanche, on fait cuire la moitié des petites lasagnes dans de l'eau salée avec des branches de céleri, et on fait frire l'autre moitié dans de l'huile bouillante. On les ajoute aux pois chiches et on les fait cuire légèrement ; on les déguste avec un hachis d'oignons émincés.

Le vin conseillé

🍷 COPERTINO ROSSO. Couleur rouge rubis, parfum vineux et persistant ; sec, avec un arrière-goût légèrement amer.

Ciggəre e ppastə.

La ipastə ca ngə volə ié la làmachə ca sə faxə
adacchəsi. Sə pigghjenə nu quind-e mmiən-
zə də sìmuə e sə trambèxcə chə l'acquə caldə
chə jində squagghjàtə la bastanzə də salə,
facimmə fa la massə lìxcia lìxcə com-o vəl-
lutə. Sə gramuèxcə a pallòttə a ppallòttə e ppo'
sə fàxcamə lə stèxə cu lagənarə e sə tàgghjənə
a strìxcə larghə nu dìxətə e llònghə nu
palmə də la manə e sə mèttənə ad assəcuà.
mmènzə xərnatə.
Dòppə ca si mattut-a bbagnə chə nu piccrə də
bəcarbonatə dolu quində də ciggərə chəciuuə
la xèrə primə, lə faxə coxə jind-o pəgnatièl-
ələ à ffuèchə liəmələ chə ddə frànzə də llò-
rə e chə l'acquə, ca comə sə strùxə a-da
sciòngə l'aldə caldə.
Faxə coxə la làmachə e ppo' ʃ-amminə chə
lə ciggərə jind-o piattə, l-avvəlèlələ e lə
cunəə cu u-ègghjə.

Pasta con uovo fritto
Pâtes aux œufs

Préparation : rapide

Ingrédients : 500 g (1 lb) de spaghettis, pecorino, piment rouge, 6 œufs

Niveau de difficulté : facile

Il s'agit d'une spécialité de Catanzaro. Faites cuire 500 g (1 lb) de spaghettis, égouttez et ajoutez une grande quantité de pecorino râpé et de piment rouge. Répartissez les pâtes dans des assiettes creuses que vous tiendrez au chaud, et préparez 6 œufs au plat. Déposez les œufs sur les pâtes de chaque hôte et servez immédiatement.

Le vin conseillé

LAMEZIA. Couleur rouge cerise plus ou moins clair, parfum délicatement vineux ; sec, corsé, harmonieux.

Pasta cu ll'ava fritta.

Si faci 'nt'a gli parti 'i Catanzaru.
Guagghti 600 grammi 'i vernicegli, 'i scula_
ti e si mmuvrati casu pecurinu e cunser_
ba 'i pipi. Apai, mentiti 'a pasta int'e te
gli belli cardi e faciti puru 6 ova fritti
belli sani.
Mentiti l'ova supi'a pasta chi 'ndavi 'i
si mangia a gliapaglia.

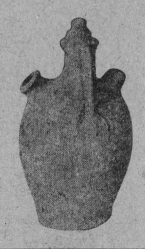

Penne all'arrabbiata

Préparation : rapide

Ingrédients : huile, ail, piment fort, 3 grosses tomates, sel, penne, persil

Niveau de difficulté : facile

Bien que cette recette ait de nombreuses variantes (certains préparent avec de la pancetta et des champignons), on la prépare généralement à Rome de la façon suivante. Pour 6 personnes, faites revenir dans l'huile 3 ou 4 gousses d'ail avec du piment fort – dont on ne peut évidemment pas préciser la dose qui dépend du goût de chacun, mais qui sera tout de même conséquente si on veut les penne vraiment «arrabbiate», c'est-à-dire «en colère». Ajoutez ensuite les tomates, environ 3 grosses, et le sel. Pendant la cuisson des tomates, faites bouillir des penne al dente, assaisonnez-les de la sauce préparée et servez-les avec une grosse cuillerée de persil frais haché.

Le vin conseillé

VELLETRI BIANCO. Couleur jaune paille, parfum vineux et délicat ; sec ou semi-doux, relativement corsé, harmonieux et velouté.

Le penne a l'arabbiata

Questa è 'na ricetta che sia li burini che li buzzurri ce s'orzero arubbà e 'ma sorta esportata ce subbì pure l'affronto de quarche sariazzione co' l'aggiunta de la pancetta e de li funghi. Ma l'arabbiata, p'esse arabbiata, cià 'ma regola ch'è questa!
(Parlamo sempre pé 6 perzone).

Se soffriggono 3 oppura 4 spicchi d'ajo drento 'ma dose abbastante d'ojo, maturarmente ce sò er peperoncino piccante (la dose addipenne da li gusti ma nun ce vorebbe misura si se sò che le penne sieno seramente arabbiate!). Ammalapena l'ajo 'ncomincia a rosolasse se butta 'n padella er pommidoro pelato nun meno de mezzo chilo. Nun ve scordate er zale fino. Intanto che se prepara er zugo mettete a còce le penne; quanno che queste so' arivate ar dente, scolatele e accounitele subbito co' er zugo e servitele co' l'aggiunta de erbetta tritata li pé lli.

Polenta di grano saraceno
Polenta à la farine de sarrasin

🕐 *Préparation* : longue

✖ *Ingrédients* : 750 ml (3 tasses) de farine de sarrasin, 1 litre (4 tasses) d'eau ou de bouillon, 5 ou 6 anchois, beurre, parmesan

🍴 *Niveau de difficulté* : facile

Préparez une polenta pas trop dure avec la farine de sarrasin et l'eau légèrement salée, mais du bouillon serait préférable. Versez la polenta dans un plat beurré et jetez dessus 5 ou 6 anchois coupés en morceaux et rissolés dans le beurre. Couvrez de parmesan râpé, et enfourner au four préchauffé à 180 °C (350 °F). Enlevez la polenta du plat, coupez-la en losanges et servez-la, encore chaude, avec quelques copeaux de beurre.

Le vin conseillé

SAUVIGNON dei COLLI BERICI, Couleur jaune paille, parfum délicat et caractéristique ; sec, harmonieux, corsé.

Polenta de gran sarasin o formentòn.

Preparar una polenta no massa dura co
300 gr. de gran sarasin, o formentòn, messa
dentro in 1 litro de acqua o megio de brodo,
co poco sal. Apena cota, travasar la polentina
in una tecia onta co un fià de butiro e me_
targhe par sora 5 o 6 aciughe rosolae a to_
cheti nel butiro. Sparpagnar formagio grana
gratà in abondanza e metar subito in forno
caldo. Co se cava dal forno la tecia, travasar
la polentina su un piato tagiarla a fete e ser_
virla, ancora calda, co qualche pitin de butiro
par sora.

Polenta marchigiana
Polenta des Marches

🕐 *Préparation* : longue

✕ *Ingrédients* : 3,5 litres (14 tasses) d'eau, 1,75 litre (7 tasses) de farine de maïs, huile, 250 ml (1 tasse) de pancetta, la chair de 2 grosses saucisses, sel, poivre, parmesan

🍴 *Niveau de difficulté* : facile

Faites chauffer dans une grosse marmite l'eau salée et, avant l'ébullition, délayez petit à petit la farine de maïs. Faites cuire à feu doux, en brassant constamment. Dans une poêle, faites revenir dans l'huile la pancetta coupée en dés et la chair à saucisse. Salez, poivrez et cuisez la viande en remuant souvent. Incorporez la viande dans la polenta et servez immédiatement avec beaucoup de parmesan râpé.

Le vin conseillé

 ROSSO CONERO. Couleur rouge rubis intense, parfum vineux ; sec, harmonieux, corsé.

Pulenta a la marchigiana.

'Fa' scaldà in te 'na pigna grossa 3 litri e mè_
ze de aqua salata e, prima che bole, squa_
 scci pogo a pogo 750 gr. de farina de granturi
co. Smugina de cuntinuo e fo' la riuà a cutu_
ra a fogo basso. In te 'na padèla fa' rusulà,
int' un velo d'ojo, 100 gr. de pancèta a tu_
cheti e 250 gr. de salcicia sbudelata. Sàla, im_
pepa, smugina de cuntinuo e fa' còce la car_
ne. Bùtela drent' a la pulenta e pòrta a ta_
vula de fuga cu' 'na muchia de parmigià_
gratugiato.

Polenta nera
Polenta noire

🕐 *Préparation* : rapide

🍴 *Ingrédients* : 2 litres (8 tasses) de lait, 500 ml (2 tasses) de vin blanc sec, 750 ml (3 tasses) de farine de sarrasin, beurre, 6 ou 7 filets d'anchois

🍴 *Niveau de difficulté* : facile

Cette recette est très ancienne et évoque des images de la vie montagnarde, immuable dans le temps. Dans le lait et le vin blanc sec, délayez la farine de sarrasin. Le mélange devra avoir la consistance d'une polenta normale. Quand elle commence à attacher aux parois de la marmite, assaisonnez-la de beurre dans lequel vous aurez liquéfié 6 ou 7 filets d'anchois.

Le vin conseillé

COLLI di BOLZANO. Couleur allant du rouge rubis au grenat, parfum caractéristique ; plein, souple et harmonieux.

Polenta de formenton.

Sta' rixeta l'è pu' che vecia e la porta l'odor e 'l
saor dei monti che l'è sempre quel.
'Em dai litri de lat smisià a mex litro de vin
bianc se ghe sfregola xo en trei eti de farina de
formenton 'en maniera da mesedarla con la ca
nela de la polenta. Quando che s'ha fat le grote
se tra for el parol sul taier e se la lassa sorar.
Po' se la magna col boter degolà 'en dei fileti de
acciughe.

Ribollita

🕐 *Préparation* : longue

✖ *Ingrédients* : huile d'olive, oignon, céleri, carotte, 1 chou frisé, 2 pommes de terre, 4 ou 5 courgettes, sauce tomate, 250 ml (1 tasse) de bettes, 2 bouquets de chou noir, 250 ml (1 tasse) de haricots de Toscane (blancs), basilic, serpolet, 1/2 kg (1 lb) de pain toscan rassis

🍴 *Niveau de difficulté* : complexe

C'est certainement l'une des soupes de légumes italiennes les plus célèbres et qui doit en grande partie son originalité à deux produits typiquement toscans : le pain et le chou noir. Dans de l'huile d'olive, faites revenir oignon, céleri et carotte émincés. Quand l'oignon commence à fondre, ajoutez le chou frisé haché grossièrement et, dès qu'il commence à cuire et à ramollir, ajoutez deux pommes de terre et 4 ou 5 courgettes coupées en petits morceaux. Quand ces légumes commencent aussi à s'attendrir, ajoutez 250 ml (1 tasse) de bonne sauce tomate, mélangez pour en imprégner les autres ingrédients. Ajoutez deux petits bouquets de bettes et 2 bouquets de chou noir. Faites cuire à feu doux pendant au moins 1 1/2 heure. Environ 30 minutes avant la fin de la cuisson, ajoutez les haricots de Toscane bouillis, du basilic et du serpolet (le thym de campagne). Pendant ce temps, tranchez dans une soupière le pain toscan rassis, versez dessus la soupe brûlante et laissez reposer jusqu'au lendemain. Avant de passer à table, remettez le tout sur le feu et faites bouillir de 10 à 15 minutes.

Fattoria La Bandita

Vino Rosso

Proprietà Bozzotto
Sassetta (prov. Livorno)
Imbottigliata dal Produttore alla Fattoria

Le vin conseillé

CHIANTI delle COLLINE PISANE. Couleur rouge rubis vif, parfum intensément vineux, qui s'affine avec le vieillissement ; sec, légèrement tannique.

Risotto alla milanese
Risotto à la milanaise

🕐 *Préparation* : longue

✗ *Ingrédients* : 60 ml (1/4 tasse) de beurre, 60 ml (1/4 tasse) de moelle de bœuf hachée, jus de rôti, 1 oignon, 10 poignées de riz, bouillon, safran, beurre cru ou crème, parmesan râpé

🍴 *Niveau de difficulté* : facile

Dans le beurre, faites blondir la moelle de bœuf hachée, 30 ml (2 c. à soupe) de jus de rôti et un petit oignon émincé. Jetez-y 10 poignées de riz et mélangez avec une cuillère de bois pour bien enrober le riz. Le riz doit crépiter. Allongez petit à petit avec du vrai bouillon. Dix minutes avant la fin de la cuisson, ajoutez quelques brins de safran délayés dans un peu de bouillon. À la fin de la cuisson, éteignez le feu, incorporez 1 noix de beurre cru ou 125 ml (1/2 tasse) de crème. Parsemez généreusement de parmesan râpé ; laissez reposer pendant quelques instants avant de servir.

Le vin conseillé

 ROSSO della RIVIERA del GARDA. Couleur rouge rubis intense, parfum vineux et caractéristique ; sec, sapide, légèrement amer.

Risott a la milanesa -

Se fà derlenguà al biond cinquanta gramm
de butter, trenta gramm de midoll de boeu
triàa e diuu ugiàa de grass de rost cónt
ona seigolletta, tàjada finna, finna.
Se ghe gionta des pugn de ris e se mes'cia
cónt on ugiàa de legn, de manèra che
el ris el sorbiss ben el condiment.
El ris el dev serissà e alora se ghe gionta
adasi, adasi del broeud, ma ch'el sia bon
e el dev mai mancà, fintant che el ris
sia arrivàa a la giùsta mesura.
Des miniutt prima de levall del foeugh,
se ghe gionta del zaffran (ona bustinna)
che se fà derlenguà in d'on ugiàa de
broeud. Quand el ris l'è cott, sesmoeza
el foeugh, se ghe gionta ona mòs de
buttér e on mezz biccér de panera.
Tanto formagg grattàa.
El se lassa reposà quattàa per pocch
miniutt prima de servì.

Riso alla cagliaritana
Riz à la façon de Cagliari

🕐 *Préparation* : longue

✖ *Ingrédients* : 1,25 litre (5 tasses) de farine de pois chiche, huile, oignon, 250 ml (1 tasse) de pancetta, sauce tomate, 500 ml (2 tasses) de riz, fromage

🍴 *Niveau de difficulté* : complexe

Pour 6 personnes, versez en pluie, dans une grande quantité d'eau salée, la farine de pois chiche. Laisser cuire pendant 40 minutes environ, en remuant constamment pour éviter la formation de grumeaux. Pendant ce temps, faites revenir dans l'huile 1 oignon émincé en évitant de le faire trop dorer et ajoutez la pancetta de porc hachée. Laissez rissoler, allongez avec quelques cuillerées de sauce tomate et ajoutez le hachis à la farine de pois chiche qui, entre-temps, aura continué à bouillir. Vérifiez l'assaisonnement et ajoutez le riz, en remuant de temps en temps jusqu'à la fin de la cuisson. Servez bien chaud avec beaucoup de fromage râpé.

Le vin conseillé

CARIGNANO del SULCIS ROSATO. Couleur rosée plus ou moins claire, parfum agréablement vineux ; sec, harmonieux et velouté.

Arrosu casteddaju.

Si poni in su fogu una pingiara cun d'unu litru e menu de acqua salia. Can du buddi s'acqua, ghettai sa farina ole ciri ri de sa manu serrara a brucciconi; giren di sempri po no fai attaccai sa farina. Fai coi po mez'ora. Preparai su pistu de lat tumini e cipudda e arrosolai tottu in d'u nu tianedolu a fogu lentu, acciungi unu pa gu ole bagna de tomata e una cugliera de sa minestra già preparara. Ghettai tottu in sa pingiara e candu cummenzara a buddiri ac ciungi s'arrosu e du lassai coi a pingiara stuppara. Appena prontu bisongiara a du ghettai in is prattus e acciungi gruviera trattara.

Riso e piselli
Riz aux petits pois

Préparation : longue

Ingrédients : oignon, pancetta maigre ou jambon cru, beurre, huile, riz, 1,5 litre (6 tasses) de petits pois, persil, parmesan, poivre blanc

Niveau de difficulté : facile

Recette traditionnelle, également connue hors de la Vénétie, elle était jadis réservée pour les grandes fêtes des doges. Aujourd'hui, on ne devrait la déguster qu'à la saison des petits pois nouveaux, ceux que l'on appelle « mange-tout ». C'est effectivement avec les pois mange-tout que l'on prépare les vrais « risi e bisi ».
Faites revenir un beau hachis d'oignon émincé et de pancetta maigre (ou de jambon cru coupé en dés) dans du beurre et de l'huile. Dès que l'oignon blondit, ajoutez le riz (4 poignées pour 4 personnes) et laissez-le s'imprégner du goût. Allongez avec le bouillon vert, obtenu en faisant bouillir dans de l'eau salée les cosses des petits pois et en passant le tout au tamis. À la mi-cuisson du riz, ajoutez les petits pois avec 1 poignée de persil haché. Quand le riz est al dente, retirez du feu et assaisonnez avec 1 noix de beurre et du parmesan râpé. Vous pouvez également ajouter du poivre blanc à peine moulu.

Le vin conseillé

PINOT BIANCO dei COLLI EUGANEI. Couleur jaune paille clair, parfum délicat ; sec ou demi-sec, velouté.

Risi e bisi.

La tradixion veneziana dixe che el giorno de San
Marco, 25 april, tuti i veneziani gà da magnar
risi e bisi, parchi una volta al tempo dei Dogi, questa
gera la minestra che comparíva in tola del Serenissimo
Principe e de i so nobili invitati. Infati, sto bon magne
réto vien parecià coi bisi "magnatuto", cioè i biséti nove
li che vien, giusto, de sta stagion primaveril.
Eco la maniera: se fa desfrixar la solita ségola tagià
da fina fina co un fià de ogio e de butiro e insieme
se ghe mete anca un poca de panséta magra (o par
suto crvo) tagiada a tochetini. Apena che la ségola
ga ciapà color, se ghe zonta i risi (un pugno a testa)
e se ghe dà una bixiera scaltria. Dopo se ghe zonta
el "brodo verde", cioè il liquido che xe saltà fora faxen
do bògiar in acqua salada i scorzi dei bisi, e pas
sandoli al tamiso quando che i xe còti.
Quando che i risi xe a metà cotura se ghe buta den
tro i bisi (1 kg. e mezzo) con un bel pugno de par
zemolo tritá. Quando che i risi xe al dente, se destua
el fogo e se ghe zonta ala minestra un tochetin de bu
tiro e un poco de formagio grana gratà. Se pol anca
masenarghe par sora un fià de pevare, ma che el
sia bianco.

Risotto con asparagi
Risotto aux asperges

Préparation : rapide

Ingrédients : asperges, beurre, oignon, riz, bouillon, sel, poivre, crème, 125 ml (1/2 tasse) de grana padano

Niveau de difficulté : facile

Faites bouillir les asperges (elles doivent être fines) al dente. Réservez à part les pointes, faites rissoler les tiges égouttées et coupées en morceaux dans 1 noix de beurre pendant quelques minutes, puis passez-les au mixeur ou au tamis. Dans le beurre restant, faites revenir l'oignon émincé, ajoutez le riz que vous ferez dorer, en remuant, pendant quelques minutes, puis versez petit à petit du bouillon chaud. Salez et poivrez. À la mi-cuisson, ajoutez la purée et les pointes d'asperges ; à la fin de la cuisson du riz (il doit être al dente), retirez la casserole du feu et incorporez la crème avec le grana pandano râpé.

Le vin conseillé

CORTESE dell'ALTO MONFERRATO. Couleur jaune paille clair, parfum caractéristique, délicat, très léger ; sec et harmonieux, sapide, agréablement amer.

Risòt con sparz

Të beuje je sparz al dent, gaveje le punte,
fricassé la part ch'a restà, scolé e tajoché
ant el butir per pòche minute, sbaté e
passeje a lë siass.
Ant el butir che a l'è restà fricassé la
siola ciapulà, giònteje el ris e rasatelo,
res-cé per pòche minute, e peuj giònteje,
un cassul per vòlta, el bròd caod, sal
e pèiver. A metà cheuita giònteje el passà
ëd sparz e le ponte; quand el ris a l'è
cheuit al dent, gavé la pignata dal feu
e giònteje la fior ëd làit con q. 50 ëd
gran-a gratà.

Risotto con i fegatini alla fiorentina
Risotto au foie à la florentine

🕐 *Préparation* : longue

🍴 *Ingrédients* : oignon, huile, riz, sauce tomate, 250 ml (1 tasse) de bouillon, beurre, 250 g (1/2 lb) de foies de poulet, parmesan

🍴 *Niveau de difficulté* : facile

Faites revenir un hachis d'oignon dans de l'huile. Quand l'oignon commence à mousser, jetez le riz dessus selon la quantité voulue et faites-le dorer dans le hachis en remuant avec une cuillère de bois pour ne pas qu'il attache. Versez la sauce tomate déjà prête et salée et le bouillon, mélangez, et laissez absorber. Poursuivez la cuisson en ajoutant du bouillon au fur et à mesure que le riz se dessèche. Faites dorer à part, dans du beurre, les foies de poulet coupés en petits morceaux. Ajoutez-les au risotto, mélangez encore, saupoudrez de parmesan râpé et servez.

> ### Le vin conseillé
>
>
> CHIANTI dei COLLI FIORENTINI. Couleur rouge rubis vif, parfum intensément vineux, avec des arômes de violette ; sec et harmonieux, tannique, qui devient velouté avec le temps.

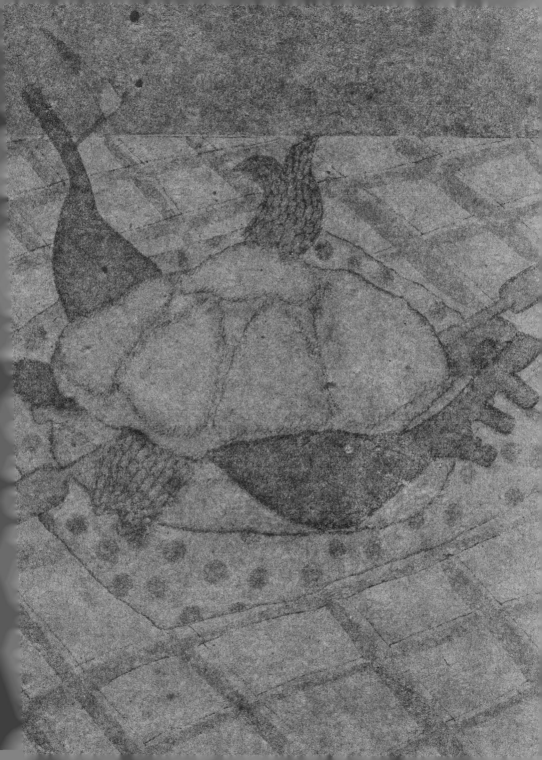

« Scripelle 'mbusse »

🕐 *Préparation* : longue

✗ *Ingrédients* : 4 œufs, 125 ml (1/2 tasse) de lait, persil, sel, poivre, farine, huile, pecorino ou parmesan, 1,5 litre (6 tasses) de bouillon de poulet ou de bœuf

🍴 *Niveau de difficulté* : facile

Les «crispelle» (par métathèse «scripelle») sont de petites omelettes fines. Cette préparation est une recette typique de la région de Teramo. Avec les œufs, le lait, du persil haché, du sel, du poivre, préparez le mélange pour les petites omelettes que vous épaissirez avec un peu de farine. Dans une petite poêle légèrement huilée, versez une cuillerée du mélange et préparez une petite omelette très fine, bien dorée des deux côtés. Continuez ainsi jusqu'à épuisement du mélange. Saupoudrez de pecorino râpé la surface des petites omelettes et enroulez-les de façon à en faire des cannelloni. Déposez dans un grand plat et arrosez avec le bouillon de poulet ou de bœuf. Finissez avec une généreuse quantité de pecorino ou de parmesan

Le vin conseillé

BIFERNO ROSATO. Couleur rosée, parfum caractéristique, légèrement aromatique ; sec et harmonieux.

Scrippelle 'nfosse.

Le "scrippelle" so frittatine suttili suttili. La ricetta è tipicamende della zona teramana.

Li 'anno di ova, merza tazzetta de latte, prezzemolo tritate, sale, pepe, tutte messe endru nu ticame. Mendre si muschia s'aggiunge farina de granu teneru finu affà na spece de pastella quaci liquida. Si pija na patilluccia, ugni tandu se sparnia de burru o nu vicciu de oiju d'ulita. Se mette na cucchiara de pastella endru la patella e se scalla sopre e sottu. Quandu è finita la pastella, a ogni frittatina sicci mette nu pocu di picurinu 'rattatu. Le frittatelle cuscinda preparate, s'abbiticchieno una pe una e sicci fanno tandi camilli.

A nu piattu cuppute piinu de brodu de callina ruspande o de manzu giovine, sicci metteno 4 o 5 scrippelle affocate e sicci remette atru caciu picurinu o parmiggianu a volandà.

Spaghetti alla carbonara

🕐 *Préparation* : rapide

✕ *Ingrédients* : saindoux, 250 g (1/2 lb) de joue, 4 œufs, pecorino, sel, poivre, 500 g (1 lb) de spaghettis

🍴 *Niveau de difficulté* : facile

Une autre recette très simple et généralement très appréciée. Pour 6 personnes, faites revenir dans 15 ml (1 c. à soupe) de saindoux ou d'huile les joues coupées en tout petits morceaux et laissez dorer légèrement. Pendant ce temps, battez les œufs avec 60 ml (4 c. à soupe) de pecorino râpé, du sel et du poivre. Faites cuire les spaghettis al dente, égouttez et mélangez immédiatement aux œufs et à la joue, puis repassez le tout pendant 2 minutes à la poêle, jusqu'à ce que les œufs se soient coagulés. Assaisonnez de pecorino et de beaucoup de poivre.

Le vin conseillé

VELLETRI BIANCO. Couleur jaune paille, parfum vineux et délicat ; sec ou semi-doux, relativement corsé, harmonieux et velouté.

Li spaghetti a la carbonara-

Ècchele 'nantra ricetta semprice e assai appetitosa, pé 6 perzone.

Mettete a strugge 'na cucchiarata bbona de strutto (puro l'ojo potrebbe esse°bbono) e quanno sfrigge buttatece giù 300 gr. de guanciale già battuto bbene a pezzettini 'nzù la bdtilossta e fatelo arivà a la doratura lentamente. Pijate 'ntanto 'na terina e sbattetece 4 ova fresche de giornata 'nzieme a 4 cucchiari de cacio pecorino grattato fresco e sale e pepe a giusta dose. Cócete li spaghetti: quanno che só arivati cotti ar dente, scolateli e buttateli drento la padella 'nzieme a l'ova sbattute e fateli ripassà pé du' minuti bboni e riggirate co' 'na cucchiara de legno 'nzinache l'ova se so' cotte e rapprese ar punto giusto. Se dovrebbe da senti l'odore. Er piatto va servito callo e completato co' er zolito pecorino piccante e pepe a volantà.

Tagliatelle al prosciutto
Tagliatelles au jambon cru

🕐 *Préparation* : longue

✕ *Ingrédients* : 1,5 litre (6 tasses) de farine, 6 œufs, 180 ml (3/4 tasse) de beurre, 250 g (1/2 lb) de jambon cru, tagliatelles, parmesan

🍴 *Niveau de difficulté* : facile

Pour 6 personnes, mélangez la farine avec les œufs, et abaissez la pâte en une couche assez mince. Laissez-la sécher pendant quelques heures, puis enroulez-la sur elle-même et coupez-la en lamelles d'une largeur d'environ 1/2 cm (1/4 po). Faites fondre le beurre et ajoutez le jambon cru coupé en dés. Attention, le beurre doit fondre sans frire. Pendant ce temps, faites bouillir les tagliatelles dans de l'eau salée, égouttez et assaisonnez de cette sauce toute simple. Servez immédiatement les pâtes avec une quantité généreuse de parmesan râpé.

Le vin conseillé

🍷 SANGIOVESE dei COLLI di IMOLA. Couleur rouge rubis, parfum délicat et vineux ; sec et harmonieux, au goût plein

---

Granoris-a lla manèra ds Tardo.

Pigghjs 500g. ds cozzs gnòrs e ffalls aprì a
ffuèchs lisnds. Ngs lìsrs la scòrzs e passs u
suchs lors stèss. Ls mitta jind-a nu tiana
chs ma mènxa tassrs d-ègghjs, nu spscudds
d-agghjs carrats e nu diamicchjs.
Acquanns u-uàgghjs s-ha mdorats, u lìsrs
e ammins 300g. ds granoriss. Fa coscs chs
nu liddrs ds bbròts ds ciambotts e ma tassrs
ds cognacchs. Prima ca fornèscs ds coscs,
ngs-ammins ngòchh-e ffronns ds psdrs-
sina. M'itts ndauuus jind-a ls piatts ds
crèts.

Tortellini alla bolognese
Tortellinis à la bolognaise

Préparation : longue

Ingrédients : beurre, 125 g (1/4 lb) d'échine de porc, 125 g (1/4 lb) de poitrine de dindon et 50 g (1,5 oz) de moelle de bœuf, 125 g (1/4 lb) de jambon cru, 50 g (1,5 oz) de mortadelle, 375 ml (1 1/2 tasse) de parmesan râpé, 6 œufs, sel, poivre, noix de muscade, 375 ml (1 1/2 tasse) de farine, bouillon de viande

Niveau de difficulté : complexe

Voici le grand classique de la cuisine italienne et, sans aucun doute, l'un de ses plats les plus célèbres. Commencez par préparer la farce. Pour 6 personnes, faites cuire dans un peu de beurre l'échine de porc, la poitrine de dindon et la moelle de bœuf. Hachez avec le jambon cru maigre et la mortadelle. Hachez de nouveau le mélange pour qu'il soit bien homogène. Incorporez ensuite le parmesan râpé, 2 œufs, du sel, du poivre et de la muscade à volonté. Laissez la farce prendre sa saveur pendant quelques heures. Préparez la pâte avec la farine et 4 œufs, et abaissez-la en une couche fine. Recoupez-la en petits carrés de 4 cm (1 1/2 po), déposez une cuillerée de farce au centre de chacun et refermez-le en triangle en soudant bien les bords. Enroulez chaque triangle autour d'un doigt et superposez-en les deux extrémités : vous obtiendrez ainsi des tortellinis avec la forme caractéristique de «petits chapeaux». Le mode de cuisson classique des tortellinis est de les cuire dans un bon bouillon de viande. Servez-les bien chauds avec beaucoup de parmesan râpé.

Turtléin a la bulgnàisa.

A dsàn a la bulgnàisa, parchì i turtléin, con 'na zérta difaranza ed mòd, is faun a dèss da Perma infein a Furlé, mo la vàira rizètta bulgnàisa l'é quasta e l'é sicùr la mnèstra piò famàusa in dal mand, ch'l'ha dè al piò grand unàur a Bulàggna.

Com tott i sàn, i turtléin i'én di fagutéin ed pàsta spòia, rimpé d'un impàst ed chèren, e cutt in bròd ban. Prinzipiàn alàura dla l'impàst intéren ciamè "al péin».

Par 6 parsàun avü dla tor 100 gr. ed lonza ed minéin, 100 gr. ed pett ed turchéin, 50 gr. ed mrsla ed bà, 100 gr. ed parsott (gràs e mègher), 50 gr. ed murtadèla.

Tridè incòsa e mitila in d'ma cazaròla a cùser con un pòck ed bròd e 'na fòia ed mlòr. Quand al srà còtt (dap a un quèrt d'àura) cavè vi la fòia e impàstè incòsa con 150 gr. ed fàurma gratè, dau òr, sèl, pàvver nàigher a piasàir e 'na gratadéina ed mùs muschèlà. Lavurè adiss pulid ste impàst ed chèren ch'la vègna totta ugèl e lassèla arpusèr.

Trenette al pesto

🕐 *Préparation* : rapide.

✗ *Ingrédients* : 125 ml (1/2 tasse) de petits haricots frais, 2 ou 3 pommes de terre, 500 g (1 lb) de « trenette », pesto, parmesan

🍴 *Niveau de difficulté* : facile.

Faites bouillir dans une grande quantité d'eau salée (où vous cuirez également les trenette) les petits haricots frais et 2 ou 3 pommes de terre épluchées et coupées en morceaux. Quand les légumes sont presque cuits, versez les trenette et faites-les cuire. Égouttez ensemble les légumes et les pâtes et assaisonnez avec du pesto et beaucoup de parmesan.

Le vin conseillé

PIGATO della **RIVIERA LIGURE** di **PONENTE**. Couleur jaune paille, parfum intense et légèrement aromatique ; sec avec un léger goût d'amande.

Trenette aô pesto.

Lessê in tanta aegua sâlâ (dovià poi cheùxe e trenette) 100 grammi de côrnetti, 2 o 3 patatte pelê e taggê a tocchi. Quandô e verdûe saian gûaxi cheûtte, versê 300 grammi de trenette che manoliê aô puntin. Scoli insemme pasta e verdûa e côndi con pesto e parmiggian ab_ bondante.

Vermicelli al pomodoro
Vermicelles aux tomates

🕐 *Préparation* : rapide

✕ *Ingrédients* : huile, 1 oignon, 5 à 6 grosses tomates, basilic, sel, poivre, vermicelles, parmesan

🍴 *Niveau de difficulté* : facile

Les spaghettis « co' a pummarola », illustre symbole d'une cuisine dont les pâtes constituent l'un de ses attraits les plus caractéristiques, sont naturellement très faciles à préparer et toujours appétissants. Pour 6 personnes, faites revenir dans de l'huile l'oignon ; quand il commence à blondir, ajoutez les tomates fraîches, pelées et épépinées, et un beau bouquet de basilic. Laissez mijoter pendant environ 30 minutes. Quand la sauce commence à réduire, salez et ajoutez un peu de poivre. Pendant ce temps, faites cuire les vermicelles al dente, et assaisonnez-les d'une quantité généreuse de sauce et de parmesan râpé.

Le vin conseillé

🍷 CAPRI ROSSO. Couleur rouge rubis plus ou moins intense, parfum agréablement vineux ; sec et sapide.

'O sermicielle cà pummarola.

È 'a pietanza caratteristica napulitana
cunusciuta 'a tutt'ò munno pecché é
semplice, economica é appetitosa.
Pe sei persone: suffriggete dint'à ll'uoglio
 na cepolla piccerella fettata, quanno 'a
cepolla accummencia 'a se 'mbiundì,
schiattateece 1 Kg. 'e pummarole, c'avite
spellicchiate, dint'à l'acqua calda, le-
vannece 'e semmente 'o dinto, nu bello
mazzetto 'e basenicola é facite cocere
pe na mez'ora 'a fuoco lento, quanno
'a sarza accummencia 'a se strignere
mettiteci 'o sale nicessario é nu pez-
zechillo   'e pepe.
Mettite 'a cocere 'e sermicielle é sculatele al dente, cunditeli cu 'a sarza
c'avite priparata é 'a coppe ncie grattate
na bella vranca 'e furmaggio parmiggiano.

Vermicelli alle vongole

Vermicelles aux palourdes

🕐 *Préparation* : rapide

✗ *Ingrédients* : 2 kg (4 lb) de palourdes, huile, ail, persil, poivre, 500 g (1 lb) de vermicelles, sauce tomate

🍴 *Niveau de difficulté* : facile

Plat très savoureux et riche en parfums, les vermicelles aux palourdes se préparent de deux façons : in bianco ou aux tomates, les deux étant répandues et faciles à exécuter. Commençons par la recette « en blanc ». Pour 6 personnes. Nettoyez les palourdes. Faites revenir dans de l'huile 3 ou 4 gousses d'ail et ajoutez les palourdes pendant quelques minutes, jusqu'à ce qu'elles s'ouvrent. Récupérez leur eau de cuisson et filtrez-la avec soin. Sortez presque toutes les palourdes de leur coquille (gardez-en quelques-unes avec la coquille pour la présentation des assiettes) et faites-les revenir légèrement dans quelques cuillerées d'huile avec 2 gousses d'ail, l'eau de cuisson, une belle touffe de persil haché et un peu de poivre. Pendant ce temps, faites cuire les vermicelles al dente et assaisonnez-les immédiatement de la sauce préparée. Pour ceux qui préfèrent la préparation à la tomate, il suffira d'ajouter les palourdes sans coquille à une quantité appropriée de sauce tomate déjà prête (voir la recette des vermicelles aux tomates), en prenant soin de substituer l'oignon aux 2 ou 3 gousses d'ail.

Le vin conseillé

ISCHIA BIANCO SUPERIORE. Couleur jaune paille avec des reflets dorés, parfum aromatique ; sec et harmonieux, relativement corsé.

'O vermiciello 'a vongole -

Piatto sapurito é prufumato; se pò ffà 'a
doie manere: in bianco é cu 'a pummarola...
piatto facile é canusciuto.

'In bianco: pigliate 1 Kg. 'e vongole e lava-
tele bone, fate suffriggere diint'à l'uoglio 3 o 4
spicule d'aglio, menatece 'e vongole pe pochi
minute fino 'a quanno nun s'arapene, ricu-
perate l'acqua 'e cuttura é filtratela.
Luvateco 'o fruitto 'a dinto 'e vongole e lassatene
poche cu tutt'à scorza; pe priparà meglio 'o
piatto: facite suffriggere appena. appena
dint'à nu cucchiaro 'uoglio, duie spicule
d'aglio, é 'o poco d'acqua 'e cuttura d'e
vongole, na branca 'e petrusino é 'o
pizzeco 'e pepe. Mettite 'a cocere 600 gr.
'e vermicielle, é franco 'e cuttura cunditele c'ò zuco c'avite priparate.
Chi invece 'e preferisce c'à pummarola
adda aggiungere na giusta quantità
'e sarza 'e pummarola già priparata
(vedi ricetta vermicelli c'à pummarola)
'ncopp'e fruitte d'e vongole, avendo cura
'e sustituì 'a cepolla cu 2 o 3 spicule
d'aglio. Facitele 'nzapurà pe quacche
minuto assieme 'e vongole.

Vermicelli alla puttanesca

🕐 *Préparation* : rapide

✖ *Ingrédients* : huile, ail, 5 à 6 grosses tomates, sel, poivre, origan, 125 ml (1/2 tasse) de câpres, 375 ml (1 1/2 tasse) d'olives noires de Gaeta, piment fort, vermicelli

🍴 *Niveau de difficulté* : facile

On raconte que le nom de ce plat serait né dans le port de Naples, fréquenté par des marins de toutes les races à la recherche de bonne compagnie. Pour 6 personnes, faites revenir dans de l'huile 3 ou 4 gousses d'ail que vous retirerez quand elles commenceront à dorer. Ajoutez les tomates pelées et épépinées et laissez mijoter pendant environ 30 minutes. Dès que les tomates commencent à réduire, ajoutez du sel et du poivre, 15 ml (1 c. à soupe) d'origan, les câpres, les olives noires de Gaeta et une pointe de piment fort. Pendant que la sauce finit de mijoter, faites cuire les pâtes al dente. Assaisonnez et servez immédiatement.

Le vin conseillé

SOLOPACA BIANCO. Couleur jaune paille, parfum vineux ; sec et délicat.

Vermicelli alla puttanesca -

Si racconta ca chesta pietanza in antico tempo é nata nella vecchia zona portuale di Napoli add'ò praticavano marenare. é gente 'e tutt'e razze... "peripatetiche" in cerca di clienti, 'e da questi così battezzata!

Pe sei persone: suffriggite dint'a ll'uoglio 3 o 4 spicule d'aglio, ca pò levate appena se accemmenciano 'a 'nduvà, schiattatece 'a dinto 1/2 Kg. 'e pummarole mature già spellicchiate 'e levate 'e semmente, é facitele cocere pe na mez'ora, appena 'a pummarola s'accemmencia 'a stregnere, menatece 'o sale, 'o pepe, nu cucchiaro abbundante d'arecheta, 100 gr. 'e chiapparielle, 200 gr. d'aulive 'e Gaeta, na ponta' 'e puparuliello forte, n'alice salata 'e lassatele 'nzapuri Mentre 'o zuco fenesce 'e se 'nzapuri, bullite 'e vermicielle, levatele al dente, sculatele, 'e cundite subbito.... 'e servitevi!

Zuppa di cipolle
Soupe à l'oignon

🕐 *Préparation* : longue

🍴 *Ingrédients* : 250 ml (1 tasse) d'huile, 3 à 4 gros oignons jaunes, pain noir rassis, poivre, noix de muscade, 375 g (3/4 lb) de tomme assaisonnée ou de fromage semi-gras, 1,5 litre (6 tasses) de bouillon de viande

🍴 *Niveau de difficulté* : facile

Recette annotée et cuisinée par Claudia Petigat de Villeneuve.
Dans 250 ml (1 tasse) d'huile, faites blondir les oignons jaunes, sans les brûler mais assez pour les rendre croquants. Graissez le fond d'une marmite à bord haut dans laquelle vous alternerez des couches de tranches de pain noir rassis et des oignons saupoudrés de poivre et de muscade. Finissez en couvrant avec la tomme assaisonnée (ou le fromage semi-gras) coupée en tranches fines, et en arrosant avec le bouillon de viande. Enfournez au four préchauffé à 200 °C (400 °F) puis, après 40 minutes, augmentez à 290 °C (550 °F). Quand la soupe à l'oignon présentera une croûte consistante et légèrement brunie, elle sera prête à être servie.

Le vin conseillé

🍷 NUS PINOT GRIGIO della VALLE D'AOSTA. Couleur jaune ambré avec des reflets dorés, parfum intense ; sec, harmonieux et équilibré.

Seuppa de s'eugnon.

Avan-to fére frie an petchouda vorie de mi kilo de s'eugnon, san le quetté beurlé avoui un veiro d'ouglio.

Dedeun an marmitta vouendua avoui de beuro, beutté un dessu l'otro a rèn di éito de pan ner deur e de s'eugnon avoui an breuf fò de peivro e de moscata i meiten entre un e l'otro ren.

Tópé lo to avoui de fromadzo viou e de fro-madzo mi-gro coppó a litze prume, e bleut ti avoui un litre e demi de bouglion.

Beutté i for a 200 grado pe an carenteia de menute, e apri sapendre la traleur a 300 grado. Can la crouta dessu la seuppa vo s'e semble proi dura e crocanta, vo pouidé vo s'e beutté a tobla.

Zuppa del monaco
Soupe du moine

Préparation : longue

Ingrédients : 500 ml (2 tasses) de chicorée sauvage, bouillon de poule, 1 carotte, oignons, 1 cœur de céleri, 125 ml (1/2 tasse) d'huile, 125 ml (1/2 tasse) de lard, pecorino

Niveau de difficulté : facile

Il s'agit d'une soupe à base de chicorée sauvage. Lavez soigneusement la chicorée et faites-la bouillir dans une grande quantité d'eau salée. Préparez maintenant un bon bouillon de poule, dans lequel vous ajouterez, à la mi-cuisson, 1 carotte, 1 oignon, 1 cœur de céleri, le tout haché menu. Dans 125 ml (1/2 tasse) d'huile, faites revenir le lard coupé en dés et 1 oignon émincé. Quand l'oignon et le lard sont bien rissolés, ajoutez la chicorée hachée et laissez-la bien s'imprégner du goût. Versez dans la soupière, allongez avec le bouillon de poule et assaisonnez avec du pecorino râpé.

Le vin conseillé

AGLIANICO del VULTURE. Couleur rouge rubis intense ou rouge grenat vif, parfum vineux et caractéristique, qui se bonifie avec le vieillissement ; sec et harmonieux.

Zuppa d' lu monaco.

È na zuppa d' cicoria selvaggia. Pesad'na-
davàlla bone-bone e falla cuoce cu assaie
acqua salara. Apprepara mò nu bonscòla-
re d' addina e a iedde, a menza cuttura ac-
gn' haia ammescà na carota, na cevodd gr.
cuore d' acce, tutto affeddare fine-fine ne.
Inda a menz' bicchiere d' uoglie, suffriuoglie
gr. d' darde tagliare a quadratine e nna a
vodda affeddara. Quanne cevodda e dad' si
avvusulà bone-bone, ammèsca la cicorign' ag-
gliuzzara, falle piglià sapore e scòlala a se-
a la zuppiera, addónga, cu lu brore
dina e congia tutto cu casce pecurine n

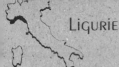

Zuppa di pesce alla marinara
Soupe de poissons à la marinière

🕐 *Préparation* : longue

✕ *Ingrédients* : 1,5 kg (3 lb) de poissons de roche (rascasses, rougets, etc.), huile, ail, oignon, céleri, romarin, persil, 500 ml (2 tasses) de vin sec, sel, poivre

🍴 *Niveau de difficulté* : facile

Achetez du poisson de roche (rascasses, rougets, etc.), nettoyez, enlevez les arêtes et coupez en morceaux. Faites revenir dans l'huile de l'ail, 1/2 oignon, du céleri, du romarin et un bouquet de persil. Ajoutez le poisson, laissez-le s'imprégner du goût, et mouillez-le avec le vin sec que vous laisserez s'évaporer presque complètement. Salez, poivrez et diluez le poisson avec de l'eau bouillante. Faites cuire pendant 15 minutes à feu doux et servez.

Le vin conseillé

VERMENTINO della RIVIERA LIGURE di PONENTE.
Couleur jaune paille, parfum délicat et fruité ; sec, frais et harmonieux.

Suppa de pescio a mainâ.

Accattê 1 chillo e mezo de pescio (scorfani,
caviggiûin, gallinette) lavelô ben, dellschelô
e taggelô a tocchi. Faê soffrizze ôn pesto de
aggiô, meza ciôûla, sêllao, romarin e de
feûgge de porsemmo. Ûni ô pescio, lascielo in
savôi e bagnaelo con dûi gotti de vin gianco sec
co, che lasciê sciûgâ quaxi do tutto.
Salê peivïê e allunghê con aegua boggente.
Lasciclo cheûxe a feûgo lento e servï.

Secondi di Carne
PLATS PRINCIPAUX DE VIANDE

Agnello a « cutturiddi »

🕐 *Préparation* : rapide

✕ *Ingrédients* : 1,5 kg (3 lb) d'agneau, 2 oignons, 3 à 4 grosses pommes de terre, piment, laurier, 250 ml (1 tasse) d'huile

🍴 *Niveau de difficulté* : facile

Dans une casserole en terre cuite, mettez l'agneau coupé en morceaux, les oignons émincés, les pommes de terre coupées en morceaux, du piment, 1 feuille de laurier et 250 ml (1 tasse) d'huile. Faites cuire à feu doux à couvert.

Le vin conseillé

🍷 AGLIANICO del VULTURE. Couleur rouge rubis ou grenat, parfum vineux et caractéristique ; sec et harmonieux.

Aine a " cutturiddi ".

Inda 'na piguata mette nui chile e 500 gr.
d'aine tagliare a piezze 'nzemmela a daie cevod
de a fedde, 500 gr. d'patate pure tagliare a piez
ze, cerasedda, na fronna d' lauro e nu bricchie
re d'uoglie. Mette la piguata cu lu cuverchie sova
a lu fuo-o e fa nuoce.

Agnello alla romagnola
Agneau de Romagne

🕐 *Préparation* : longue

✕ *Ingrédients* : 1 kg (2 lb) d'agneau, huile, beurre, ail, 1 oignon, 125 g (1/4 lb) de jambon, 250 ml (1 tasse) de vin rouge, 2 tomates, sel, poivre, persil

🍴 *Niveau de difficulté* : facile

Pour 6 personnes. Coupez l'agneau en morceaux. Dans 125 ml (1/2 tasse) d'huile et 1 noix de beurre, faites revenir 2 ou 3 gousses d'ail. Retirez l'ail quand il est doré et ajoutez 1 oignon émincé et le gras et le maigre de jambon haché. Faites revenir et ajoutez l'agneau. Laissez rissoler pendant environ 10 minutes, puis mouillez avec le vin rouge que vous laisserez s'évaporer lentement. Ajoutez à la mi-cuisson les tomates pelées, épépinées et hachées, du sel, une pincée de poivre et un beau bouquet de persil haché. Faites cuire l'agneau pendant encore 1 heure, en remuant de temps en temps. Servez ce plat chaud.

Le vin conseillé

🍷 **SANGIOVESE di ROMAGNA.** COULEUR ROUGE RUBIS AVEC DES REFLETS VIOLACÉS, PARFUM VINEUX ; SEC, HARMONIEUX, AVEC UN ARRIÈRE-GOÛT AGRÉABLEMENT AMER.

Aine a "cutturiddi".

Inda 'na piquata mette nui chile e 500 gr.
d'aine tagliare a piezze 'nzemmela a doie cevod
de a fedde, 500 gr. d'patate pure tagliare a piez
ze, cerasedda, na framma d'lauro e nu bucchie
re d'uoglie. Mette la piquata cu lu cuverchie sova
a lu fuo-o e fa cuoce.

Agnello brucialingua

🕐 *Préparation* : longue

✕ *Ingrédients* : 1,5 kg (3 lb) d'agneau, farine, huile, piment, ail, romarin, 250 ml (1 tasse) de vin blanc sec

🍴 *Niveau de difficulté* : facile

Faites mariner l'agneau coupé en morceaux. Retirez les morceaux d'agneau de la marinade, séchez-les, passez-les à la farine et faites-les revenir dans une poêle avec des morceaux de piment, 2 gousses d'ail et du romarin. Vérifiez l'assaisonnement et, à la fin de la cuisson, versez sur l'agneau le vin blanc sec que vous laisserez s'évaporer à feu vif. Servez très chaud.

Le vin conseillé

BIFERNO ROSSO RISERVA. Couleur rouge tendant au grenat, parfum caractéristique ; sec, vieilli.

Aine a "cutturiddi".

Inda 'na pignata mette nui chile e 500 gr.
d' aine tagliare a piezze 'nsemmela a doie cevod
de a fedde, 500 gr. d' patate pure tagliare a piez
ze, cerasedda, na fronna d' lauro e nu brucchie
re d' uoglie Mette la pignata cu lu cuverchie sova
a lu fuo-o e fa noce.

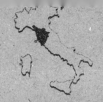

Bistecca alla fiorentina

Préparation : longue

Ingrédients : viande de bœuf, sel, poivre, beurre

Niveau de difficulté : facile

Voici le plat par excellence de la cuisine florentine, la fameuse « carbonata » dont les Florentins raffolaient déjà au XIVᵉ siècle et que, semble-t-il, même les prieurs se préparaient dans les cuisines du Palazzo Vecchio, quand ils n'avaient pas le temps de rentrer déjeuner chez eux. Ce qui compte le plus pour une bistecca « royale », c'est sa coupe, dont les bouchers toscans ont le secret. La viande, d'une épaisseur d'au moins deux doigts, est coupée dans la longe avec le filet, et doit provenir d'une bête jeune. Comme l'écrit Prezzolini dans *Vita di Machiavelli* : « Coupée dans le bœuf jeune, avec la côte attachée, tu ressembles à une plaque de brocatelle rouge veinée de blanc. » Pour la cuisson de la viande, il y a différentes versions, car certains conseillent de l'enduire d'huile, de la saler et de la poivrer. Pour ma part, je considère que c'est un blasphème et, à l'instar du célèbre Artusi, je vous garantis que « si vous l'assaisonnez avant avec de l'huile ou autre, comme beaucoup le font, elle aura un goût de graillon et sera écœurante ». Mettez-la donc telle quelle sur la grille, à feu vif, au charbon de bois (il y a également différentes « écoles » sur la qualité du bois : chêne, olivier ou autre mais, franchement, ce sont des délices qui ne conviennent plus à notre vie). On ne la retourne qu'une seule fois, et il faut que le fer de la grille laisse son empreinte sur les deux côtés. Quand elle est presque cuite, salez et poivrez (jamais avant, sinon elle se dessèche) et, dès que vous verrez que le sel s'est coagulé, apportez la bistecca à table avec un petit morceau de beurre sur le dessus.

Le vin conseillé

CHIANTI CLASSICO. Couleur rouge rubis vif, parfum vineux, avec des arômes de violette ; sec, souple, légèrement tannique.

CHIANTI CLASSICO
Denominazione di origine controllata
SANTA LUCIA
L'ULIVETA S.p.A.
Amministratore unico Conte Pierluigi Branca di Romanoro
Mercatale V.P. (Firenze) - Italia

Bollito freddo

🕐 *Préparation* : longue

✕ *Ingrédients* : 2 kg (4 lb) de viande de bœuf (rumsteck et faux-filet), tranches de pain grillé, 250 ml (1 tasse) de vin, sauce à l'ail

🍴 *Niveau de difficulté* : facile

Préparez un *bollito* avec de la viande de bœuf (rumsteck et faux-filet). Laissez refroidir et coupez en tranches très fines. Dans un plat de service, étendez des tranches de pain grillé que vous mouillerez avec du vin. Déposez sur le pain les tranches de viande et assaisonnez de sauce à l'ail.

Le vin conseillé

🍷 ROSSESE della RIVIERA LIGURE di PONENTE. Couleur ROUGE RUBIS CLAIR, PARFUM DÉLICAT ET CARACTÉRISTIQUE ; SEC, SOUPLE, LÉGÈREMENT AMER.

Baggìo freido.

Preparè ôn lesso con 2 chilli de carne de manzo, megiô se de loumbo o de naxello, poi laxelo ben freidà e taggelo a fette sôtti.

In te unn-à giadola pôsi de ciappe de pan brûstio, che bagniè côn in goto de vin.

Mettei in sciù pan e fette de carne che côndiei, in fin, con sarsa all'aggiô.

Braciole alla « brugia »

Préparation : rapide

Ingrédients : 1 kg (2 lb) de porc, lard, pecorino, ail, persil, sel, poivre, saindoux, sauce tomate

Niveau de difficulté : complexe

Les Bruges s'étaient établis dans la région de Cosenza. On leur attribue cette recette. Pour préparer les escalopes, coupez le porc en tranches régulières. Sur chacune de ces tranches, déposez de petits morceaux de lard, des petits cubes de pecorino, des petites tranches d'ail, du persil haché, du sel et du poivre. Enroulez les escalopes et fermez avec de la ficelle. Cuisez-les dans le saindoux et servez-les telles quelles ou étuvez-les dans une sauce tomate. Servez à table avec une garniture de frites.

Le vin conseillé

POLLINO. Couleur rouge rubis ou rouge cerise, parfum vineux et caractéristique ; plein et sec.

Braxioli a' brugia

'Sta rigetta 'a 'mbentàru i Brugi, genti 'i 'na
vota, chi stacènu 'i gli parti 'i Cusenza.
Faciti a ffetti 'nu chilu 'i carni 'i porcegliu.
Sup'a ogni ffetta, si mentiti mmorza 'i salatu
picciuli picciuli, mmorza 'i furmaggiu pecurinu, ffetti d'agghiju, petrusinu finu finu, sali e
spezzi. Mtorchjati i braxioli e 'i ttaccati cu 'nu
pocu 'i filu.
'Mdaviti m'i cucinati 'nt'a saimi o, se bboliti, 'i si
cunciumanu 'nt a 'na sarza 'i pumadoru.
Esti bonu 'nu cuntornu 'i patati fritti.

`Camoscio in « civet »`
Chamois en civet

 Préparation : longue

Ingrédients : 1 kg (2 lb) de viande de chamois, vin rouge, 2 carottes, 2 pommes de terre, 2 oignons, sel, aromates, crème et lait

 Niveau de difficulté : complexe

Recette de Valsavarenche, annotée et cuisinée par Victor Dupont.
Dans une poêle, faites chauffer un morceau de viande de chamois jusqu'à ce que le gras fonde et reste au fond. Coupez la viande en morceaux et mettez-la à mariner dans une marmite en terre cuite avec du vin rouge, 2 carottes, 2 pommes de terre, 2 oignons, du sel et des aromates, pendant 2 ou 3 jours. Dans une marmite plus grande, faites cuire la viande dans sa marinade pendant 2 ou 3 heures ; à la mi-cuisson, au fur et à mesure que le vin s'évapore, ajoutez de la crème et du lait. À la fin de la cuisson, écrasez les légumes et mélangez-les au liquide de sorte que la sauce soit dense. Servez dans des assiettes très chaudes avec de la polenta et des pommes de terre bouillies.

Le vin conseillé

TORRETTE della VALLE D'AOSTA. Couleur rouge vif avec des reflets violacés, arômes de rose sauvage ; sec, avec un goût d'amande, relativement corsé.

Tzamou eun civet.

Beutté un dzen boccon de tzamou de a-pe-prë
un kilo deun an pila o lo fére degreissé.
Coppé lo tzamou a boccon e lo beutté a la
meussoda avoui de bon veun rodzo, de so,
de cllou de garoffe, de gnoué moscata, de peivro, de persi, d'aglie, de rosmareun, 2 gneuf-
fé, 2 treifolle, 2 eignon, de seulleri pe an co-
bla de dzor.
Deun an groussa casserolla, beutté covére to
eunsemblo e man a man que lo veun conseum
me djonté 1/2 litre de crama e de laci.
Peullé le verdeue e le mecllié avoui la resta
di ju pe lo épéssi.
Servi avoui de polenta e de treifolle, deun
de s'achite bien tzode.

Cappone ripieno
Chapon farci

Préparation : longue

Ingrédients : 1 chapon, 250 g (1/2 lb) de veau, 250 g (1/2 lb) de porc, 250 g (1/2 lb) de mortadelle, 125 g (1/4 lb) de jambon cuit, 125 g (1/4 lb) de jambon cru, 4 œufs durs, 250 ml (1 tasse) de parmesan, 250 ml (1 tasse) de marsala, pistaches, sel, poivre, noix de muscade, 1 carotte, 2 branches de céleri, 1 oignon, gélatine

Niveau de difficulté : complexe

Il s'agit d'une préparation importante et d'une certaine exigence. Pour 8 à 10 personnes, procurez-vous un gros chapon ; nettoyez-le, ôtez les ailes et les cuisses et désossez-le sans le rompre. Retirez également la poitrine et les abats que vous réserverez pour la farce. Passez au hachoir le veau et le porc. Coupez en dés la mortadelle et coupez en tranches le jambon cuit et le jambon cru. Mélangez tous ces ingrédients et ajoutez les œufs durs émincés, le parmesan râpé, les abats hachés, le marsala, 15 ml (1 c. à soupe) de pistaches pelées, du sel, du poivre et de la muscade. Vous pouvez également ajouter de petites tranches de truffes si vous le souhaitez. Coupez la poitrine en lamelles et déposez-les en couches dans le ventre du chapon, en alternant avec des couches de farce. Tandis que vous le farcissez, tâchez de rendre sa forme au chapon, puis cousez l'ouverture. Enroulez le chapon dans un linge propre et immergez-le dans une grande quantité d'eau froide avec les ailes, les cuisses, 1 carotte, 2 branches de céleri, 1 oignon et du sel. Au bout de 2 heures environ (ou plus, selon

la grosseur du chapon), sortez-le délicatement de l'eau et laissez-le refroidir. Coupez le chapon en tranches, étendez les tranches dans un plat et couvrez de gélatine. Vous pouvez aussi cuire le chapon au four, dans un plat avec de l'huile et quelques copeaux de beurre. Enfournez-le au four préchauffé à 190 °C (375 °F) pendant environ 3 heures et arrosez-le de temps en temps de bouillon chaud.

Le vin conseillé

BARBERA dei COLLI PIACENTINI. Couleur rouge rubis, parfum vineux et caractéristique; sec, sapide, légèrement tannique.

Capàn arpéin.

Quâst l'è un piâtt d'èlta cuséina e, par quast, d'un zért impàgn. Par 8-10 parsàun, tulì un capàn piotost gròss; pulìl pulìd, cavèi la tèsta egli i 'éli, el còr, cavèi egli 'òss sanza ràmprel; cavèi anch al pètt e i 'interiùr ch'a tgnirì da pèrt par fèr l'arpéin. 'Insamma, par fèrla cur- ta, a v'ha da avanzèr la pèll con tott al so gràss e ch'al fòch ed chèron ch' l'ha atâcch in dal curdozz, in dla panza, altséin al còll. Adèss con un'agaccia e dal fil cusì tott' i bûs ch'avì fâtt fòra che quall dla panza ch'av sorv virà par mèttri danter al péin, in môd ch'a psedi utgnir com un sacàtt ed pèll ed capàn Adèss avì da tridèr al tridachèron 250 gr. ed chèron ed vidèll e 300 gr. ed chèron ed ninéin. Taiè a dadéin 200 gr. ed murtadèla, taiè a striş fèini, 150 gr ed parsòtt còtt e 150 gr. ed parsòtt crûd. Armisdè totta sta ròba e azuntèi 4 ôv du ri taiè a quadarèltt, 150 gr. ed fàurma gratè. taiè in féin el rigàli dal capàn ch'avì tgnò da pèrt, un bichiréin ed véin marsala, un cuciùr ed pistâcc plè, sèl, pàrter nàigher e 'na gratadéina ed mûs muschèta. A psì azuntèri, s'a

cardi, dla tartòffla taiè a ft'ẽmi. Taiè adèss
al pètt ed capàn ch'avì tgnò da pèrt, in tanti
strisẽini e prinzipiè a rimpìr la pèll dal capàn,
fagànd un strẽt ed ste strisẽini, e un strẽt
d'arpẽin ed tòtta qla ròba ch'avàn prémma
tridè o fâtt a quadarlétt.
In dal rimpìr ste capàn, zarchè col man ed
dèri pressapôch la fãurma ch'l'avèva prémma, a vòi dìr ch'an'wa da paràir 'na bala
da zughèr. Adèss ch'l'é tòtt pèin, con un'agucia e dal ftl srè l'apertùra par dav avì méss
dànter tòtta qla ròba; dèi un'ultima strica
dèina da 'na pèrt e da gl'ètra in mòd ch'al
ciàpa fãurma d'un capàn... ch'l'ha pèrs
incòsa ed quall ch'l'avèva, prinzipiànd da la
tèsta e finànd dal gamb.
Adèss a psì cùsrel in dau manìr: o a làss,
e in ste chès a l'artuvari in d'na pzuléina
bianca e al mitrì in âqua fradda a bòivr, par
e àvre coi su udùr sòlit um a fè quànd a vlì
utgnìr un bon brod (zivalla, pistinega e sarel),
e al sèl nezessèri; dap a còtura al turì fora
pian pian, al lasarì arfardèr e al taiarè a
fàtt, mitàndi tòtti in àurden sàura un piàtt
da purtè cunvàndi con gelatéina ch'arì fàtt a
pòct.

apir a psi métter al capàn in d'na tàia e
méttrel in dal fàuren chèld con òli, sèl e 3 o
+ cuciaréin ed bitir, bagnàndel ed tant
in tant con quèlch cucièr ed bròd.
Dap a trai àur zirca, l'è pront pà èsser
taiè com in gl'èter mòd.

LI DVE ANGIOLI,
in mandola busa

Buona Salcicia

Capretto « cacio e uova »

🕐 *Préparation* : longue

🍴 *Ingrédients* : 1,5 kg (3 lb) de cabri, saindoux, 1 oignon, 2 litres (8 tasses) de petits pois, sel, 4 œufs, 125 ml (1/2 tasse) de parmesan

🍴 *Niveau de difficulté* : complexe

Voilà un plat de Pâques napolitain classique, pour les vrais gourmands. Pour 6 personnes. Lavez et essuyez bien le cabri, découpez-le en morceaux et faites rissoler dans une casserole, avec 30 ou 45 ml (2 ou 3 c. à soupe) de saindoux. Quand la viande commence à se colorer, ajoutez l'oignon émincé et laissez blondir. À la mi-cuisson, ajoutez au cabri les petits pois tendres, écossés et bien lavés, et laissez cuire lentement, à feu moyen, en allongeant avec un peu d'eau et en ajustant le sel. Enfin, quand le cabri et les petits pois vous semblent cuits à point, ajoutez les œufs battus avec le parmesan râpé. Laissez la casserole sur le feu, en mélangeant constamment, jusqu'à ce que les œufs coagulent tout en veillant à ce qu'ils n'attachent pas au fond. Servez le cabri bien chaud.

Le vin conseillé

🍷 **SOLOPACA ROSSO.** Couleur rouge rubis qui s'atténue avec le vieillissement, parfum intense et caractéristique ; sec, harmonieux et velouté.

'O capretto cu 'e pesielle, caso 'e ove.

Pure chesta 'e na pietanza ca fà seni l'acqua mocca 'a chi sa magna.

Per sei persone: pigliate nu chilo e mmiezo e capretto, tagliatelo 'a piezze, lavatelo bello bello, facitelo arrosolà dint'à nu ruoto e' quanno s'e' 'ndurato mettitece na' cepolla fatta 'a felliciolle é facitela 'ndurà pure 'a essa. Pigliate nu chilo 'e pesielle tiennere, pulezzatele, 'a 'a metà cuttura d'a carne 'e capretto mettitele dint'o ruoto é facitele cuocere 'a fuoco lento allungannece nu poco d'acqua. Quanno 'a carne e 'e pesielle so cuotte pigliate 4 ove, mettitele dint'à nu piatto 'nzieme 'a 50 gr. 'e parmiggiano grattato, sbattite forte tutte cose, menatele dint'o capretto cu 'e pesielle é girate sempe fino 'a che s'amalgama ca sinò, s'azzecca 'a sotto.

Capretto farcito
Cabri farci

🕐 *Préparation* : longue

✕ *Ingrédients* : un cabri, saindoux, romarin, laurier, sauge, persil et basilic, 750 g (1 1/2 lb) de vermicelles, sel

🍴 *Niveau de difficulté* : facile

Videz un cabri de lait en faisant une entaille ventrale. Nettoyez soigneusement les tripes à l'eau courante, puis salez-les, coupez-les en morceaux et faites cuire dans du saindoux en les aromatisant avec du romarin, du laurier, quelques feuilles de sauge, du persil et du basilic. Faites cuire al dente 750 g (1 1/2 lb) de vermicelles et assaisonnez-les avec la sauce des tripes. Enduisez généreusement de saindoux et salez l'intérieur du cabri, remplissez-le des vermicelles et recousez l'ouverture. Cuisez-le au four ou à la braise, en l'arrosant de temps en temps de saindoux fondu.

Le vin conseillé

CIRÒ ROSSO. Couleur rouge rubis, parfum agréable, intensément vineux ; assez corsé, chaud, harmonieux, velouté avec le vieillissement.

Crapettu chjinu.

Sbacantàti, cu 'nu tagghju 'i sutta d'a panza, 'nu crapettu 'i latti. Pulizzàti 'u gudegliu, 'u salàti, 'u tagghjàti mmorza mmorza e 'u cucinàti 'nt'a sainu cu 'na ppena 'i rosmarinu, mafra, ecocchj fogghja 'i sàrcia, petrusinu e riganègliu... Cjugghjti 600 gr. 'i pasta vermicegli, no 'n cotti e no 'n crudi, e 'a cunditi c'a sarza d'u gudegliu. Apoi, sparmati assai sainu e salati 'u crapettu. 'U perinchjti c'a pasta e chiuditi 'a jacca vaciu d'a panza. Cucinàtulu o' furnu o sup'e brasi, e sei mentiti, ogni 'ntantu, sainu squagghjatà.

Capriolo al ginepro
Chevreuil au genièvre

🕐 *Préparation* : longue

✕ *Ingrédients* : chevreuil, huile, beurre, sel, poivre, légumes, baies de genièvre, laurier, marsala, crème

🍴 *Niveau de difficulté* : facile

Faites rissoler le chevreuil dans une casserole avec de l'huile, du beurre, du sel et du poivre. Quand il aura pris un peu de couleur, ajoutez les légumes (tranchés ou en morceaux), les baies de genièvre et le laurier. Faites cuire à feu vif pendant 10 minutes en remuant, puis versez le marsala et passer la casserole au four préchauffé à 180 °C (350 °F) pendant 45 minutes.

Quand la viande est cuite, retirez du four et passez la sauce de cuisson au moulin à légumes, versez-la dans une petite casserole, incorporez la crème et faites réduire à feux doux en remuant bien. Tranchez la viande et arrosez de la sauce.

Le vin conseillé

BARBARESCO. Couleur grenat avec des reflets orangés, parfum intense et caractéristique, arômes de violette ; austère, sec, robuste, harmonieux et velouté.

Cravieul al zenèiver

Fé rosolé ant un-a cassaròla el toch ed
cravieul con l'euli e mètè del butir, sal
e pèivèr.
Quand a l'ha piait un pòch ëd color,
gionteje le verdure, ij pomin' ëd zenèiver e
ël lauro.
Cheuse a fiama viva per 10 minute
mes-ciand, peuy vèrsé el Marsala e passé
la cassaròla an forn a 180° e ³/₄ d'ora.
Cheuita la carn, gavela e passé la bagna
ëd cotura al passaverdure, vèrsela int un
pugnatin, gionté la fiòca e feulo ridùe a
feu bass, mes-ciand bin.
Tajé a fette la carn bagnà con la saossa.

Capriolo in salmì
Chevreuil en salmis

⏰ *Préparation* : longue

✗ *Ingrédients* : chevreuil (environ 1 kg [2 lb]), 1 oignon, 2 carottes, 1 branche de céleri, ail, persil, laurier, sauge, romarin, clous de girofle, cannelle, 1 litre (4 tasses) de vin rouge, 250 ml (1 tasse) de vinaigre, gros sel, poivre, huile, beurre

🍴 *Niveau de difficulté* : complexe

Laissez mariner la viande de chevreuil (que vous aurez coupée en gros morceaux) pendant trois jours entiers, de sorte qu'elle perde son odeur de gibier. Pour la marinade : l'oignon, les carottes et la branche de céleri coupés en morceaux, quelques gousses d'ail, une touffe de persil, quelques feuilles de laurier et de sauge, un brin de romarin, 2 clous de girofle, une pincée de cannelle, le vin rouge, le vinaigre, du gros sel et quelques grains de poivre noir. Après trois jours de marinade, enlevez la viande, laissez-la s'égoutter et faites-la rissoler dans un mélange d'huile et de beurre. Pendant ce temps, versez dans une casserole toute la marinade et faites-la réduire à feu vif, passez-la au tamis pour réduire les légumes en bouillie et ajoutez le tout à la viande. Laissez mijoter pendant environ 2 heures, en mélangeant de temps en temps avec une cuillère de bois. Accompagnez d'une polenta solide, à la montagnarde.

Le vin conseillé

 REFOSCO dal PEDUNCOLO ROSSO di AQUILEIA.
Couleur rouge violacé, parfum vineux ; sec et légèrement amer.

Cavriòl salmistrà.

Metè a salmistrar par tre giorni, che per
di la spvra de selvadigo, un chilo de car
ne de cavriòl, taiada a tochi grossi.
Ciolè una riciola, dò carote, una costa de
sedano taiadi a tocheti; un dò spighi de
aio, parsemolo, un dò faie de làvarno e de
salvia, un rameto de rosmarin, dò broche
de garòfolo, un tochetin de canela, un li
tro de bon vin nero, un bicer de asedo, sal
groso e qualche gran de pevere.
Dopo tre giorni, tirè fora la carne, lassèla
scolar e metèla a rosolàr co' aio e butiro.
Butè int'una pignata la salamora e fela
consumar sul fogo, pasando al passarin
le verdure. Zontela ala carne. Lassè bo
per dò orete, missiando col cuciar de legno
Servì el cavriòl co' la polenta.

Carne salata
Viande salée

Préparation : longue

Ingrédients : tout type de viande (bœuf, agneau, cabri, mouton, etc.), ail, romarin, sauge, gros sel

Niveau de difficulté : facile

Recette annotée par Maurice Bic.
Procurez-vous un grand récipient en terre cuite de forme cylindrique avec un couvercle en bois de même diamètre. Coupez la viande (tout type de viande : bœuf, agneau, cabri, mouton, etc.) en morceaux ou en tranches que vous étendrez en couches dans le récipient en l'aromatisant d'ail, de romarin, de sauge et en couvrant chaque couche de gros sel. Finissez les couches, et comprimez avec le couvercle en bois sur lequel vous placerez un poids. Mettez le récipient dans un endroit frais et sombre. Au bout d'une semaine, la viande salée sera prête : prenez la quantité désirée, enlevez les résidus de sel, et cuisinez-la comme vous le souhaitez, mais sachez que si vous en faites un bouilli, il aura un goût inimitable. Traditionnellement, en montagne, après deux semaines dans le sel, on suspend la viande dans un endroit ombragé et aéré pour la faire sécher et en prolonger ainsi la conservation.

Le vin conseillé

NUS ROSSO della VALLE D'AOSTA. Couleur rouge intense avec des reflets grenat, parfum persistant et vineux ; sec, velouté, légèrement herbacé.

Tzeuc salète.

Aprestède un goéglion de tera que l'ausse un topen de bouque épesse e de sa mesena.

Copède de tzeuc (de moudzon, d'agni, de tchévrei, de mouton cu d'atre) a tòque au a fette po réguliée e betède-la dedeun lo goéglion eun lei baglien de gau avoui d'aglie, de rasmareun, de sarve e bien de so groussa.

Quand lo récipien l'è plen abourède la tzeuc avoui lo topen et pousède-lei dessu un peisse.

Portède lo goéglion a un poste tranquilo, frique e i mat.

Apri an senaa la tzeuc l'è presta: prégnède-men selon hen que n'eide fatà, tauhède hen que l'è resto de la sò et couéiède-la comme vo plé depi, miau se n'en féiède de bouglion que prégnéé un gau bien savauri et po imitcèlo.

Eun montagne, apru coutche senaa que la tzeuc l'è achététe eun la apen a l'ombra é a l'air pe la sétché é la conservé pi pousa.

Castrato al ragù
Mouton à la sauce tomate

🕐 *Préparation* : longue

✕ *Ingrédients* : 1,5 kg (3 lb) de viande de mouton, ail, pancetta, sel, poivre, 1 oignon, 2 carottes, 1 branche de céleri, huile, laurier, romarin, 30 ml (2 c. à soupe) de cognac, 1 boîte de 156 ml (5,5 oz) de concentré de tomates, 1/2 poivron doux, 1/2 piment, bouillon

🍴 *Niveau de difficulté* : complexe

Demandez au boucher de désosser une épaule de mouton de façon à obtenir 1,5 kg (3 lb) de viande. Enroulez et ficelez solidement. Piquez la viande d'ail et de petits morceaux de pancetta passés dans le sel et le poivre. Émincez l'oignon, les carottes et la branche de céleri. Faites rissoler la viande dans de l'huile et de l'ail, et quand elle aura pris uniformément une belle couleur brune, ajoutez le hachis avec une feuille de laurier et du romarin. Laissez la viande s'imprégner de la saveur à feu vif, puis mouillez avec le cognac. Quand le cognac aura réduit des deux tiers, ajoutez le concentré de tomates dilué dans de l'eau tiède, le poivron doux émincé et le piment haché. Couvrez ensuite la viande de bouillon, baissez le feu et laissez mijoter à demi couvert.

Le vin conseillé

 MONTEPULCIANO d'ABBRUZZO. Couleur rouge rubis avec des reflets violacés, parfum vineux et agréable ; sec, sapide, légèrement tannique, du nerf.

Castratu al ragù.

Fecete dissossà na bella spalla de castratu, cuscìn da da avè circa nu chilu e mierzu de ciccia sporpata. Abbudicchietela e attacchetela co nu filu biancu e resistende. Feceteci tandi bucitti piculitti e rempietiji d'aiju e tanti picchìh pizzitti de pancetta salata e pepata quandu abbastà.

Tritete na cipolla, i carote, nu pizzittu de selliru. Fecete arrosolà tuttu all'aiju e a j'aiju; quandu essa ha pijatu nu culuritu scuru, aggiungeteci ju tritu co na foja d'allore e de rosmarinu. Fecete assaporà a focu violendu, dapò schizzeteci nu picchieru de cognacche. Quandu dello cognacche ne so remasti quaci 2/3, mettetici 100 gr. de concendratu de pumaora allungata coll'acqua calla, ½ pipiruncinu dolce tajatu e ½ pipiruncinu pizzicusu tritatu. Versete entru ju ticame tandu brodu finu a cuprì la carni, regolete ju fo cu finu a portà a cuttura lendamende co ju ticame, nu pocu apertu.

Pure stu gustosu ragù tea esse sirvitu co nu vinu de gradazzio: cunsijemo ancora nu "Montepulciano" de Teramo o de Chieti.

Castrato uso camoscio
Mouton façon chamois

🕐 *Préparation* : longue

🍴 *Ingrédients* : gigot de mouton, gros sel, cannelle, clous de girofle, baies de genièvre, citron, sauge, laurier, vinaigre de vin et vin blanc sec, lard, beurre

🍴 *Niveau de difficulté* : complexe

Pour donner à la viande de mouton le goût de viande de chamois, il faut avant tout prendre un gigot de mouton dont on a enlevé le gras, les membranes et les nerfs. Ensuite, apprêtez-la ensuite avec du gros sel de cuisine, de la cannelle en poudre et des clous de girofle pilés. Ainsi préparé, « contraignez-le » dans un récipient en terre un peu étroit, avec 1 poignée de baies de genièvre et un peu de sel. Fermez l'ouverture à l'aide d'un poids, laissez passer une journée, puis ajoutez l'écorce d'un citron (sans la pellicule blanche), quelques feuilles de sauge et de laurier. Couvrez la viande de vinaigre de vin et de vin blanc sec, en quantités égales. Deux jours après, enlevez le gigot, lardez-le et mettez-le dans une casserole avec un peu d'eau et 1 noix de beurre. Faites cuire jusqu'à évaporation complète du liquide. Si la viande est encore dure, ajoutez un peu d'eau et laissez-la s'évaporer. Une fois que vous avez obtenu la « consistance » voulue, faites-la rissoler lentement.

Le vin conseillé

MERLOT dei COLLI ORIENTALI del FRIULI. Couleur rouge rubis, parfum caractéristique ; plein et sec, légèrement herbacé.

Cjastrât a usance di cjamoz.

Par fâj cjapâ a la cjâr di cjastrât il savôr
di cjâr di cjamoz, prime di dut si tire-fûr
une cuesse di cjastrât curade dal grâs, des
pielutis, dai gnaritûs. Pò si sfreòlile cun sâl
gruès, canele in polvar, clauz di garofolât
pestâz. Dopo vêle prontade cussì si mètile
in tune pignate pitost pizzule di tiare, di
scugnî sbrutâle dentri par ch'e stéi, in com-
panie di une zumiele di balutis di baranci;
un freghenin di sâl.
Taponâ cun tun pês e lassâle polsâ une zor-
made; inchevolte zontâ la scusse di un limon
(cence la pielute blancje interne), qualchi
fuèe di salvie e qualchi fuèe di orâr.
Cruviarzi la cjâr cu l'asêt di vin e vin blanc
sec, tant par sorte.
Dopo un pâr di dîs, tirâ-fûr il cjastrât, im-
buluzzâlu di ardiel e mètilu in tune padiele
cun pocje aghe e un freghenin di spongje.
Lassâ cuèi fin che l'aghe si suje dal dut.
Se la cjâr 'e ves di restâ dure, riònzi cun
tun tichinin di aghe e spietâ che si sùi.
Une volte deventade tènare avònde, rustî planchin planchin.

236

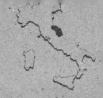

Cima ripiena

🕐 *Préparation* : longue

✗ *Ingrédients* : poitrine de veau, demi-cervelle de veau, persil, parmesan, chapelure, 3 feuilles de laitue, sel, poivre, 2 oignons, 1 carotte, 1 branche de céleri, persil, jambon cuit, 250 ml (1 tasses) de petits pois

🍴 *Niveau de difficulté* : complexe

Demandez au boucher de vous ouvrir une poitrine de veau. Faites bouillir une demi-cervelle de veau dans de l'eau aromatisée au persil ; retirez la membrane externe, hachez-la menu et mettez-la dans un bol avec 30 ml (2 c. à soupe) de parmesan, 15 ml (1 c. à soupe) de chapelure, 3 feuilles de laitue finement hachées, du sel et du poivre. Travaillez bien la pâte jusqu'à ce que tous les ingrédients soient bien amalgamés, remplissez la poche de veau avec cette farce et recousez l'ouverture. Pendant ce temps, vous aurez porté à ébullition 2,5 litres (10 tasses) d'eau salée avec 2 oignons, 1 carotte, 1 branche de céleri et une touffe de persil. Plongez-y la « cima » et faites-la cuire. Une fois cuite, égouttez-la bien et laissez-la refroidir. Coupez en tranches et servez. Une variante de la farce consiste à ajouter au mélange du jambon cuit coupé en dés et de petits pois.

┌─── *Le vin conseillé* ───┐

🍷 **ORMEASCO** della **RIVIERA LIGURE** di **PONENTE**. Couleur rouge rubis vif, parfum vineux et caractéristique ; sec, légèrement corsé, légèrement amer.

Cimma pinn-a.

Accatte unn-a ciappa de vitello e faene fâ
unn-a sacca da ô maxellâ. Boggi mezza
çervella de vitello, in aegua con aromma de
porsemmo, pulila e faène ôn tritô. Passela
in te ôn ciatto fondô e poi giunteghe 2 cûggiâ
de parmiggian, 1 cûggiâ de pan grattôu, 3
feûggie de laitûga taggè finn-e, sâ e peivie.
Mesciuè ben fin quando ô pin ô saià ben û
meo. Empi a sacca e cûxila.
A cimma a va bôggia in dûi litri e mezzo
d'aegua sâ con due ciaûle, 1 carotta, 1 gambo
de sellao e de feûggie de porsemmo.
Cheûtta, scolèla ben, lascèla freidâ e tagela a
fette spesse.
Unn-a variante dô pin a lê quella de arxun
re magro de xambon a daddetti e pùisci freschi.

Cinghiale a carraxu
Sanglier « a carraxu »

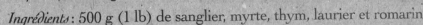

🕐 *Préparation* : longue

✕ *Ingrédients* : 500 g (1 lb) de sanglier, myrte, thym, laurier et romarin

🍴 *Niveau de difficulté* : facile

Si jamais vous renversez un sanglier, ce mode de cuisson ancien pourra vous être utile. Blague à part, le sanglier «a carraxu» est une tradition gastronomique sarde qui perdure. Il semblerait que la brillante idée du sanglier sous terre vienne des braconniers ; cela leur permettait de ne pas laisser de trace de leurs «exploits». Laissez brûler du bois sec dans un trou creusé dans de la terre bien sèche, de dimensions adaptées à la taille du sanglier ; enlevez la cendre de la combustion et déposez au fond du trou des rameaux de myrte, de thym, de laurier et de romarin sur lesquels vous étendrez les morceaux de sanglier qu'un expert aura dépecé et écorché.

Ajoutez sur les viandes d'autres aromates, recouvrez d'une modeste couche de terre sur laquelle on place du bois sec. Allumez le feu et, après 3 ou 4 heures (selon la taille du sanglier), vous pourrez déguster un rôti exceptionnel.

Le vin conseillé

NEPENTE di OLIENA. Couleur rouge rubis, parfum intense et continu, avec des arômes de mûre ; sec, structuré, équilibré.

Sirboni a carraxu.

Fai unu stampu mannu cantu bastara po contenni su sirboni e callantaddu cun d'una bella fiammara de linna sicca. Bogau su cinixu e limpiau su stampu si ghettara in su fundu ra mettus de tumbu, murta e atras erbas aromaticas. Si poniri in custu tappetu su sirboni seroxau e squartarau. Si tuppara cun atra erbas aromaticas e a s'accabbu cun d'unu pillu de terra e in pirrxus s'alluiri unu fogu mannu. Dopo una pariga de oras su sirboni è cottu e prontu po essi pappau.

Cinghiale brasato
Sanglier braisé

🕐 *Préparation* : longue

✗ *Ingrédients* : sanglier (ou porc), vin blanc, 1 carotte, 1 oignon, céleri, poivre en grains, rigatino (lard maigre), beurre, huile, 250 ml (1 tasse) de vin blanc sec, bouquet garni, citron, sel, poivre, bouillon, farine

🍴 *Niveau de difficulté* : facile

C'est un Plat avec un grand P, plein de saveur et de force. Étant donné la difficulté de trouver de la viande de sanglier, vous pouvez aussi l'essayer avec de la viande de porc : vous ne le regretterez pas. Si vous avez du sanglier, faites-le mariner pendant deux jours dans du vin blanc (assez pour couvrir la viande) avec 1 carotte émincée, 1 oignon émincé, quelques branches de céleri et du poivre en grains. Si vous avez du porc, vous ne le ferez mariner que pendant 12 heures. Retirez la viande de la marinade, séchez-la et lardez-la avec du rigatino haché grossièrement et roulé dans le poivre. Faites rissoler la viande dans une casserole dans du beurre et de l'huile. Lorsqu'elle est bien dorée de tous les côtés, mouillez avec 250 ml (1 tasse) de vin blanc sec. Quand le vin se sera évaporé, ajoutez un bouquet garni, noué de façon à pouvoir le retirer au dernier moment sans que les herbes s'échappent dans la sauce, quelques tranches de citron, du sel, du poivre et une louche de bouillon. Couvrez, baissez le feu et poursuivez la cuisson à feu très doux, en versant un peu de bouillon de temps en temps, jusqu'à ce que la viande soit tendre. Retirez la viande, tranchez-la dans un plat et couvrez-la de son jus que vous aurez épaissi avec 1 noix de beurre saupoudrée de farine.

Le vin conseillé

MORELLINO di SCANSANO. Couleur rouge rubis qui tire sur le grenat avec le vieillissement, parfum vineux et intense; sec, chaud, légèrement tannique.

Coniglio all'agrodolce
Lapin sauce aigre-douce

🕐 *Préparation* : longue

✕ *Ingrédients* : 1 ou 2 lapins, marinade, farine, oignon, saindoux, sucre, vinaigre blanc, pignons, raisins de Corinthe, olives vertes

🍴 *Niveau de difficulté* : facile

Délectons-nous maintenant de ce lapin sauce aigre-douce, tel qu'il est préparé à Alimena, centre agricole qui se dresse dans la magnifique vallée située au pied de la Balza dell'Edera, fondée par Antonio Alimena qui en avait obtenu le marquisat en 1628. Avec les premières pluies, les lapins sortent de leur terrier pour se désaltérer, et c'est ce qu'attendent les chasseurs pour les cribler de plomb. En contradiction explicite avec la sympathie que nous nourrissons pour la proie, on en magnifie la bonté… en la cuisinant. Il faut 1 ou 2 lapins, pour un poids total de 1,5 kg (3 lb) sans la peau. Lavez les animaux, retirez la tête, les pattes et les tripes, puis découpez en morceaux réguliers. Préparez une marinade avec 1 oignon émincé, 1 ou 2 feuilles de laurier, du romarin, un peu de sel, quelques grains de poivre, 125 ml (1/2 tasse) d'huile d'olive et 500 ml (2 tasses) de vin rouge sec. Faites bouillir la marinade pendant quelques minutes et, dès qu'elle a refroidi, plongez-y les morceaux de lapin que vous laisserez macérer pendant environ 2 heures. Égouttez la viande, séchez-la, farinez-la et faites-la rissoler dans une casserole dans laquelle vous aurez fait revenir 1 oignon émincé avec 30 ml (2 c. à soupe) de saindoux. Vérifiez l'assaisonnement, versez la marinade filtrée et faites cuire le lapin. Dans un récipient en cuivre émaillé, délayez 15 ml (1 c. à soupe) de sucre dans 125 ml (1/2 tasse) de vinaigre blanc que vous verserez sur la viande en fin de cuisson avec 1 poignée de pignons, 1 poignée de raisins de Corinthe que vous aurez réhydratés dans de l'eau tiède et 180 ml (3/4 tasse) d'olives vertes dénoyautées et hachées. Augmentez le feu et retirez la casserole du feu quand une bonne partie du vinaigre se sera évaporée.

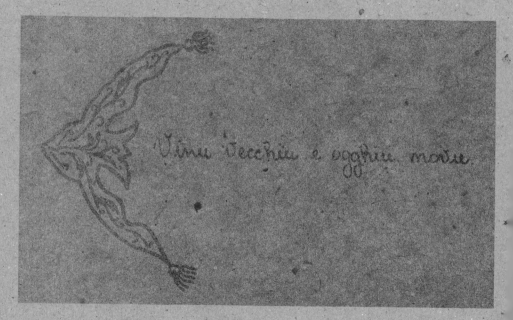

Vinu vecchiu e vogghiu novu.

Le vin conseillé

CERASUOLO di VITTORIA. Couleur rouge cerise, parfum vineux, frais et délicat, légèrement fruité ; sec, harmonieux et rond.

Cunigghiu all'agruduci.

'Sta ricetta la fannu ad Alimena ed iu vi la pas
su tali e quali.

Prima : unu o dui cunigghi assecunnu la grussizza.
Lavatili, tagghiatici la testa, li pedi e studiddàtili
e faciti li porzioni senza sbagghiari.

Secunnu : priparati 'na marinata fatta cu cipud
da tagghiata, dui pampini d'addauru, un ciuf
fiteddu di rosmarinu, 'n'anticchia di sali, qual
chi cocciu di pipi nivuru, menzu bicchieri d'ogghiu
d'oliva di paisi e dui bicchieri di vinu russu e bed
du siccu. Faciti vugghiri lu tuttu pi qualchi mi
nutu, scinniti e lassati ripusari.

Terzu : a marinata fridda, pigghiati li porzioni
di cunigghiu e calaticcilli dintra aspittannu pri
dui uri abbuccateidi.

Quartu : pigghiati un tianu beddu granni, mit
titici dui beddi cucchiari di struttu, tagghiate 'na
cipudduzza e facitila suffriiri ddà dintra. Nni
lu stessu mumentu pigghiati la carni, sculatile,
asciucatila, passati li porzioni nni la farina e
mittitili dintra lu tianu facennuli rusulari cu la
cipudduzza. Junciti sali e pipi e, a puntu giustu,

245

Cuniglie a la vrascia.

Pulite mi cuniglie e caccetece le ventrame.
Rijgnetelu che 100 gramme re ventresca abbre=
tata, tagliata a perzettine, lestarelle re pe=
parole, na cepulletta tretata fina fina,
1 foglia re laure, na fronna re specanarda,
e 2 bacche re genepre.
Cuscitelu e facetelu coce a' la vrascia; ogne
tante 'mbbunnetelu che nu battute fatte
che oglie r' auliva, sale e pepe.
Ul fuoche n'ara esse troppe forte; se no
re 'bboruscia tutta la pelle de lu cuniglie.
Quanne z'è bbelle cuotte, cacciatece la mbut

Coniglio in porchetta

🕐 *Préparation* : longue

🍴 *Ingrédients* : 1/2 bulbe de fenouil sauvage (la partie verte), 1 lapin, 250 g (1/2 lb) de viande de bœuf maigre, 125 ml (1/2 tasse) de pancetta, 125 ml (1/2 tasse) de salami, 2 morceaux de saucisse, 2 gousses d'ail, 1 œuf, huile, sel, poivre

🍴 *Niveau de difficulté* : complexe

L'élément fondamental de cette préparation, c'est le fenouil sauvage, dont on utilise la partie verte seulement, à l'exclusion des fleurs et des graines. Procurez-vous-en que vous ferez bouillir dans de l'eau légèrement salée. Hachez maintenant les abats du lapin, la viande de bœuf maigre, la pancetta, le salami, la saucisse et l'ail. Versez le hachis dans un bol et travaillez-le avec un œuf entier battu, un peu d'huile, du sel et du poivre. Laissez reposer pendant au moins 1 heure. Lavez soigneusement le lapin, essuyez-le et remplissez-le de la farce et du fenouil. Recousez-le, mettez-le dans un plat en pyrex et graissez-le de saindoux. Enfournez. Pour une cuisson complète, il faut compter environ 1 1/2 heure.

Le vin conseillé

🍷 ROSSO CONERO. Couleur rouge rubis brillant, parfum agréablement vineux ; sec, sapide et harmonieux, corsé.

Cuniglie a la Vrascia.

Pulite nu cuniglie e caccetece le ventrame.
Rijgnetelu che 100 gramme re ventresca abbre
tata, tagliata a pezzettine, letarelle re pe
parvole, na cepulletta tretata fina fina,
1 foglia re laure, na fronna re specanarda,
e 2 bacche re genepre.

Cuscitelu e facetelu coce a' la vrascia, ogne
tante 'nbbrunnetelu che nu battute fatte
che oglie r'auliva, sale e pepe.

Ul fuoche n'ara esse troppe forte; se no
re 'bbruscia tutta la pelle de lu cuniglie.
Quanne z'è bbelle cuotte, cacciatece la imbut
tetura e passatela a lu sutacce.

Po' scinglietela, 'ngoppe a lu fuoche, che nu
becchiere re vine ruscè sicche e cacche recia
se cognacche.

Coratella di agnello al forno
Coratella d'agneau au four

🕐 *Préparation* : longue

✕ *Ingrédients* : abats de 2 agneaux, lard, pain dur, feuille de laurier, tripes, sel, poivre

🍴 *Niveau de difficulté* : facile

Passez au four pendant environ 15 minutes les abats de 2 agneaux. Sortez les abats du four et découpez-les en cubes réguliers. Lavez les tripes et la crépine à l'eau courante. Préparez des brochettes en alternant 1 cube d'abats, 1 tranche de lard, 1 triangle de pain dur grillé, assaisonnez avec 1 feuille de laurier, du sel et du poivre. Enveloppez les brochettes avec la crépine et les tripes de l'agneau et faites cuire lentement à la broche.

Le vin conseillé

🍷 CARIGNANO del SULCIS ROSSO. Couleur rouge rubis intense, parfum vineux ; sec, sapide et harmonieux.

Trattalia.

Si ponidi sa trattalia de angioni o de crapittu in su forru finsas a mesu cottura. Yntantis si limpia po beni sa friscuria struggendi puru sa nappa. Bogara de su forru sa trattalia si segara in arrogus e si pro-nidi in d'unu schidoni mera finu cun arrogheddus de grassu e fittinas de pani appena abbruschiau. Ynfilara sa trattalia s'acciungiri su sali e su pi-biri, si inebudolicara cun sa nappa e s'accappia-ra a su schioloni intriccendi tottu a giru sa fri-sciuria. Si fairi arrustia a pagu a pagu in sa forredda o a s'opertu cun fogu de linna.

Coratella d'abbacchio con carciofi
Coratella d'agneau de lait aux artichauts

 Préparation : longue

Ingrédients : coratella (abats et tripes), oignon, saindoux, 125 ml (1/2 tasse) de vin blanc, sel, poivre, citron, 4 ou 5 artichauts romains, persil

Niveau de difficulté : complexe

La coratella, plat qui témoigne de la prédilection des Romains pour les abats, désigne l'ensemble du cœur, du foie, des poumons et des tripes du petit agneau de lait. On la prépare de la façon suivante.

Faites revenir à la poêle un oignon dans du saindoux. Ajoutez au moins deux coratelle complètes, coupées en petits morceaux, en suivant cet ordre : d'abord les poumons et les tripes, car ce sont les parties qui mettent le plus de temps à cuire, après quelques minutes ajoutez le cœur et, enfin, le foie. S'ils ont tendance à durcir, vous pouvez ajouter du vin blanc et le faire évaporer. Assaisonnez avec du sel, du poivre et le jus de 1 citron. Pendant ce temps, vous aurez coupé en morceaux 4 ou 5 artichauts romains : faites-les revenir dans un peu de saindoux, en veillant à ce qu'ils ne se dessèchent pas. Quand les artichauts sont cuits, ajoutez-les à la coratella, laissez mijoter le tout pendant quelques minutes puis, hors du feu, ajoutez du persil et du jus de citron à volonté.

Le vin conseillé

CESANESE del PIGLIO. Couleur rouge rubis tirant sur le grenat avec le vieillissement, parfum délicat et caractéristique ; souple et légèrement amer.

Coratella d'abbacchio co' li carciofoli.

Core, fegheto, pormone e budella de l'abbacchio de latte: ècchete la coratella.

La bontà de 'sto piatto ve la po' di er fatto che a li romani je piace da morì!

Pijate 'na padella e fatece soffrigge 'npo' de cipolla assieme co' lo strutto; appena se 'ndora buttate giù du' coratelle che devono esse state tajate a tocchi prima. Aricordateve che è mejo segui 'n certo ordine de precedenza pé via de la cottura e cioé prima er pormone e le budella che so' più dure a cocese, poi, passato quarche minuto buttate giù core e fegheto. Si v'accorgete che se sta a 'nduri aggiugnete mezzo bicchiere ar minimo de vino bianco secco che deve da svaporà piano piano. Acconnite co' sale, pepe e er zucco de 'n limone. 'Ntanto, da 'na parte, se tajano a spicchi 4 o 5 carciofoli romaneschi e se fanno soffrigge drento 'npo' de strutto senza falli rinzeccoli. Quanno li carciofoli so' cotti ar punto bbono, mischiateli a la coratella e fateli côce 'nzieme pé quarche minuto. Prima de servì datece 'na sporverata d'erbetta e succo de limone a soddisfà.

Coniglio selvatico alla sarda
Lapin sauvage à la sarde

🕐 *Préparation* : longue

✗ *Ingrédients* : 1 lapin, huile, 1 oignon, persil, sel, poivre, 500 ml (2 tasses) de vin blanc sec, eau

🍴 *Niveau de difficulté* : facile

Nettoyez et coupez en morceaux un lapin. Dans une casserole, faites à peine blondir dans un peu d'huile l'oignon émincé et 1 poignée de persil haché. Ajoutez les morceaux de lapin, salez, poivrez et faites-les dorer à feu doux en les retournant souvent. Quand ils sont bien rissolés, versez dans la casserole le vin blanc sec et 250 ml (1 tasse) d'eau. Couvrez et laissez cuire à feu moyen pendant environ 30 minutes.

Cunillu aresti a sa sarda.

Liuupiau e fattu a arrogus su cunillu, si po miri in d'una cassarola aundi i già prontu umu suffrittu cun ollu, cipudola e perdusemu ni tritaus e amoliaus cun sali e pibiri. Si lassara rosolai umu pagu su cunillu e si 'mai ghettanta duas tassas de binu e una de acqua. Cai a fogu lentu.

┌─── **Le vin conseillé** ───┐

🍷 MONICA di CAGLIARI. Couleur rouge rubis, parfum intense et éthéré ; souple et velouté.

Cosciotto d'abbacchio arrosto
Gigot d'abbacchio rôti

Préparation : longue

Ingrédients : 1/4 d'agneau de lait, ail, jambon, romarin, sel, poivre, saindoux, pommes de terre, 250 ml (1 tasse) de vin blanc sec

Niveau de difficulté : complexe

Pour ce plat traditionnel de Pâques, procurez-vous 1/4 d'agneau de lait (à Rome, le terme abbacchio désigne un agneau qui a été abattu avant qu'il commence à brouter de l'herbe) et lardez-le avec des gousses d'ail, du jambon gras et maigre, des brins de romarin hachés, du sel et du poivre. Graissez l'agneau avec du saindoux ou de l'huile, salez de nouveau, et cuisez-le au four préchauffé à 180 °C (350 °F) pendant une petite heure avec beaucoup de pommes de terre coupées en morceaux. Au bout d'environ 30 minutes, ajoutez le vin blanc sec, retournez l'agneau et laissez-le cuire pendant encore 30 minutes. Quand l'agneau est cuit, coupez-le en morceaux et servez-le avec les pommes de terre et une petite salade de chicorée.

Le vin conseillé

CERVETERI ROSSO. Couleur rouge rubis intense, parfum vineux et caractéristique ; sec, harmonieux, relativement corsé, avec un fond légèrement amer.

Cosciotto d'abbacchio arosto-

La tradizzione vò 'sto piatto magnato a
Pasqua. Fateve dà 1/4 d'abbacchio bbello
grassottello (pé l'ignoranti a Roma l'abbacchio
sarebbe gnent'antro che l'agnello giovine nun
ancora slattato), preparatelo ariempito de
spicchi d'ajo, presciutto grasso e magro, zeppetti
de trosmarino, sale e pepe. Ympiastratelo
ben bene de strutto o d'ojo, mettetece ancora
der sale e 'nfornate a forno nun troppo
callo pé circa 'noretta in compagnia de
patate tajate a tocchetti.
Passata 'na mezzoretta aggiugnetece, bagnanno
bbene l'abbacchio, 'in bicchiere de vino bianco
secco, arivortolate. er tutto e lassate côce pé
'n'antra mezzoretta preventivata.
Quanno è cotto se taja a pezzi, e se serve
co' le patate e 'ninzalata de radicchio
pé pulisse la bocca.

Cosciotto di castrato arrosto
Gigot de mouton rôti

🕐 *Préparation* : longue

✕ *Ingrédients* : un gigot de mouton, sel, poivre, ail, pancetta, huile

♈ *Niveau de difficulté* : facile

Désossez un gigot de mouton, assaisonnez-le avec du sel, du poivre, une gousse d'ail hachée et des petits dés de pancetta. Enroulez la viande, ficelez-la et déposez-la dans un plat en pyrex avec un filet d'huile. Enfournez et faites cuire à feu élevé jusqu'à ce que la viande soit bien rissolée, puis baissez le feu pour terminer la cuisson. Arrosez le gigot quelques fois avec son jus de cuisson et, peu de temps avant de sortir le plat du four, salez et poivrez. Vous pouvez servir le gigot avec une garniture de pommes de terre sautées.

Le vin conseillé

ROSSO PICENO. Couleur rouge rubis, qui tire sur le grenat avec le vieillissement, parfum vineux et légèrement éthéré ; sec, sapide et harmonieux.

Cosciotto d'abbacchio arosto.

La tradizzione vò 'sto piatto magnato a
Pasqua. Fateve dà 1/4 d'abbacchio bbello
grassottello (pé l'ignoranti a Roma l'abbacchio
sarebbe gnent'antro che l'agnello giovine nun
ancora slattato), preparatelo ariempito de
spicchi d'ajo, presciutto grasso e magro, zeppetti
de trosmarino, sale e pepe. Ympiastratelo
ben bene de strutto o d'ojo, mettetece ancora
der sale e 'nfornate a forno nun troppo
callo pé circa 'noretta in compagnia de
patate tajate a tocchetti.
Passata 'na mezzoretta aggiugnetece, bagnanno
bbene l'abbacchio, 'n bicchiere de vino bianco
secco, arivortolate er tutto e lassate côce pé
'nantra mezzoretta preventivata.
Quanno è cotto se taja a pezzi, e se serve
co' le patate e 'ninzalata de radicchio
pé pulisse la bocca.

Cotoletta alla milanese
Escalope milanaise

Préparation : rapide

Ingrédients : côtelette, œuf, chapelure, beurre, sel, citron

Niveau de difficulté : facile

La véritable escalope milanaise est en fait une côtelette et doit être entaillée au couteau sur le côté externe pour éviter qu'elle gondole durant la cuisson. Aplatissez légèrement la côtelette (d'une épaisseur d'un doigt), trempez-la dans l'œuf battu sans sel, puis dans la chapelure. Pour empêcher la chapelure de se détacher, pressez la côtelette des deux côtés, puis faites-la cuire dans une grande quantité de beurre. Faites cuire à feu vif d'un côté jusqu'à ce qu'une belle croûte se forme, puis retournez-la pour qu'une croûte se forme de l'autre côté. Baissez le feu et laissez cuire l'intérieur pendant 5 minutes. Salez et servez bien chaud avec des quartiers de citron.

Le vin conseillé

BONARDA dell'OLTREPÒ PAVESE. Couleur rouge rubis intense, parfum vineux, avec des arômes de fraise ; souple, plein, parfois perlant ou effervescent.

Cotolett a la milanesa.

La sera cotoletta a la milanesa l'è quella.
con l'oss e la dev vess leggerment tajada,
cònt el cortell, de la part de foeura, se
mo, con la cottura, la fà i rizz.
Y cotelett, soeunna per soeunna se dev battii
leggerment (e gh'han de vess spess on dida),
poeu van imborragiaa (senza saa).
Per fà che la impanadura la se stacca
minga, se dev bàtt la cotoletta desóra
e desott prima de mettela a frigg, con
tanto butter ross. Se fà coeus sóra ona
fiamma viva, prima da ona part per
fagh segni ona bella crostinna dorada,
e poeu de l'altra. Adess se sbassa la
fiamma e se lassa coeus anca de denter
per circa cinq minùtt. Se sala e se serv
bel cald, cònt ona guarnizion de fett
de limon.

Cotolette di castrato
Côtelettes de mouton

Préparation : rapide

Ingrédients : 1 kg (2 lb) de côtelettes de mouton, ail, huile, 3 grosses tomates, persil

Niveau de difficulté : facile

Dans les petits villages de montagne d'Ombrie, il y a une véritable saison du mouton. Vous pourrez le déguster dans les auberges typiques ou le préparer facilement à la maison. Pour 6 personnes. Rôtissez les côtelettes de mouton au gril des deux côtés. Faites revenir une gousse d'ail dans un peu d'huile, ajoutez les tomates bien mûres, pelées et épépinées, et laissez réduire. Quand la sauce est prête, ajoutez les côtelettes et une touffe de persil haché. Laissez-les s'imprégner du goût pendant quelques minutes et servez-les très chaudes.

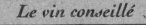

Le vin conseillé

ROSSO dei COLLI ALTOBERINI. Couleur rouge rubis, parfum vineux ; sec, agréable.

Cotolette de castrato.

'L castrato n'se trova molto, ma ancora 'n montagna c'é. Pe dà da magnà a 6 persone, ce vò le 'n chilo de cotoletti de castrato che se cociono 'n gratella.

Se fa suffrigge 'na speccia d'ajo nto 'n po d'olio e pu ce se metton tre etti de pomidori e se fa strigne 'l sugo. Drento ce se mette 'l castreto e 'n po d'erbetta tritata, se lassa 'nsapori e se magna caldo.

Falsomagro

Préparation : longue

Ingrédients : 750 g (1 1/2-lb) de viande de bœuf, 125 g (1/4 lb) de viande hachée, 2 saucisses, 2 oignons, 125 ml (1/2 tasse) d'huile, pancetta grasse, œufs durs, pecorino, ail, sel, poivre, 250 ml (1 tasse) de vin rouge sec corsé, 1 litre (4 tasses) de bouillon ou de sauce tomate

Niveau de difficulté : facile

Impossible de ne pas parler du plus grand compositeur d'opéra du XIXe siècle, Vincenzo Bellini. À Catagne, via dei Cruciferi, une rue baroque magnifique, on peut encore admirer la maison où est né Bellini et la Chiesa dei Gesuiti où il a été baptisé. Le «Massimo» de Catagne, a voulu rendre hommage à son illustre concitoyen en remettant en scène, durant la saison 1976-1977, l'opéra «Zaira», œuvre longue et difficile, qui avait reçu un accueil désastreux lors de sa première et unique représentation au Ducale de Parme en mai 1829, soit 147 ans plus tôt. À la tombée du rideau, nous discutions avec des critiques des caractéristiques de l'opéra et de la présente distribution quand, petit à petit, la discussion a dérivé jusqu'au moment où nous nous sommes surpris à nous disputer au sujet du «Falsomagro», triomphe de la cuisine sicilienne dans le domaine des plats principaux. Dont voici notre version…

Demandez au boucher de vous préparer une grosse tranche de viande de bœuf. Dans un bol, mélangez la viande hachée et les saucisses fraîches dont vous aurez ôté la peau. Faites rissoler ce hachis dans une poêle avec 1 oignon émincé et 125 ml (1/2 tasse) d'huile d'olive. Ouvrez la tranche de viande, aplatissez-la délicatement et garnissez de 1 tranche de pancetta grasse d'épaisseur moyenne sur laquelle vous déposerez des œufs durs en tranches, du pecorino en miettes, une gousse d'ail hachée grossièrement et, enfin, le hachis de viande. Salez et poivrez, et enroulez sur elle-même la tranche de viande farcie en la fermant avec du fil fin et résistant. Dans une casserole ovale, faites revenir 1 oignon émincé, ajoutez le gros morceau de viande que vous ferez rissoler. Versez le vin rouge sec corsé, puis à vous de choisir : vous pouvez poursuivre la cuisson avec le bouillon ou avec l'équivalent de sauce tomate. Nous sommes pour la première solution, mais certains de nos interlocuteurs de cette soirée-là préconisaient la seconde.

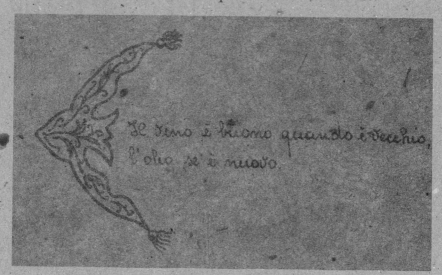

Le vin conseillé

ETNA ROSSO, Couleur rouge rubis avec des reflets grenat, parfum intense, vineux et éthéré ; sec, chaud, harmonieux.

Falsumagru a la Bellini.

Priparàti 'na bedda fedda di carni di manzu.
Dintra un piattu funnutu 'mpastati cu li ma
nu, 150 gr. di tritatu e dui caddozza di sasiz
za frisca sirudiddata.
Ora pigghiàti 'na padedda cu menzu bicchieri
d'agghiu d'oliva e mittitici 'na bedda cipudda,
tagghiata a denviri e lu 'mpastu di capuliatu
e sasizza, facennu rusulari.
A stu puntu, stimmicchiati la fedda di carni
battitila a denviri e mittitici supra 'na fedda
di pancetta grassa e supra ancora, ova rug
ghiuti tagghiati a pizzudda, picurinu friscu
sminuzzatu, un spicchiu d'agghia pistatu e
lu 'mpastu di capuliatu e sasizza.
Mittiti sali e pipi e agghiummuniati la fedda
di carni accussì priparata, firmannula cu un
fili di ruccheddu biancu e finu.
Dintra un tianu faciti suffriiri 'na cipudda af
fittata jttannuci dintra lu brusciuluni pi fallu
rusulari, junciti un bicchieri di vinu russu e fa
citilu svapurari. Fattu chistu, junciti quattru cup
pina di brodu o di salsa di pumadamuri e faciti
ociri.

Fegato alla veneziana
Foie à la vénitienne

Préparation : longue

Ingrédients : foie de veau (125 g [1/4 lb] par personne), oignon blanc (125 ml [1/2 tasse] d'oignon pour 125 g [1/4 lb] de foie), huile d'olive, sel, poivre, persil

Niveau de difficulté : facile

Coupez le foie de veau en tranches fines et faites-le revenir à la poêle, avec l'oignon blanc émincé, dans une cuillerée d'huile d'olive, du sel et du poivre, au goût. Faites cuire à feu vif et évitez une cuisson prolongée qui durcirait le foie. Avant de retirer la poêle du feu, ajoutez une petite poignée de persil haché. Rappelez-vous : la poêle doit être munie d'un manche assez long pour pouvoir l'agiter pour une meilleure cuisson.

Le vin conseillé

CABERNET FRANC di LISON-PRAMAGGIORE. Couleur rouge rubis intense, parfum vineux, très herbacé et persistant ; sec, plein, velouté et harmonieux.

Figà ala venexiana.

El figà de vedèlo bisogna tagiarlo a fetine su_
tili, (calcolar 100 gr. a testa) e se lo mete in une
tecia largheta co una sègola bianca tagiada fi_
na anca ela (calcolar mexa sègola ogni eto de
figà). Cusinar a fogo molto vivace e in poco
tempo sinòel figà dwenta duro.
Prima de destuar el fogo e servir in tola,
se ghe mete el sal e el pwaxe e un pugneto
de parxemolo tritá. Vardi, done, che la tecia
gabia el manego longo, parchè el figà vien
piú bon se ogni tanto se lo sguaràta.

Fettine alla pizzaiola

⏰ *Préparation* : rapide

✗ *Ingrédients* : 1 kg (2 lb) de tranches fines de bœuf, 3 à 4 grosses tomates, sel, poivre, ail, huile, origan

🍴 *Niveau de difficulté* : facile

On retrouve les condiments caractéristiques de la pizza dans ce plat de viande. La recette des fettine alla pizzaiola est vraiment très simple. Pour 6 personnes. Faites cuire les tranches de bœuf dans une grande poêle avec les tomates pelées et coupées en morceaux, de l'huile, 3 ou 4 gousses d'ail, du sel, du poivre, et immanquablement, une pincée d'origan. Laissez cuire la viande à feu doux pendant environ 30 minutes.

Le vin conseillé

VESUVIO ROSSO. Couleur rouge rubis intense ; parfum agréable et vineux ; sec ou semi-doux.

'A carne 'a pezzaiola

Sta ricetta é overamente semplice. pe seu persone : calculate 1 Kg. e fellucce 'a carne é manzo, mettitele 'a cocere dint à nu ruoto, largo 'nzieme 'a 1/2 Kg 'e pummarulelle spellecchiate é tagliate 'a piezze, mettite ll'uoglio, sale, pepe, é spannitece 'a coppo na sranca arecheta.
Mettitele 'a cocere 'ncopp'ò fuoco mudarato eu nu euspierchio 'a coppo pe quase na mez'ora!

Formaggio rosolato
Fromage rissolé

🕐 *Préparation* : rapide

🍴 *Ingrédients* : 250 ml (1 tasse) de lard, 1 oignon, fromage

🥄 *Niveau de difficulté* : facile

Il ne s'agit ni de viande ni de poisson, mais de fromage qui, en soi, a la valeur d'un second plat. Faites revenir, dans le lard pilé, un gros oignon émincé auquel vous ajouterez du fromage en tranches fines, en le laissant rissoler jusqu'à ce qu'il devienne croustillant.

Le vin conseillé

LATISANA ROSATO. Couleur rosée qui tend au rouge cerise léger, parfum vineux et intense ; sec, harmonieux, plein et agréable.

Frico.

No je une pitance ni di çjâr ni di pes, ma
di formadi, che paraltri 'e pò fâ past.
Si prepare fasint brustulî une biele civole
tajade fine in cent grams di ardiel pestât e
po zontant il formadi a fetutis, lassanlu brustulî fin ch'al cruste sot i dinc.

Fricassea
Fricassée

🕐 *Préparation* : longue

✕ *Ingrédients* : 45 ml (3 c. à soupe) de beurre, farine, 250 ml (1 tasse) d'eau chaude, aromates, viande (ragoût de veau, poulet ou agneau), sel, poivre blanc, œufs (1 pour 3 personnes), citron, 125 ml (1/2 tasse) de champignons secs ou frais

🍴 *Niveau de difficulté* : complexe

Mettez 30 ml (2 c. à soupe) de beurre dans une casserole profonde et, quand il a fondu, ajoutez 15 ml (1 c. à soupe) de farine comble que vous délaierez et ferez blondir dans le gras, en prenant garde à ne pas la faire griller. Ajoutez alors l'eau chaude, un bouquet d'aromates (carotte, céleri, oignon et basilic) que vous aurez noué pour ne pas qu'il se défasse dans la sauce, encore 15 ml (1 c. à soupe) de beurre et la viande. La viande, peu importe laquelle, doit être coupée en morceaux. Ajoutez du sel et du poivre blanc, couvrez et laissez mijoter pendant environ 1 heure 30. Au moment de passer à table, préparez dans une tasse les jaunes d'œufs, proportionnellement à la quantité de viande que vous aurez cuisinée et en comptant 1 œuf pour 3 personnes, avec du jus de citron et fouettez. Versez le mélange sur la viande en inclinant la casserole, et veillez à ce qu'il ne bouille pas : la sauce doit être crémeuse et non «pâteuse». Pour plus de saveur vous pouvez ajouter, à la mi-cuisson, les champignons secs ou frais émincés. Les quantités de condiment indiquées sont valables pour 1/2 kg (1 lb) de viande.

Le vin conseillé

🍷 PARRINA ROSSO. Couleur rouge rubis clair, parfum délicat et agréable ; harmonieux, velouté et sec.

Gallina al mirto
Poule à la myrte

🕐 *Préparation* : longue

✗ *Ingrédients* : poule, 1 oignon, 1 branche de céleri, 1 carotte, feuilles de myrte

🍴 *Niveau de difficulté* : facile

Pour cette recette particulièrement originale de la cuisine sarde, il est nécessaire de se procurer un beau bouquet de feuilles de myrte. Faites bouillir normalement la poule dans une grande quantité d'eau salée aromatisée de 1 oignon, 1 branche de céleri et 1 carotte. Quand la poule est cuite, égouttez-la et couvrez-la des feuilles de myrte. Enroulez-la alors dans un linge propre et placez-la dans une marmite bien fermée, de sorte qu'elle puisse bien absorber le myrte. Il est nécessaire de laisser la poule s'imprégner de la saveur pendant au moins une journée avant de la servir.

Le vin conseillé

🍷 CAGNULARI di USINI. Couleur allant du rouge cerise clair au rubis, bouquet vineux et floral ; sec et souple, corsé.

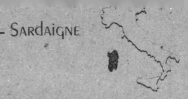

Pudda cun sa murta.

Spinniai e abbruschiai sa pudda, sbrentaid_
da e sciacquaidda beni poni in su fogu una
pingiara prena de acqua, acciungi una cipud_
da, s'appiu, una carota e unu pagu de perdu_
semini; acciungi su sali chi serbiri. Candu s'ac_
qua aressi buddendi ghettainci sa pudda; tup_
pai sa pingiara e lassai coi. Candu aressi cotta
bogaindedda de su broxu, lassendiolda beni sco
lai, poi poneidda in d'unu prattu prenu de fol
las de murta, poi tuppai sa pudda cun atra
folla de murta e unu atru prattu. Lassaidola
di aicci finsas a sa dii infattu. Serbiri frira.

Il gran bollito piemontese

🕐 *Préparation* : longue

✕ *Ingrédients* : tête de veau, viande de veau, langue de veau, poule ou chapon, cotechino (saucisson à cuire), eau

🍴 *Niveau de difficulté* : facile

Ce plat est l'un des plus raffinés et des plus prestigieux qui soient et mérite sans conteste la première place. Voici pour l'avant-propos : il s'agit d'un «bollito» et non d'un «lessato» dans la mesure où il ne privilégie pas la qualité du bouillon – bien qu'il doive y cuire – mais celle des viandes que l'on plonge dans la marmite lorsque le bouillon est en pleine ébullition alors que, pour le lessato, qui doit donner un bon bouillon, on plonge la viande dans l'eau froide. Les viandes sont (ou doivent être) de types divers et de première qualité, elles ne doivent pas être trop maigres et comporter plutôt un certain pourcentage de gras, de sorte que le bollito ne soit pas sec. Les types de viande sont variables mais indispensables : la tête de veau (que l'on trouve désossée et coupée, mais il est préférable de l'utiliser entière), la viande de veau, la langue de veau, la poule ou le chapon (pas forcément entiers ; en fonction du nombre d'hôtes), le cotechino (confectionné dans le Piémont). Enfin, n'oublions pas le type de cuisson, également fondamental pour la réussite de ce plat. Nous suggérons donc ces viandes, sans préciser les quantités qui seront à la discrétion de la personne qui le cuisine et si, comme il arrive souvent, il reste du bollito, il sera encore meilleur le lendemain.

Gran buji a la piemontèisa

La lenga del bocin con anseri 1 o 2 ciò
ëd garòfo as buta a cheuse con el doganeghin
ant un a pignata a part. Tute j'aotre
carn e le verdure as cheuso tute ansema.
Regola fondamental
buté al feu l'acqua an quanità adeguà e
quand a comensa a beuje, buteje la sal e fé
cheuse per prime le carn ëd manz e, pioch
apress, la carn ëd galin a ò ed capon, se
as trata ëd polastrin giovo (che a cheus pi
an pressa) spetè un' ora, visadi butelo
ansema a li carn ëd bocin.
Le verdure as buto ant la pignata (as peul
buté un ciò ed garòfo ant la siola antrega)
quand l'acqua ha arpijà a beuje dòp
l'immusion dle prime carn
Quaidun a preferis buté prima le verdure
ant l'acqua frèida, feje beuje per 5 minute
e peuj campé andrinta le carn
La cheuita a va seguia fasend atension
a nen lassé stracheuse le carn; che a
dovran esse cheuite al pont giust per conserve
tuta la soa fragransa e sapidità; venta

prové a forate con la forciolin-a fin-a a
quand u saran morbide.

El buji a va butà ant un tond ed portà
(tnù al caod) e rosiné ëd sal grossa da
cusin-a, vërsandie ansema pòch brod caod
per slinguelo.
Ié a fëtte grosse el buji, la lenga e ël
doganeghin e serve compagnà da un-a dle
saosse descrite.

Involtini alla coratella

🕐 *Préparation* : longue

✗ *Ingrédients* : crépine, poumon, rate, cœur et foie d'agneau, persil, sel, feuilles de laurier

🍴 *Niveau de difficulté* : complexe

Sur un morceau de crépine d'agneau bien nettoyé, pas plus grand que 5 cm x 7 cm (2 po x 3 po), mettez un peu de poumon, de rate, de cœur et surtout de foie, provenant tous du même animal et tous bien lavés; parsemez d'un brin de persil et d'une pincée de sel. Enroulez la crépine et liez-la avec les tripes qui ont déjà été ouvertes avec des ciseaux, lavez plusieurs fois avec de l'eau et du sel et séchez : vous obtiendrez une paupiette qui ressemble à un gros morceau de saucisse. Après en avoir préparé la quantité désirée, enfilez-les sur une broche, en mettant des feuilles de laurier entre chaque paupiette et à chaque bout de broche. Laissez cuire pendant 15 minutes sur de la braise de charbon de coquilles d'amandes et de noix. Quand elles sont prêtes (elles doivent être bien dorées sans avoir brûlé), salez-les un peu et servez-les bouillantes. D'un village à l'autre, on découvre quelques variantes qui consistent dans l'ajout de pecorino râpé, de lanières de lard et dans le choix des composantes de la coratella. En général, on préfère grignoter après une branche de céleri accompagnée de petits morceaux de provolone piquant ou, comme jadis, de fromage pourri («u fermagge pùnde»).

Malangiani 'ntorchjati.

Faciti ffelti ffetti quattru malangiani, faciti
'i scilumu e mi cangianu pocu pocu culuri
'nt'a padeglia. 'nt'a 'nu testicegliu, i crita,
miscitàti 4 cucchjari 'i pani stricatu cu 'ma
pizzicata d'agghju e petrusinu, 2 cucchjari
'i furmaggiu pecurinu stricatu, sali, sperzi
e 'ma 'nticchja 'i agghju.
Apou pigghjati 'sti immurratini e si mentiti
quantu basta pa ogni ffetta 'i malangiana.
'A 'ntorchjàti e a 'mpilàti cu 'm' accènduru
'i lignu senza capocchja. Mentiti 'i malan
giàni sup' e ferri cardi d'a furnacetta e con
zàtili sup'o tavulu.

Le vin conseillé

CACC'EMMITTE di LUCERA. Couleur rouge rubis clair,
parfum caractéristique et intense ; plein et harmonieux.

La pigneti

Préparation : longue

Ingrédients : 1 kg (2 lb) de viande de mouton, 4 à 5 grosses pommes de terre, 3 gros oignons, 6 tomates, 375 ml (1 1/2 tasse) de pecorino, 1 piment, salami, eau, sel

Niveau de difficulté : facile

Il s'agit d'une daube, normalement de mouton, que l'on cuit dans une terrine en terre cuite, dont on scelle l'ouverture une fois qu'on y a mis tous les ingrédients. Coupez en morceaux la viande de mouton, coupez en tranches les pommes de terres pelées et émincez les oignons. Ajoutez les tomates pelées, épépinées et hachées, le pecorino en dés, 1 piment haché, quelques tranches de salami coupées en tout petits morceaux et 250 ml (1 tasse) d'eau. Salez, couvrez, et laissez cuire pendant environ 1 1/2 heure.

Le vin conseillé

AGLIANICO del VULTURE. Couleur rouge rubis intense ou grenat vif, parfum vineux et caractéristique, qui se bonifie avec le vieillissement ; sec et harmonieux.

La = "pigneti".

T'haia servi d' na pignata cu nu bone cuver
chie. Taglia a pierze nu chile d' polpa d' pecu
ra e a fedde 800 gr. d' patate pelare e 300 gr.
d' cevodda. Aggiunge sei pummadore pelare,
senza semenze e tagliare a pezzettini, 150 gr.
d' casce pecurine a quatratine, na cerasedda
a pezzette e 'mearch' fedda d' savecicchie e nu
quarte d' litre d' acqua. Sala, cummuoglia
la pignata e dascia 'cuoce p' n'ora e menza
circa. Accumpagna cu l' "Aglianico' d' Matera.

Lesso misto

 Préparation : longue

Ingrédients : laurier, 1 oignon, 2 carottes, 1 branche de céleri, sel, 1,5 kg (3 lb) de bœuf (rumsteck et faux-filet), ail, lard ou pancetta, 1 kg (2 lb) de plat de côtes de veau (gros bout de poitrine, ou basse-côte, ou veine maigre), 1 chapon, 1 pied de veau, 1 kg (2 lb) de tête de veau, gros sel, bouillon

 Niveau de difficulté : complexe

Pour bien faire le lesso, il y a un rituel que l'on ne peut négliger : des cuissons différentes pour les viandes différentes qui le composent. Et rappelons-nous que, plus il y a de viandes qui composent le lesso, plus il est savoureux. C'est donc un plat qui sera préparé pour plus de deux ou trois personnes... Commençons. Dans une grosse marmite d'eau froide, mettez 2 feuilles de laurier, 1 oignon entier, 2 carottes entières, 1 branche de céleri. Portez l'eau à ébullition, salez et ajoutez le bœuf (rumsteck) qui devra cuire pendant 4 heures. Le bœuf devra être piqué d'ail et lardé de lard ou de pancetta. (Pour piquer ou larder, pratiquez des incisions dans la viande à l'aide de la pointe du couteau et remplissez les incisions d'ail ou de lard.) Dans un second temps, mettez dans la marmite les côtes de veau (gros bout de poitrine, ou basse-côte, ou veine maigre), le chapon et le pied de veau qui devront cuire pendant 2 1/2 heures. À la fin, ajoutez la tête de veau qui devra cuire pendant 1 1/2 heure. Attention : le lesso milanais est en soi un plat, et les viandes ne doivent pas être traitées comme pour en faire un bouillon. Pour cette raison, l'eau ne doit que couvrir la viande et, au fur et à mesure qu'elle s'évaporera, rajoutez un peu d'eau chaude en proportion exacte. Déposez les viandes du lesso en tranches plutôt hautes sur le plat de service, puis saupoudrez-les de gros sel et mouillez-les avec quelques cuillerées de bouillon. Servez-le avec de la sauce verte et une garniture d'épinards ou de purée de pommes de terre. Un lesso ne serait pas complet s'il n'était pas servi avec un cotechino ou un zampone de Modène qui, par ailleurs, doivent cuire à part.

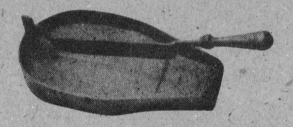

Le vin conseillé

BUTTAFUOCO dell'OLTREPÒ PAVESE. Couleur rouge vif, parfum vineux et intense ; sec, corsé, parfois perlant.

Less-

Gh'è oma maniera sola per fà on bon less,
perchè ogni carna la gh'ha el sò temp de
cottura. E se dev savè che el less, per vess
bòn, el dev sess cusinàa con tanti qualità
de carna. E per quest l'è minga oma pitanza
che se poda mangialla in pocch, in domà
tre o quatter personn.
In d'ona pignatta se mett dò foeuj de
làvor, ona seigolla intrega e dò carotol,
ona gamba de séller, con tanta acqua
frèggia, se fa bùj e se sala.
Adess ghe se gionta on chilo è mezz de
boeu (scamòn) stacchetàa de aj e de lard.
El dev coeus quatter òr. Poeu se ghe mett
on chilo de bianch-costàa, on capòn, on
pescin de vitell (on para d'òr e mezz de
cottura). E ancamò on chilo de testina de
vitell, che la dev coeus on'òra e mezza.

Attenziòn: el less milanes l'è on piatt
complett, e per quest se gh'ha no de
pretend che la carna la faga anca
el broeud bon. Insèi, l'acqua la dev
appenna, appenna quattà la carna.
Quand la se consùmma, se ghe gionta
ammò on poeu d'acqua calda.
On less l'è bon se el se serviss insèmma
a on codeghin o a on seiampétt de Modena.
Naturalment codeghin o seiampétt se fann
coeus a part.
Quand tutt l'è cott, la carna la se mett
sul piatt de portada, tajada a fett un
pòo spess e salàa con la sàa, appenna
bagnàa de broeud. Se serviss con la
salza verda e contorno de spinass o
"purée" de pomm de terra.
Al post de la salza verda se pò servì la
salza rossa o la salza de cren. Pò piasè
anca la salza de pignoeu.

"Lucanica" e crauti
« Lucanica » et crauti

 Préparation : longue

Ingrédients : 1 kg (2 lb) de choucroute, lard, bouillon de viande, lucanica

Niveau de difficulté : complexe

La «lucanica» est une saucisse de viandes de bœuf et de porc. Dans le Trentin Haut-Adige, on peut dire que chaque secteur a sa façon de préparer la lucanica, qui peut donc avoir des goûts variés. La lucanica à la choucroute est par contre une préparation commune à toute la région. Il s'agit d'une recette très simple. Lavez soigneusement la choucroute et débitez-la en fines lamelles. Coupez le lard en petits dés, faites-le revenir pendant quelques minutes, puis ajoutez la choucroute que vous ferez cuire pendant 2 heures en l'arrosant de bouillon de viande. Coupez la lucanica en tranches, ajoutez-la à la choucroute et laissez sur le feu pendant 2 heures en ajoutant, si nécessaire, du bouillon. On sert la lucanica et crauti chaude, avec de la polenta.

Le vin conseillé

CASTELLER. Couleur allant du rosé au rubis, parfum vineux et léger ; sec, harmonieux et velouté.

Capusi e luganega.

La luganega l'è 'na salsiza de manz o de porchet. En quel de Trent o su per la Val de l'Ades se pol dir che tuti i ga la so moda de far le luganeghe e alora l'è fazil che ghe sia diferenza de saori da uno a l'altra. Capusi e luganeghe l'è 'en magnar de tuti 'n de sti paesi.

L'è 'na riseta propri ala bona.

Se ga da lavar ben 'n chilo de capusi e sei taia su a slinzole. Se ciapa 'n toc de lardo e s'el fa a dadei e s'el rostis zontandoghe i capussi e fasendoi coser per doi ore, tegnendoi mizi con 'en cazot de bro de tant en tant. Se taia zo tocheti de luganega, se la mete zo i capussi e sei lassa coser ancor doi ore zontandoghe mez cazot de bro se ocor.

Sei i mete 'n taola ben caldi cola polenta.

Maiale « in saor »

Préparation : longue

Ingrédients : 750 g (1 1/2 lb) de viande de porc, ail, romarin, 30 ml (2 c. à soupe) de beurre, 1 oignon, 250 ml (1 tasse) de vinaigre, sel, poivre, 500 ml (2 tasses) de lait

Niveau de difficulté : facile

Achetez la viande de porc en un seul morceau. Piquez d'ail et ficelez en insérant, entre la viande et la ficelle, des brins de romarin. Faites rissoler la viande dans le beurre, puis ajoutez 1 oignon émincé. Quand l'oignon devient transparent, versez le vinaigre que vous laisserez s'évaporer. Salez, poivrez et ajoutez le lait. Portez à ébullition et faites cuire à feu doux le temps nécessaire.

Le vin conseillé

MARZEMINO del TRENTINO. Couleur rouge rubis, parfum caractéristique et accentué ; sec, plein et légèrement herbacé.

Porco en saor.

Se rodola su 'en tochet de polpa de porco
de poc pui' d'en chilo e se la liga su col'
spac ficandoghe drento tocheti de ai e na
ramela de rosmarin entramex al spac.
Se fa rosolar la carne con doi mosele d'i bo
ter e 'na zigola taiada su fina.
Peria l'è zisolà, l'è ora de meterghe na bi
cera de asè da lassar svaporar emprima
de zontarghe mez litro de lat col sal e 'l
so pever. Se ghe lassa levar 'el boi e coser
bel belot en fin che basta.

Manzo alla ligure
Bœuf à la façon de Ligurie

🕐 *Préparation* : longue

✗ *Ingrédients* : 125 ml (1/2 tasse) d'huile, 1 oignon, 1 branche de céleri 1 carotte, 125 ml (1/2 tasse) de lard, 1,5 kg (3 lb) de bœuf maigre, sel, poivre, 5 à 6 grosses tomates pelées

🍴 *Niveau de difficulté* : facile

Dans 125 ml (1/2 tasse) d'huile, faites revenir un hachis composé de l'oignon, du céleri, de la carotte et du lard coupé en dés. Ajoutez un morceau de bœuf maigre et faites colorer la viande de tous les côtés. Salez, poivrez et ajoutez les tomates pelées, bien égouttées, épépinées et hachées. Couvrez et faites cuire à feu très doux. Servez la viande en tranches avec sa sauce. C'est également délicieux servi froid.

Le vin conseillé

ROSSESE di DOLCEACQUA. Couleur rouge rubis qui prend des reflets violacés avec le vieillissement, parfum vineux et intense mais délicat ; souple, aromatique, chaud.

Manzo a ligure.

Soffrizzei in mezo gotto d'éuio: ôn trito de 1
ciôula, un gambo de sêllao, 1 carotta, 50 gram_
mi de lardo taggiôû a daddin.
Uni ôn pesso de manzo de 1 chillo e mezo, che
faiè biondi da tutte e parti. Salè, peiviè e
giûnteghe 1 chillo de tomate saian sensa sem_
mi, pelè e spacchè a tocchi.
Côvri a pûgnatta e cheûxei a feûgo molto basso.
Servilo a fette in ta so sarsa. Ô l'è squixio
anche freidô.

Mazzafegati

 Préparation : longue

 Ingrédients : 1/2 kg (1 lb) de foie de porc, 125 ml (1/2 tasse) de pignons, 125 ml (1/2 tasse) de raisins de Corinthe, 60 ml (1/4 tasse) de sucre, 1/2 orange, sel, poivre, chair à saucisse

 Niveau de difficulté : complexe

Voici une préparation tout à fait typique de la cuisine d'Ombrie. Il s'agit de saucisses à base de foie de porc, que l'on peut fabriquer aussi bien sucrées que salées. Pour les saucisses sucrées, comptez 1/2 kg (1lb) de foie de porc, que vous hacherez le plus finement possible. Mélangez aux pignons, aux raisins de Corinthe, au sucre, à l'écorce de l'orange, également hachée menue, à du sel et du poivre. Ensachez et ficelez les mazzagefati comme on fait normalement pour les saucisses. L'idéal est de les cuire à la braise. Les mazzafegati salés sont composés de deux ingrédients seulement : le foie (préparé comme pour les mazzafegati sucrés) et une quantité de chair à saucisse correspondant au tiers de la quantité de foie, avec un tout petit peu de sel et de poivre. La cuisson à la braise est également idéale pour les mazzafegati salés.

Le vin conseillé

 ROSSO di ASSISI. Couleur rouge rubis, parfum vineux et caractéristique ; sec, relativement corsé, harmonieux.

Mazzafegati.

Se tratta de salcicce de fegheto de maiale e se
posson fae dolci o salate. Quille dolci so fatte
col fegheto trito trito 'nsieme ai pinoli, l'uvetta,
'l zucchero, la scroza d'arancia a pezzettini,
sale e pepe. Se 'nsaccono come le salcicce e se
cociono su la brage.

'I mazzafegati salati se fon col fegheto a pezzettini triti, la carne de le salcicce ch'ha da
esse 'n terzo del fegheto, sale e pepe.
Se coceno anche tisti 'nto la brage.

Mozzarella in carrozza

Préparation : rapide

Ingrédients : 2 tranches de mozzarella, 2 tranches de pain, farine, 3 œufs, 125 ml (1/2 tasse) de lait, sel, poivre

Niveau de difficulté : facile

À Naples, la carrozza a toujours été un délice pour tous. Même pour la mozzarella, l'aliment le plus simple, les Napolitains en ont trouvé une. Pour chaque personne, coupez 2 tranches de mozzarella pas trop fines et placez chaque tranche entre deux tranches de pain de même forme et de même grandeur. Farinez les petits sandwiches et déposez-les dans un bol où vous aurez battu 3 œufs avec 125 ml (1/2 tasse) de lait et le sel nécessaire. Attendez que le pain absorbe entièrement l'œuf, puis faites frire dans une grande quantité d'huile bouillante. La mozzarella in carrozza se mange très chaude et fondante.

Le vin conseillé

BIANCO D'ISCHIA. Couleur jaune paille avec des reflets dorés, parfum vineux et délicat ; sec et harmonieux, relativement corsé.

'A muzzarella 'ncarrozza-

'A carrozza é stata sempe 'a passione 'e Napule
é accussi p'à muzzarella, ca é n'alimento
semplice, tanto semplice ca 'o napulitano
nn'à fatto na truvata d'à soia.
Pe ogne perzona priparate ddae felle 'e
muzzarella nun tanto suttile é sistimatele
'mmiez'à ddoie falluccie 'e pane d'à stessa
forma é d'a stessa grandezza.
'Nfarenatele é mettitele dint'à nu recipiente add'ò 'nee avite sbattute tre ove eu 1/2
bicchiere 'e latte é 'o sale nicessario.
Lassate ca 'o pane... s'assorbe tutto l'uovo
é friggitele dint'à tiella chiena d'uoglio
sullente. 'A muzzarella 'ncarrozza se mangia 'a cauro 'a cauro é filante.

Ossi buchi

🕐 *Préparation*: longue

✗ *Ingrédients*: beurre, 4 jarrets de veau, farine, oignon, 7 ml (1 1/2 c. à thé) de sauce tomate (ou 1 tomate fraîche), sel, persil, ail, 1 anchois, 1 citron

🍴 *Niveau de difficulté*: complexe

Faites rissoler dans 1 noix de beurre 4 beaux jarrets de veau légèrement farinés, d'une épaisseur d'au moins 4 ou 5 cm (1 1/2 ou 2 po). Dans le beurre, vous aurez fait revenir au préalable 1/2 oignon émincé que vous réserverez. Dès que les jarrets de veau commencent à se colorer, remettez l'oignon et la sauce tomate diluée dans un peu d'eau (ou 1 tomate fraîche, charnue et pelée). Salez et laissez cuire à couvert pendant environ 1 heure à feu doux. Cinq minutes avant la fin de la cuisson, ajoutez la «gremolata», que l'on prépare en hachant 1 poignée de persil, 1 gousse d'ail, 1 anchois (lavé et sans arêtes), 1 petite tranche d'oignon cru et l'écorce de 1 citron (sans la membrane blanche, qui est amère). Mélangez bien le tout et servez avec une garniture de riz au safran ou de purée de pommes de terre.

Le vin conseillé

SAN COLOMBANO al LAMBRO. Couleur rouge rubis, parfum vineux et caractéristique; sec et sapide, corsé, avec un arrière-goût légèrement amer.

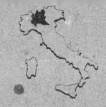

Oss-bus-

Se fà indorà con cinquanta gramm de butter quatter bej oss-bus, spess ognidün quatter o cinq centimeter. leggerment passàa in la farina, insèmma a mezzà seigolla tajada a fettinn (la scigolla la va levada, al moment de mett i oss-bus). Quand i oss-bus han ciappàa colòr, se ghe gionta la seigolla che l'era stada levada, e anca mezz cugiarin de salza de tomàtes deslenguada in poca acqua calda (se el gh'è mej on Tomàtes fresch, madür e spellàa).

Se sala e se lassa coeus quattàa per on'oretta, adasi, adasi. Quand manchen cinq miniutt a la fin de la cottüra, se ghe gionta la grémolada.

Per fà la grémolada se tria ona bella presa de erborinn iònt ona coa de aj,

an' inciòda (lavada, nettada), ona
fettinna di seigolla e la scorza de
on limon grattada, ma no el bianch
che ghe dedenter, perchè l'è amàr.
Se mes'cia tutt ben e se serviss cónt
on contórno de ris al zaffran o anca
"puré" de pomm de terra.

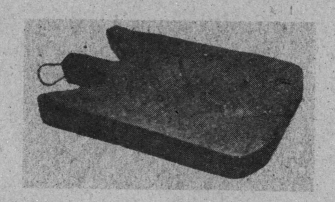

Patè di fegato alla Tron
Pâté de foie de Tron

🕐 *Préparation* : longue

✗ *Ingrédients* : beurre, huile, oignons blancs, foie de veau, persil, sel, poivre, bouillon

🍴 *Niveau de difficulté* : complexe

Recette très raffinée, inventée pour satisfaire le palais exigeant du doge Niccolò Tron. Elle est toutefois très simple car il suffit de faire revenir, dans du beurre et de l'huile, quelques oignons blancs émincés. Après la première flambée, baissez le feu et laissez fondre à feu doux avant d'ajouter le foie de veau avec un hachis de persil, du sel et du poivre. Laissez cuire à feu vif pendant une dizaine de minutes en mouillant avec du bouillon, si nécessaire. Retirez de la casserole, passez au mixeur puis au tamis. Enrichissez cette purée du poids équivalent de beurre malaxé. Mélangez bien afin de former une sorte de saucisson que l'on enroule dans une feuille d'aluminium (jadis, on utilisait du parchemin) que vous mettrez au réfrigérateur pendant quelques heures. Pour bien réussir ce pâté, le poids des oignons doit être à peine inférieur à celui du foie.

Le vin conseillé

🍷 BOCA. Couleur rouge rubis avec des reflets grenat, parfum caractéristique, avec des arômes de violette ; sec et sapide, avec un arrière-goût de grenadier.

Paté de figà ala Tron.

Sta riçeta la xe gnente pò pò de manco, che de
un Doge: Nicolò Tron che gera 'na boca fina.
Ma no stè a ciapar paura parchè la xe abastanza facile da far.

In una tecia co metà ogio e metà butiro, se mete
a desfrizar qualche segola bianca a fètine sutile
Dopo la prima sfogaràda, se lassa che te se apassisa
a fogo basso, e pò se ghe zonta el figà de vedelo co un
pigno de parzemolo trità. Se alza la fiama e se
scaltrisse el tuto par una diesèna de minuti, bagnando co un fià de brodo se ocore Adesso el
sal e el pevare Col figà xe coto se lo passa ala
machina tritacarne e pò anca al tamiso.
Quando che, nela tarinela, se gà racolto sta
specie de purè, se ghe incorpora tanto butiro,
mantecà quanto che xe el purè de figà.
Sbatarlo co coscienza e dopo formar una specie
de salame che se involtola sula carta-aluminio,
(ai veci tempi se usava un tipo de cartapecora)
e se mete in frigorifero par qualche ora.
Far atenzion che el peso dele ségole gà da essar
un fià manco de quelo del figà.

Piccioni selvatici all'uso di Foligno
Pigeons sauvages à la mode de Foligno

Préparation : longue

Ingrédients : 1 pigeon, 1 oignon, clous de girofle, citron, sauge, 125 ml (1/2 tasse) de jambon, huile, vinaigre, sel, poivre

Niveau de difficulté : complexe

Cette spécialité de Foligno comporte un impératif : on ne vide pas les pigeons, on n'enlève que le jabot. C'est seulement ainsi, d'après les gourmets, que le plat a ce goût particulier qui serait perdu si on éventrait ce gibier. Comptez 1 pigeon pour 2 personnes, plumez-le, lavez-le, ôtez le jabot et mettez-le dans une marmite en terre cuite avec 1 oignon émincé, 2 ou 3 clous de girofle, 1/2 citron coupé en quartiers, quelques feuilles de sauge, le jambon coupé en morceaux, 125 ml (1/2 tasse) d'huile et 125 ml (1/2 tasse) de vinaigre, du sel et du poivre. Couvrez hermétiquement la marmite avec une feuille de papier huilé bien fixée à l'aide d'une ficelle et faites cuire à feu doux pendant 1 heure environ. À la fin de la cuisson (c'est-à-dire lorsque la viande commence à se détacher légèrement des os), passez le jus à la passoire à thé et versez-le, bien chaud, sur le gibier coupé en morceaux.

Le vin conseillé

TORGIANO ROSSO RISERVA. Couleur rouge rubis brillant, parfum vineux et délicat ; sec et harmonieux, corsé.

Piccioni a la folignate.

'Sti folignati so 'n po strani. I piccioni nun li vojono sparà: je se deve levà solo 'l gozzo, 'l resto gnente.

Allora se puliscono sti piccioni com 'en ditto e se mettono 'nteri nto 'na cazzarola 'nsieme a 'na cipolla a fettine, du o tre chiodini de garofeno, mezzo limone a spicchie, 'n po de salvia, mezz'etto de progiutto tritato, mezzo bicchier d'olio e mezzo d'aceto, sale e pepe. Se chiude la cazzarola nco la cart'oliata legata nco 'no spago e se fa coce a foco lento pe 'n'ora.

Quanno i piccioni son cotti, se passa 'l sugo e se butta nto la carne a pezzettini.

Pollo alla cacciatora
Poulet chasseur

🕐 *Préparation* : longue

 Ingrédients : 1 poulet, huile, beurre, 125 g (1/4 lb) de jambon, 250 ml (1 tasse) de vin blanc sec, sel, poivre, 3 grosses tomates

🍴 *Niveau de difficulté* : facile

Pour cette recette, qui est simple et bien connue, coupez en petits morceaux 1 poulet bien vidé et nettoyé. Faites revenir dans 250 ml (1 tasse) d'huile et 1 noix de beurre le jambon gras et maigre en tout petits morceaux. Quand ce hachis commence à blondir, ajoutez le poulet et faites-le rissoler à feu vif pendant quelques minutes. Ajoutez alors le vin blanc sec, du sel, une pincée de poivre et les tomates mûres en morceaux. Laissez mijoter à feu doux pendant environ 1 1/2 heure. Servez le poulet dès qu'il est prêt sans le laisser refroidir.

Le vin conseillé

🍷 SANGIOVESE dei COLLI di FAENZA. Couleur rouge rubis, parfum caractéristique et délicat, qui rappelle la violette ; sec et harmonieux.

Pol ala cazadôra.

Par sta rizèta, sémplixa e da fameja, tajé a
pèz piôtòst rnin 1 pol bèn pulì e lavê.
Fasì sufrixar int 1/2 bicir d'öli e int 1 nôsa
ad buti 100 gr. ad parsät gràs e mêgar a pzultin.
Quand e' sufret e' cminzarà a imbiundì, unì e'
pol e fasìl rusê a fiâmba viva par quéje minut.
A zunzì pu 1 bicir d'aven biânc sec, e'sêl, 1 masi-
nêda ad pevar e 300 gr. d'pandur fresch. Lassì cusar
par zirca 1 ora e mêz.

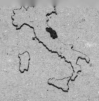

Pollo in potacchio

🕐 *Préparation* : longue

✕ *Ingrédients* : 1 jeune poulet, huile, beurre, oignon, ail, 250 ml (1 tasse) de vin, sel, poivre, sauce tomate, romarin

🍴 *Niveau de difficulté* : facile

Videz et coupez en morceaux un jeune poulet et faites dorer dans de l'huile et du beurre et dans un hachis d'oignon et d'ail. Une fois le poulet bien rissolé, versez le vin que vous laisserez s'évaporer, salez et poivrez. Préparez maintenant une sauce tomate aromatisée au romarin et ajoutez-la au poulet. Terminez la cuisson au four.

Le vin conseillé

🍷 SANGIOVESE dei COLLI PESARESI. Couleur rouge grenat avec des reflets violacés, parfum délicat et caractéristique ; sec, harmonieux, avec un fond légèrement amer.

Polo in putàcchio.

Pulisce e spartisce un galureto e fàlo in_
durò, cul'ojo e 'l buro mischiati, 'nte 'na
trinciatura de cipola e ajo.
Quanto ch'el polo s'è bè rusulato, fàce svani_
pù un bichiere de vi', sàla e impepa.
Adè prepara un cundimento de pumidoro
inzapurito d'usmari, giòntelo al polo e fa'
fini a còce drent'al forno.

Pollo vino e funghi
Poulet au vin et aux champignons

🕐 *Préparation* : longue

✗ *Ingrédients* : 1 gros poulet, beurre, huile, thym, clou de girofle, noix de muscade, farine, 500 ml (2 tasses) de vin rouge, 250 ml (1 tasse) de champignons

🍴 *Niveau de difficulté* : facile

Recette annotée et cuisinée par Pierina Ferrat.
Coupez 1 gros poulet, de ferme si possible, et rissolez-le dans du beurre, de l'huile et des aromates (thym, clou de girofle, noix de muscade). Vous ajouterez un peu de farine après avoir fait absorber le vin rouge. Faites mijoter à feu doux en ajoutant du bouillon, quand c'est nécessaire. Au bout d'environ 30 minutes, ajoutez les champignons frais, idéalement des champignons des bois, sinon, de bonne qualité. Faites réduire jusqu'à ce qu'il ne reste qu'un fond de sauce très condensé.

Le vin conseillé

PINOT NOIR della VALLE D'AOSTA. Couleur rouge rubis tirant sur le grenat, parfum fruité et persistant ; sec, vineux, légèrement tannique.

Pollè i veun é i bauli.

Copède un gran pollè é rosolède-lo avoui
100 gram de beuro, 2 couiglier d'auglio, de
clliau de garoffe é de gnaué moscata. Tchica
de faèna ser pe fée épéssi la soca apri que
lo veun (2 veiro) l' é case to consemo.
Féiède couéé a fouà basse é allondzède, quan
l'è necesséo, avgui de bouglion (1/2 litre).
Apri djemi oira adjeundède 250 gram de
bauli, miou se son de hice couigliä pe le
bouque, difin baste que vo ausso an boua
colito de "champignons" atseuto.
Léchède couéé canque-quan la soca di fon
vigneie tchica épessa.

Salsiccia fritta
Saucisse frite

 Préparation : rapide

Ingrédients : saucisse, citron

Niveau de difficulté : facile

La saucisse fraîche sicilienne est bonne grillée, au four ou frite. Pour la saucisse frite, coupez-la en rondelles que vous glisserez sur des brochettes que vous placerez dans une poêle et que vous couvrirez d'eau à mi-hauteur. Une fois l'eau évaporée, piquez la saucisse et laissez-la dorer dans son gras. Avant de la servir, frottez énergiquement les deux côtés avec 1/2 citron.

Le vin conseillé

 SYRAH della CONTEA di SCLAFANI. Couleur rouge rubis, parfum caractéristique et fruité ; riche et corsé.

Sasizza fritta.

Du' caddozzi a testa. Pigghiati la padeolda, sistimati la sasizza a rota, junciti acqua di cannolu e faciti jugghiri finu a fari svâpurea ri tutta l'acqua.

Punciti la sasizza e facitela cociri dintra lu sò stessu grassu finu a faricci pigghiari lu culuri di l'oru. Prima di 'mpiattari strufimatici supra e sutta mezzu limuni.

Priparativi lu ciascu a lu latu e lu Signuri vi benedica.

Saccu vacanti 'un pô stari a l'addritta.

Saltimbocca alla romana

🕐 *Préparation* : rapide

✕ *Ingrédients* : 2 tranches fines de veau, huile, jambon cru, sauge, beurre, sel, 250 ml (1 tasse) de vin

🍴 *Niveau de difficulté* : facile

Procurez-vous, pour chaque personne, 2 tranches fines de veau d'environ 60 g (2 oz) chacune, salez légèrement et posez sur chacune une petite tranche de jambon cru et une feuille de sauge, enroulez chaque tranche de viande sur elle-même et fixez-la avec un cure-dents. Mettez ensuite sur le feu les saltimbocca avec du beurre et de l'huile, allongez avec le vin, et laissez cuire à feu vif.

Le vin conseillé

MERLOT di APRILIA. Couleur rouge grenat, parfum vineux et caractéristique ; plein et équilibré.

Sartinbocca a la romana.

Fatele tajà dar macellaro 2 fettine da soge.
l'una (a perzona) piuttosto fini, de vitello.
Salatele 'npò e 'nzu ciascheduna d'essa
ce mettete 'ma fetta de presciutto crudo e
'ma foja de sarvia. 'Gni fettina accussì
preparata va arrotolata pé bbene e fermata
co' 'no stuzzicadenti de legno.
Poi 'ndentro 'n padellino mettetece ojo e buro
(robba bbona, però!) e 'ncominciate a côce
li sartinbocca completanno er connimento
co' 'ma tazzina de vino bianco. Fateli côce
a foco forte!

Scaloppine di vitello alla bolognese

Escalopes de veau à la bolognaise

Préparation : rapide

Ingrédients : 6 escalopes de veau, farine, beurre, sel, marsala ou vin blanc sec, 1 tranche de jambon cru, parmesan

Niveau de difficulté : facile

Pour 6 personnes, préparez 6 escalopes de veau, battez-les pour les amincir et farinez-les légèrement. Faites cuire les escalopes dans le beurre des deux côtés, saupoudrez de sel et déposez dans un plat suffisamment grand pour qu'elles ne se chevauchent pas. Récupérez le jus de cuisson, allongez-le avec 30 ml (2 c. à soupe) de marsala ou de vin blanc sec et faites évaporer. Versez cette sauce sur la viande et couvrez chaque escalope d'une tranche de jambon cru et de copeaux de parmesan. Enfournez la viande au four préchauffé à 200 °C (400 °F) jusqu'à ce que le parmesan fonde, ou encore pendant 15 minutes à moitié sur le rond à feu très doux. Servez les escalopes bien chaudes.

Le vin conseillé

SANGIOVESE dei COLLI di IMOLA. Couleur rouge rubis avec des reflets violacés, parfum vineux et délicat ; sec et harmonieux, plein, doux.

Scalupéini ed vidèll a la bulgnäisa.

Par 6 parsàun preparè 6 fätt ed pàulpa ed vidèll, sanza néruv; battili pulid in môd ch'i
véggnen sutili e infarinii da una pèrt e da gl'è
tra. Mitì dal butir a dsfèr in d'una padèla
larga che el fätt i pòssen stèr staisi, brisa ónna in vatta a gl'ètra e fei cùser da 'na pèrt
e da gl'ètra magara azuntandi un cucièr ed
bròd s'ai vléss pr' arivèr a completa cotùra.
Adèss con la furzéina tirè fora ónna pr onna
el fätt, e al sùgh avanzè in dla padèla l'alun-
garè con 2 cucièr ed véin Marsala (o véin bianck
sacch) e fè tirèr un puchtéin a fûgh dàbbel.
Adèss in dal piätt ed metäll stindi el scalupéi-
ni, varsèi in vatta al sùgh, pò sàura a ogni
scalupéina mitì ma fèta ed parsòtt crûd e del
ftléini sutili ed fàurma piotòst zàurna.
Mitì al piätt in dal fàuren féin che al furmài
as sia sciòlt, lassèl par 10-15 minùd a càlàur
moderè e sarvì acsè cheld in tèvla.

Stracotto ai tartufi

🕐 *Préparation* : longue

✗ *Ingrédients* : légumes, huile, beurre, viande, lard, farine, sel, poivre, champignons séchés, vin, bouillon, truffe

🍴 *Niveau de difficulté* : facile

Dans une casserole, faites rissoler pendant quelques minutes des légumes hachés avec de l'huile et du beurre. Ajoutez la viande lardée et farinée, et faites-la rissoler en la remuant constamment. Salez, poivrez, puis ajoutez les champignons (que vous aurez réhydratés 1 heure avant dans de l'eau chaude et que vous aurez essorés). Vérifiez l'assaisonnement, remuez, puis versez le vin avec 250 ou 500 ml (1 ou 2 tasses) de bouillon, laissez cuire à couvert à feu doux pendant 3 heures, en mouillant avec du bouillon si nécessaire. À la fin de la cuisson, retirez la viande, coupez-la en tranches, arrosez du jus passé au tamis et ajoutez de petites tranches de truffe.

Le vin conseillé

BAROLO. Couleur rouge rubis tirant sur le grenat, avec des reflets orangés, parfum intense et éthéré, avec des arômes de violette ou de rose fanée ; robuste et austère, plein et velouté.

Stracheuit a lë trìfole

Ciapolé le verdure e feie rosolé an cassarola con euli e butir, gionteje la carn già stèccà con tochetin ëd lard e peuj anfarinà.
Sé rosolé la carn girandla, ampèvrandla, gionteje i bolé. Pòca sal, mes-cie e vërsé ël vin un ò doi bicer ëd bròd, lassé cheuse a fiama bassa per 3 ore, bagnanda con el bròd, se necessari.
A cotura ultimà, gavé la carn dal feu, tajela a fette, bagnela con el sugo passà, a lë siass e gionteje la trìfola a fette.

Trippa alla fiorentina
Tripes à la florentine

🕐 *Préparation* : rapide

✗ *Ingrédients* : tripes déjà bouillies, oignons, huile, sauce tomate, céleri, carotte, basilic, sel, poivre, parmesan

🍴 *Niveau de difficulté* : facile

Recoupez les tripes, que vous aurez achetées déjà bouillies, en lamelles larges comme des tagliatelles. Dans une casserole en terre cuite, faites revenir un hachis d'oignons dans quelques cuillerées d'huile d'olive. Quand le hachis mousse, jetez les tripes dessus et laissez-les s'imprégner du goût, à découvert, en brassant de temps en temps pour ne pas que ça attache. La réussite de ce plat dépend beaucoup du temps de cette première cuisson, qui doit être suffisamment long pour que les tripes s'imprègnent bien du hachis. Quand vous voyez que les tripes commencent à dorer, ajoutez une bonne quantité de sauce tomate que vous aurez préparée à part de la façon suivante : dans une casserole, mettez des tomates fraîches ou en boîte, pelées et épépinées, avec céleri, carotte, oignon et basilic, et faites bouillir jusqu'à ce que les légumes soient tendres. Passez le tout au moulin à légumes et remettez sur le feu la purée obtenue avec quelques cuillerées d'huile d'olive, du sel et du poivre. Faites bouillir jusqu'à ce que la sauce se mette à gicler. Couvrez et laissez mijoter pendant environ 2 heures. Ajoutez beaucoup de parmesan râpé et servez. Pour obtenir un plat plus « consistant », remplacez la sauce tomate par un jus de viande.

Le vin conseillé

POMINO ROSSO. Couleur rouge rubis vif, parfum intense et caractéristique ; sec, harmonieux, robuste.

CHIANTI CLASSICO

Denominazione di origine controllata

SANTA LUCIA

Zampone

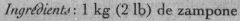

Préparation : longue

Ingrédients : 1 kg (2 lb) de zampone

Niveau de difficulté : facile

Pour 6 personnes, procurez-vous un authentique zampone de Modène. Pour obtenir une bonne cuisson et éviter que le zampone ne s'abîme, voici les précautions à prendre. Piquez la couenne avec une fourchette, faites une incision en croix sous le pied et relâchez légèrement la ficelle qui lie le zampone. Enroulez-le dans un linge propre, liez-le sans serrer et faites-le tremper pendant toute la nuit dans de l'eau froide. Le lendemain, faites-le cuire dans cette même eau, en l'amenant lentement à ébullition. Maintenez une légère ébullition et laissez cuire pendant environ 3 heures. L'habitude la plus courante consiste à servir le zampone avec des lentilles, mais c'est également délicieux avec de la choucroute, de la purée de pommes de terre ou des haricots en sauce.

Le vin conseillé

LAMBRUSCO di SORBARA. Couleur rouge rubis ou grenat, parfum agréable, avec des arômes de violette ; sec ou semi-doux, effervescent, avec une mousse vive et pétillante.

Zampàn.

Par 6 parsàun tuti un vair zampàn ed Modna dal pàis almanch d'un chillo.

Par cùsrel pulid, in môd ch'an se rampa, avî da tôr un' agaccia grôsa, da lina o da ta marazèr, e fèri tant busanein in dla catga; pò fèi un taintéin in vràus satta al pà e alintè un puchtéin al spègh ch'al le tein li ghè. Adèss avtuièl in d'na tàila bianca, lighil e lassél a moi in âqua fradda par tatta 'na nôtt. Al dé dap fèl cùser in dla stassa âcqua, purtàndel al bòi adèsi e mant gnand bàss al fùgh; lassèl cùser par trai àur. A cotùra cumplèta, ch' la s'vad punzàndel con 'na furzéina, as tàia a fàtt e as sérvv in tèvla con al purè ed patèt (o con fasù in òmid).

Secondi di Pesce

Plats principaux
de poisson

Acciughe in teglia

 Préparation : rapide

 Ingrédients : 20 anchois, persil, chapelure, sel, poivre, huile, vinaigre de vin blanc

 Niveau de difficulté : facile

C'est une façon expéditive mais délicieuse de cuisiner les anchois. Nettoyez bien et ôtez la tête de 20 anchois très frais. Étendez-les dans un plat les uns contre les autres. Saupoudrez d'une grande quantité de persil haché, de chapelure, de sel et de poivre. Mouillez avec de l'huile, puis avec du vinaigre de vin blanc. Faites cuire au four et servez très chauds.

Le vin conseillé

CINQUE TERRE. Couleur jaune paille brillant, parfum délicat ; sec, caractéristique, agréable.

Ancioe in testo.

Ô l'è de segu   ô modo ciù svelto pè
cheûxe l'ancioe, e forse forse, anche quellô
ciù gustoso de mangiále. Lavê ben e levei
ghe a testa a 20 ancioe freschixime, Lun
ghele in tô testo unn-a de fianco all'atra.
Metteighe de dato porsemmo tritoû, sâ, peivie e pan grattoû, bagnele d'èuio e axôû
de vin gianco.
Cheûxeile in to forno e offrile câdiscime

Alici in tortiera

🕐 *Préparation* : rapide

✖ *Ingrédients* : 500 g (1 lb) d'anchois, persil, ail, câpres, sel, poivre, chapelure, huile d'olive

🍴 *Niveau de difficulté* : facile

Enlevez les arêtes et nettoyez les anchois frais. Dans un plat huilé, étendez une couche d'anchois ; saupoudrez d'un peu de persil et d'ail hachés, ajoutez des câpres, du sel, du poivre, 45 ml (3 c. à soupe) de chapelure et un filet d'huile d'olive. Ajoutez une autre couche d'anchois et des autres ingrédients et passez le plat au four, à température élevée, pendant environ 5 minutes ou jusqu'à ce que la surface soit dorée. On peut consommer ce plat chaud ou froid.

Le vin conseillé

LEVERANO BIANCO. Couleur jaune paille, parfum agréable et délicat, légèrement vineux ; sec et souple, caractéristique.

Alìce arraganate.

Levà càbbere, spine e ndràme a 600 g d-alìce
frèsche. Doppe ca le si lavate; iùnge d-ègghje
u tiane e mìttele nfìle, e ssope nge-ammine
podrasine e agghje adacciate, ddu chjapparine,
sale, ppepe, trè chseckjare de xuèrze de pane
vècchje grattate e nu fìle d-ègghje.
Fa n-alda passate d-alìce e de la stèssa cònze
e mànnele-o furne (mègghje jind-o furne ngam-
bàgne). Ul fernare sape ca l-av-a levà acquane
ne s-avònne ndorate.
Se pòdene mangià calde o frìdde.

Anemoni di mare fritti
Anémones de mer frites

 Préparation : rapide

Ingrédients : 500 g (1 lb) d'actinie, farine, 2 œufs, sel, huile, sauge

Niveau de difficulté : facile

Il s'agit d'une friture très délicate dont la technique de préparation, qui remonte au temps de la Grande Grèce, n'est connue que
des pêcheurs de la côte du Salento. L'«actinie» ou «anémone de
mer» se trouve difficilement dans le commerce ; on peut se la
procurer soit auprès des pêcheurs, soit auprès des plongeurs, qui
la détachent délicatement de la roche et la mettent dans des
paniers ou des filets.

Procurez-vous donc de l'actinie, rincez et séchez à la perfection.
Farinez et passez dans 2 œufs battus. Salez légèrement et faites
frire dans une grande quantité d'huile d'olive, en ajoutant quelques feuilles de sauge. Égouttez et saupoudrez de sel.

Le vin conseillé

 LOCOROTONDO. Couleur jaune paille limpide, avec des
reflets verts, parfum délicat et agréable ; sec et harmonieux.

Rgddiggus de mara fritts.

Da nu mon ss cògghjsns psrcè fàscsns vsni
l'artéddschs. Da ls vanns du Tasals ls psu-
rscaturs o ls palsmmars ièsssns matts.
Ls còggiàsns, ls mèttsns jìnd-a la rèsrs, ls
portsns a crss, ls lavsns e l-assuchsns.
Po' ngs dànns na passats ds farins e dsl-àts
sbattuts, nu pischs ds sals e ls frìssns.
Ls scuèssns e ngs-ammènsns sops u ssals.

Anguilla marinata
Anguille marinée

🕐 *Préparation* : longue

✗ *Ingrédients* : 1 grosse anguille, sel, 1 litre (4 tasses) de vinaigre, laurier, grains de poivre

🍴 *Niveau de difficulté* : facile

Lavez l'anguille, débarrassez-la de sa peau, et détaillez en tronçons que vous laisserez toutefois attachés entre eux. Faites cuire l'anguille, légèrement saupoudrée de sel, au gril. Alors qu'ils sont encore bouillants, plongez les tronçons dans le vinaigre que vous aurez fait bouillir avec quelques feuilles de laurier et quelques grains de poivre. Cette anguille marinée se conserve longtemps. Toutefois, il faut laisser passer quelques jours avant de la déguster.

Le vin conseillé

🍷 BIANCO di CUSTOZA. Couleur jaune paille, parfum vineux, légèrement aromatique ; sec, souple, légèrement amer.

Bisato marinà.

Lavar, netar pulito, un grosso bisato, tagian-
dolo a murèli che se lassa tocai par la
schiena. Farlo rostir su la grela, apena
spianzà de sal.
Intanto se parecin 1 litro de aséo co qual
che fogia de lauro e qualche gran de pevare. Se mete dentro a sto composto el bisato ancora caldo e pò se lassa par qual
che giorno che el se màsora co l' aséo.
El vien un magnareto delicato e savoroso.

Aragosta lessata
Langouste bouillie

🕐 *Préparation* : rapide

🍴 *Ingrédients* : 1 langouste vivante, citron, huile, sel, persil

🍴 *Niveau de difficulté* : facile

Portez à ébullition une grande quantité d'eau salée et acidulée avec du jus de citron et jetez-y la langouste encore vivante. Faites-la cuire pendant 20 ou 30 minutes selon la grosseur. Laissez-la refroidir dans son eau de cuisson, puis extrayez-la de sa coquille et coupez-la en tranches. Assaisonnez la langouste avec de l'huile, du sel et du persil haché.

Le vin conseillé

 VERMENTINO di GALLURA. Couleur jaune paille avec des reflets verts, parfum subtil, avec un bouquet délicat et long ; sec, chaud, souple, avec un fond légèrement amer.

Aligusta buddida.

Accappiai beni s'aligusta bia, poi ghettaidola
in acqua buddendi salia lassendidola po bin-
ticinqu minutus. Lassaidda sfridai in su bro-
ru suu, poi bogaindi sa pruppa, segaidola a
tancheddus e ponei in d'unu prattu de portara
Tritai una manciara de perdusemini in pari
cun d'una tittula de allu. Ghettai su tritu in
d'unu tianeddu de terra, acciungi mera ollu
de ulia e su sali: ammisturai beni, poi ghettai
sa bagna ottegna a pizzus de s'aligusta beni po-
sta in su prattu de portara. Lassai reposai calin-
cina ora prima de serbiri.

Arselle a schiscionera

🕐 *Préparation* : longue

✕ *Ingrédients* : 1 kg (2 lb) de palourdes, ail, persil, sel, citron, huile, pain râpé

🍴 *Niveau de difficulté* : facile

Mettez les palourdes à tremper dans une grande quantité d'eau salée, 12 heures avant la préparation. Dans une grande casserole, faites ouvrir les palourdes à feu doux en les remuant. Celles qui ne s'ouvrent pas ne seront pas utilisées. Préparez un hachis avec 2 ou 3 gousses d'ail, 1 poignée de persil, du sel et le jus de 1/2 citron. Rissolez le hachis dans 45 ml (3 c. à soupe) d'huile d'olive vierge et ajoutez les palourdes avec leur coquille. Faites revenir le tout pendant 7 minutes en remuant. Versez de l'eau dans la casserole (vous pouvez utiliser l'eau de trempage des palourdes, si elle est bien filtrée) et laissez bouillir à feu moyen pendant 15 minutes, après quoi vous saupoudrerez de pain râpé et laisserez cuire pendant encore quelques minutes.

Le vin conseillé

🍷 NASCO di CAGLIARI. Couleur allant du jaune paille au doré, parfum délicat avec un léger arôme de raisin ; caractéristique, sec ou semi-doux.

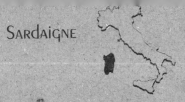

Cocciula a schiscionera.

De sa di primu poni a spurgai unu chilu
de cocciula in acqua, tuppara cun d'unu co
lapasta. Sa di infattu poneiddas a fogu biu
tu in d'una cassarola senz'e acqua e lassai
chi s'operinti, fuliendi cussas chi atturanta ser
raras. Struggioi sa acqua aundi anti spurgau
is cocciulas e lassai decantai de modu chi
s'arena caliri in su fundu (attenzioni a su
tifu!). Operri is cocciulas e faiddas rosolai a
intr'e su craxu in ollu de ulia aundi c'esti
già stettiu acciuntu unu tritu de allu, pre
obusemini e sali; ghettai s'acqua lassara decan
tai senz'e ci fai calai s'arena de su fundu
e pai fai buddiri a fogu lentu po doxi minu
tus. Spruinai in pizzus de is cocciulas unu
pagu de pani trattau e lassai coi ancora u
nu pagu ammisturendi d'ugna 'ntanti.
Bolendi, prima de serbiri, asciungi unu
pagu de limoni.

Baccalà alla marchigiana
Morue à la façon des Marches

🕐 *Préparation* : longue

✗ *Ingrédients* : 1,25 kg (2 1/2 lb) de morue salée, farine, ail, huile, 6 tomates pelées, sel, poivre

🍴 *Niveau de difficulté* : facile

Coupez en tranches la morue dessalée et déjà trempée, retirez les arêtes, farinez et faites frire. Réservez la morue sur du papier absorbant de sorte qu'elle perde le gras de friture. Dans une casserole, faites revenir 2 gousses d'ail hachées dans 125 ml (1/2 tasse) d'huile. Quand l'ail commence à se colorer, versez dans la casserole 6 tomates pelées, épépinées et coupées en morceaux. Salez et poivrez, puis faites cuire la sauce. Déposez la morue dans un plat et versez dessus la sauce bouillante. Servez immédiatement.

Le vin conseillé

FALERIO dei COLLI ASCOLANI. Couleur jaune paille, parfum léger et délicat ; sec, harmonieux, légèrement acidulé.

Bacalà a la marchigiana.

Còmprete 1.200 Kg. de bacalà indulcito e bèl'e molato. Tàjelo a trance, lèv' je 'l spì, infarinelo e frigelo. Tiélo in caldo int'un fòjo de carta giala, de modo che perde l'onto de fritura. Int'un tigame, fa' sufrige in mèzo bichiere d'ojo, 2 spiguli d'ajo trunciati.

Quanto che l'ajo' incumincia a culurisse, buta intel tigame 6 pumidori spelati, senza semini e stajuzati.

Da' 'na giostata a sale e pepe, pò fa' riva a cutura 'l sciugo. Mete 'l bacalà in te 'na fiamenga e biitece sopro 'l sciugo bulente.

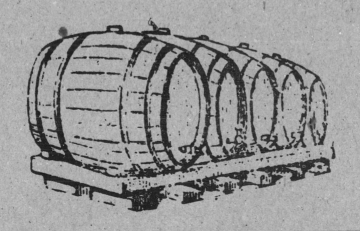

Baccalà alla triestina
Morue à la façon de Trieste

Préparation : longue

Ingrédients : morue salée, pommes de terre, sel, huile, olives noires, raisins secs, 250 ml (1 tasse) de vin blanc sec

Niveau de difficulté : complexe

Laissez tremper la morue pendant une nuit entière. Coupez-la en gros morceaux et enlevez les arêtes (s'il y en a). Dans un plat en verre, étalez une couche de pommes de terre tranchées, salez, mouillez avec de l'huile d'olive ; couvrez d'une couche de morue, de quelques olives noires, de quelques raisins secs, et mouillez avec de l'huile d'olive. Répétez l'opération et terminez avec une couche de pommes de terre et un filet d'huile d'olive. Ajoutez le vin blanc sec et faites cuire au four préchauffé à 220 °C (425 °F) pendant 1 bonne heure. Les pommes de terre du dessus doivent être dorées et croustillantes. Servez avec de la polenta.

Le vin conseillé

TOCAI FRIULANO di AQUILEIA. Couleur jaune paille doré, parfum délicat et caractéristique ; sec, avec un arrière-goût aromatique.

Bacalà ala triestina.

Lassè a smaio el bacalà par una note. Taiè a tochi grandeti, tireghe via i spini. Metè in una tecia un strato de patate a fetine, salè e bagnè co' aio de oliva; metè sora un strato de bacalà, un dò olive nere, un dò grani de ua, bagnè de aio; po' un strato de patate e dò denovo el bacalà. Devè finir co' le patate e de sora aio de oliva. Zontè un bicer de vin bianco. Cusinè in forno par una oreta, zirca. De sora le patate deti ciapar color.
Servì co' la polenta.

Baccalà fritto con la pastella

🕐 *Préparation* : longue

✖ *Ingrédients* : morue salée, persil, ail, 1 œuf, 125 ml (1/2 tasse) de vin blanc sec, sel, poivre, huile, farine

🍴 *Niveau de difficulté* : facile

Après une nuit de trempage, coupez la morue en morceaux pas trop gros que vous plongerez dans une pâte à beignets préparée avec un hachis de persil et d'ail, 1 œuf, le vin blanc sec, du sel, du poivre, 30 ml (2 c. à soupe) d'huile et autant de farine qu'il en faut pour obtenir un pâte pas trop fluide. Faites frire les morceaux de morue dans une grande quantité d'huile, et laissez-les s'égoutter sur une feuille de papier absorbant. Servez très chaud.

Le vin conseillé

BIANCO di BREGANZE. Couleur jaune paille, parfum vineux, délicatement intense ; sec, rond, frais, corsé.

Bacalà frito co la pastèla.

Lassar in mogie el bacalà par una note intie
ra e dopo tagiarlo a tochi, no tanto grandi,
e passarli in una pastèla, pareciada co 2
sculieri de ogio, un vovo, un pugneto de pa
zemolo trità co l'agio, mezo goto de vin bian
co seco e tanta farina de fior quanta che be
sta par far una pastèla un poco rusibidete,
ma no massa.

Intanto se mete sul fogo una farsora piena
de ogio e, quando che el xe bogiente, se me
te dentro i tochi de bacalà impastelai e se
li lassa frisar fin che i deventa crocanti.
Se li mete a sgiossizar su un fogio de car
ta da bechèri e se li serve caldissimi.

Baccalà in « *guazzetto* »

🕐 *Préparation* : rapide

🍴 *Ingrédients* : 1 kg (2 lb) de morue salée déjà trempée, huile, 1 oignon, 500 g (1 lb) de tomates, persil, sel, poivre, pignons, raisins de Corinthe

🍴 *Niveau de difficulté* : facile

Pour 6 personnes. Coupez la morue en morceaux pas trop gros. Faites blondir dans de l'huile 1 oignon émincé et ajoutez 500 g (1 lb) de tomates. Laissez réduire les tomates, incorporez une touffe de persil haché, du sel et du poivre, et enfin, la morue. Faites cuire à feu doux. La particularité de cette recette réside dans la dernière touche : 1 poignée de pignons et 1 poignée de raisins de Corinthe que vous mélangez à la morue. Laissez le poisson s'imprégner du goût.

Le vin conseillé

🍷 COLLI ALBANI. Couleur jaune paille, parfum vineux et délicat ; sec ou demi-sec, semi-doux ou doux, fruité.

Bacalà a la marchigiana.

Còmprete 1.200 kg. de bacalà indulcito e bèl'e molato. Tàjelo a trance, lèv' je 'l spì, infari nelo e frigelo. Tièlo in caldo int 'un fòjo de carta giala, de mool che perde l'onto de fritura. Int 'un tigame, fa' sufrige in mèzo bicchiere d'ojo, 2 spiguli d'ajo trunciati.
Quanto che l'ajo incumincia a culurisse, buta intel tigame 6 pimidori spelati, senza semini e stajuzati.
Da' 'ma giostata a sale e pepe, pò fa' riva a cutura 'l sciugo. Mete 'l bacalà in te 'ma fiamenga e buitece sopro 'l sciugo bulente.

Brodetto di pesce

🕐 *Préparation* : longue

✕ *Ingrédients* : 2 kg (4 lb) de poisson (mulet, rouget, sole, émissole, rascasse, saint-pierre, cigale de mer, seiche), ail, huile, 250 ml (1 tasse) de sauce tomate, sel, poivre, 125 ml (1/2 tasse) de vinaigre fort (ou de vin blanc sec), persil

🍴 *Niveau de difficulté* : facile

Les poissons utilisés le plus couramment dans ce plat désormais célèbre de la côte de Romagne sont le mulet, le rouget, la sole, l'émissole, la rascasse, le saint-pierre, la cigale de mer et la seiche. Cette sélection varie d'une région à l'autre : ce qui est indispensable, c'est que le poisson soit très frais et bien nettoyé. Pour 6 personnes, il faut compter environ 2 kg (4 lb) de poisson. Dans une casserole grande et basse, faites revenir 4 ou 5 gousses d'ail, que vous enlèverez sitôt grillées, dans 1 verre d'huile. Ajoutez alors la sauce tomate, du sel, du poivre et le vinaigre fort. Aujourd'hui, on a tendance à remplacer le vinaigre par du vin blanc sec. Quand le vinaigre ou le vin se sera totalement évaporé, ajoutez le poisson que vous couvrirez d'eau, et une grosse poignée de persil haché, du sel et du poivre. Pensez à placer au fond de la casserole d'abord les poissons les plus difficiles à cuire, comme la seiche et la cigale de mer, puis les autres, selon leur tendreté. Faites cuire à feu doux sans couvercle jusqu'à ce que le poisson vous semble cuit, c'est-à-dire pendant environ 30 minutes. Laissez reposer le brodetto pendant quelques minutes, puis servez-le avec des croûtons de pain grillés ou frits.

Bröd ad pès.

Sta preparazión, incù s'è va bén un pö fura möda, l'era una vôlta un bël pö usèda int la maréna rumagnôla, parché la fasèva bon e la gustèva pôc.
U s' pö druvè al tëst e j artèj ad tot i pès, basta ch'i sípa bèn puli e lavè.

Int una pignata fasi ciapè e' culor in pôc öli e e int una mös d' brutù un batù ad carôta, sàral e zvöla. Unì j artèj piôtöst abundént di pès e las sì sufrézar a fug bas armis-cend spess.

Dôp. zirca 10 minut azunzi la quantitè d'aqua ch'u j vö par e' bröd ch avlì fè e e' sël nicisëri. Fasi butì par squési 3/4 d'ora. Passè tot par e' colabröd. A puti adruvè e' bröd ad pès par una bona mnèstra cun e' ris, ch' l' è la su mörta, o cun i pasadén (u j è la rizèta) o i tajadël fët inca.

Cacciucco

⏱ *Préparation* : longue

✕ *Ingrédients* : 1,5 kg (3 lb) de poisson (émissole, lotte, sole, rouget, grondin perlon, gobie, cigale de mer, selon la saison), huile, ail, oignon, piment fort, 3 à 4 grosses tomates, persil, 500 ml (2 tasses) de vin blanc sec, 500 ml (2 tasses) d'eau, sel, tranches de pain grillé beurrées à l'ail

🍴 *Niveau de difficulté* : facile

Le cacciucco est une soupe de poissons piquante et aromatique, typique de la côte toscane, entre Viareggio et Livourne. Et c'est justement Livourne qui est, pourrait-on dire, sa capitale. C'est que ce plat, aussi substantiel et «de choc» pour l'estomac que flatteur pour le palais avec ses saveurs marines, devient digeste comme un bouillon aux vermicelles si on le fait suivre de la «bombe», c'est-à-dire le punch de Livourne. Le poissonnier pourra vous suggérer la qualité et la quantité de poisson qui convient le mieux à ce plat qui trouve justement sa force dans l'association de types de poissons très divers : il faut une partie de poissons à la coupe, comme l'émissole, la lotte, etc., et des poissons plus fins comme la sole et le rouget, le grondin perlon indispensable, en plus du gobie, de la cigale de mer, etc., selon la saison. On laisse entiers les poissons les plus petits, on coupe en morceaux les plus gros. Prenez une grosse casserole en terre cuite et versez-y 250 ml (1 tasse) d'huile d'olive dans laquelle vous ferez revenir un hachis d'ail et d'oignon avec un piment fort. Dès que le hachis commence à se colorer, ajoutez les tomates pelées et épépinées, 1 poignée de persil haché, le vin blanc sec et l'eau.

Salez, portez à ébullition et continuez à faire bouillir pendant environ 30 minutes. Lorsque le liquide s'épaissit, déposez le poisson dans la casserole en commençant par les poissons de qualité plus dure, puis les autres. Ne touchez pas au poisson, car il ne doit pas se défaire. Préparez à part des tranches de pain grillé beurrées à l'ail et déposez-les au fond des assiettes creuses, où vous verserez le poisson avec son bouillon, après l'avoir fait cuire à feu doux pendant une quinzaine de minutes.

Le vin conseillé

BIANCO PISANO di SAN TORPÈ. Couleur jaune paille clair, parfum vineux ; sec et harmonieux.

Calamaretti crudi

🕐 *Préparation* : longue

✕ *Ingrédients* : 1 kg (2 lb) de petits calamars, oignon, huile, vinaigre, piment, persil

🍴 *Niveau de difficulté* : facile

Il faut des calamars tout petits et, évidemment, très frais. Lavez soigneusement à l'eau courante environ 1 kg (2 lb) de calamars, et hachez-les. Déposez dans un saladier et assaisonnez avec l'oignon haché menu, de l'huile, du vinaigre, du piment et du persil haché. Laissez mariner dans un endroit frais pendant environ 1 heure avant de servir.

Le vin conseillé

🍷 **PENTRO di ISERNIA BIANCO.** Couleur jaune paille, parfum délicat et caractéristique ; sec, harmonieux, frais et intense.

Calammaritti crui

Ci serveno calammaritti picchili picchili e, naturarmende, frischissimi. Allavteij boni boni, co l'acqua corrende, quaci nu chilu e, nel taijaji ridicetij a pizzittini. Mettetij a 'nanzalatiera e accongetij co mezza cipolla fatta a fittine fine, oiju, aciti, pipiruncinu e prezzemulu tritatu.

Prima de passaij, lascetij repusà alla friscu pe quaci n'ora.

Calamari ripieni
Calamars farcis

 Préparation : rapide

Ingrédients : 2 calamars, 250 ml (1 tasse) de chapelure, persil, ail, sel, poivre, huile

Niveau de difficulté : facile

Nous passons au large de la stupéfiante Taormina, qui réveille d'autres canaux de notre mémoire, et nous apercevons subitement la plage des Cyclopes, qui fut le théâtre de la colère de Polyphème et de la mort malheureuse de Acis, amant de Galatée. Les récifs émergent, spectraux, d'une mer dangereuse. Dans ces eaux, parfois si calmes, firent naufrage le bateau du mythique Ulysse et la barque agile de Padron 'Ntoni. Nous accostons joyeusement à Acitrezza et, dans le petit port, à peine dépassé la coulée de lave, apparaît la terrasse accueillante d'un petit restaurant, dont les tables sont déjà préparées pour le déjeuner. Un bon verre de vin blanc frais étanche notre soif, puis nous commandons un plat local. On nous conseille les calamars farcis et nous ne protestons pas. Une expérience exceptionnelle, nous vous l'assurons!

Il faut 2 calamars de taille moyenne par personne. Nettoyez-les, enlevez la membrane externe des «poches» et séparez la tête des tentacules, que vous hacherez. Dans une poêle légèrement huilée, faites griller la chapelure, à laquelle vous ajouterez le hachis de poisson. Versez le mélange dans un bol et ajoutez 15 ml (1 c. à soupe) de persil haché, 2 gousses d'ail également hachées, du sel et du poivre. Travaillez le tout avec une spatule de bois, en diluant avec quelques gouttes d'huile. Remplissez les poches des calamars de cette farce et refermez avec des cure-dents. Alignez les calamars dans un plat en pyrex bien huilé, arrosez-les d'huile d'olive, vérifiez le sel et le poivre, puis enfournez-les. Servez les calamars bien chauds.

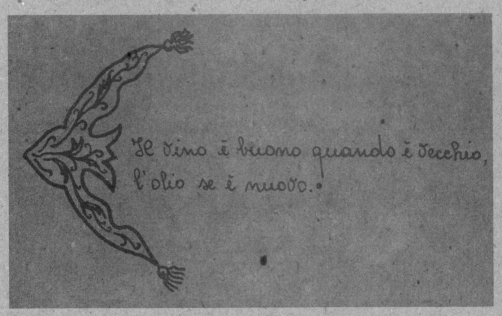

Il vino è buono quando è vecchio, l'olio se è nuovo.

Le vin conseillé

BIANCO ALCAMO. Couleur jaune paille clair, avec des reflets verts, parfum délicat; sec, sapide, frais et fruité.

Calamari stipati.

Stu piattu prilibatu
Fici Aci a lu sò amuri
Chi delizia chi sapuri
Cui lu tasta n'è 'ncantatu!

Dui calamari beddi grossi a testa. Puliziatili
sutta lu cannolu, scippati li ranfi di la testa
e livàti la pellicula di la sacchina. Ora affit
tàti a pizzudda a pizzudda li ranfi, pripara
ti 200 grammi di pani grattatu e dintra na
padedda cu 'na sbrizza d'ogghiu faciti caliàri
'stu pani e. riminannu riminannu, 'muscatici
li ranfi tagghiati.
A 'stu puntu pigghiati un tianeddu, sbarrati
pani e pisci ddà dintra, juncitici 'n'anticchia
di pitrusinu tritatu, dui spicchia d'agghia smi
nuzzata, 'na sbrizza di sali e un pizzicu di pi
pi macinatu.
Mittiti lu tianu supra lu focu e, cu 'na cucchia
ra di ligna, 'ncuminciati a riminari juncen
nu qualchi goccia d'ogghiu. A puntu giustu jnchi
ti la sacchina di li calamari cu 'stu priparatu

chiudennula cu un palicu 'nfilatu tra labbru e labbru. Pigghiati 'na tigghia unta d'ogghiu, disponitici li calamari 'nuprinati, salsatici di supra 'n'atra sbrizza d'ogghiu, aggiustati cu sali e pipi e 'nfurnati. Appena prontu, ancora cavudi cavudi, 'npiattati e rinfriscativi lu gar garozzu cu bicchiera di vinu biancu e friscu, megghiu si di la zona chi lu chiamanu "Ciclopu.

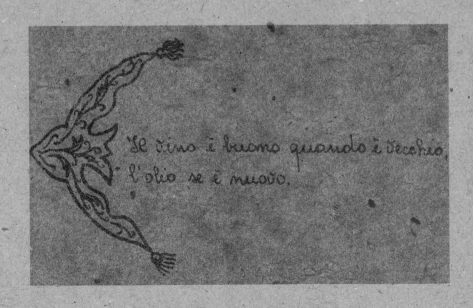

Il vino è buono quando è vecchio, l'olio se è nuovo.

Canocchie ripiene
Cigales de mer farcies

🕐 *Préparation* : longue

✕ *Ingrédients* : 1 kg (2 lb) de cigales de mer, chapelure, ail, persil, huile, sel, poivre, citron

🍴 *Niveau de difficulté* : facile

Pour cette spécialité de la côte ravennate, nettoyez avec soin les cigales de mer. Dans un bol, préparez une farce avec 60 ou 75 ml (4 ou 5 c. à soupe) de chapelure, 2 gousses d'ail et une touffe de persil haché, une bonne quantité d'huile, du sel et du poivre. Farcissez les cigales de ce mélange et faites-les cuire au gril, en les retournant souvent. Servez-les juste à point avec du jus de citron.

Le vin conseillé

🍷 TREBBIANO di ROMAGNA. Couleur jaune paille, parfum vineux et agréable ; sec, sapide et harmonieux.

Canòcc rimpìdi.

Par sta specialitê dla marèna rumagnôla,
calculí quési 1 Kg. ad canòcc, pulìli e lavéli
bèn bèn. Int una tirèna preparé un ripìn
cun 4 o 5 cuciarê d' pân gratê, 2 spigul d' àj e
un ciòf d' pidarsul tridê, un bèl pö d' öli, sêl
e pwar. Cun ste ripìn rimpì al canòcc e fasi
cùsar sôra la gardèla, vultènolli spess.
Purtèli in têvla apèna pronti cun öli e limôn.

Cannolicchi arrosto

Préparation : rapide

Ingrédients : 750 g (1 1/2 lb) de cannolicchi vivants, origan, sel, chapelure, huile, citron

Niveau de difficulté : facile

Un plat simple et délicat que l'on cuisine de Barletta à Manfredonia. Procurez-vous des cannolicchi vivants. Ouvrez-les, ôtez une valve, et assaisonnez d'origan et de sel, avec de la chapelure et beaucoup d'huile d'olive. Déposez-les avec leur valve sur le gril et faites-les cuire pendant 3 minutes. Assaisonnez de jus de citron et servez.

Le vin conseillé

GALATINA BIANCO. Couleur jaune paille, parfum délicat, légèrement fruité ; sec et perlant.

Cannolicchja arrastuta.

S-accattana 800g. da cannolicchja viva viva. Sa lèva la scorza ola sopa, sa cònuana iuna iu na cha righan-e ssala, pana grattata e assà ègghja. Sa mèttana cha tutta la scorza sop-a lla raticua, e sa fàscana coca ttrì manuta. Acquanna s-avanna chasciùta, sa sprèma sopa na goca ola lamana.

Cappe sante in forno
Coquilles Saint-Jacques au four

🕐 *Préparation* : longue

✕ *Ingrédients* : coquilles Saint-Jacques, beurre, huile, persil, ail, sel, poivre

🍴 *Niveau de difficulté* : facile

Lavez soigneusement les coquilles Saint-Jacques et faites chauffer sans eau dans une casserole pour qu'elles s'ouvrent. Ôtez une valve, déposez les coquilles Saint-Jacques dans un plat et assaisonnez-les d'une sauce que vous aurez émulsionnée dans un bol avec 1 noix de beurre liquéfiée, de l'huile, beaucoup de persil et un peu d'ail hachés, du sel et du poivre.
Enfournez au four préchauffé à 180 °C (350 °F) jusqu'à la formation d'une croûte dorée.

Le vin conseillé

🍷 PINOT GRIGIO del PIAVE. Couleur allant du jaune paille au rosé clair, parfum intense et caractéristique ; velouté, souple et harmonieux.

Càpe sante in forno.

Metarle sul fogo in una tecia granda, senza acqua, parché le se versa. Cavarghe un sgusso (una scor za) e metarle in un'altra tecia, co un fiantìn de sesto, de modo che el corpo de la capa staga par se ra. Intanto, a parte, se fa una salseta sbatendo den tro una tarinela un tòco de butiro za sciolto co un poco de ogio, un pugno grando de parsemolo trità insieme co un spigòleto de agio, sal e pevare. Co la salsa xe pronta, se la sparpagna sora le cape che va messe in forno a calor medio.

Cefalo con zucchine
Mulet aux courgettes

🕐 *Préparation* : rapide

🍴 *Ingrédients* : 6 mulets, courgettes, sel, poivre, beurre, persil

🍴 *Niveau de difficulté* : facile

Videz 6 beaux mulets, lavez et séchez. Déposez-les dans un plat
en pyrex bien beurré, en alternant avec des tranches de courgette
tendres. Salez, poivrez, mouillez avec du beurre fondu, saupoudrez de persil haché et enfournez à température modérée pendant
environ 30 minutes. Servez dans le plat de cuisson.

Le vin conseillé

🍷 **VERMENTINO** dei **COLLI** di **LUNI**. Couleur jaune paille
intense, parfum caractéristique et fruité ; sec, harmonieux,
avec un goût délicat d'amande.

Cefalo con succhinn-e

Sventrè 6 cefali grossci, laveli e sciûgheli ;
metteili in te unn-a pirofila ben bûtirrâ ,
alternando pescio e succhinn-e affettè a di
schetti. Sâlè , peiviè e bagnè ancàlin con bû
tiro sciolto. Guarni de porsemmo trito e infor
nè a càdo pe mezz' ôä. Servì in tô ciattô de
cheûttua.

Cernia al forno
Mérou au four

Préparation : rapide

Ingrédients : un mérou de 1,25 kg (2 1/2 lb), ail, persil, sel, poivre, laurier, huile

Niveau de difficulté : complexe

Lavez le mérou sans enlever la peau, videz-le et placez-le dans un plat en pyrex. Remplissez le ventre avec 1 gousse d'ail, 1 touffe de persil, du sel, du poivre, une feuille de laurier et un peu d'huile. Versez un filet d'huile sur le poisson entier et faites cuire à four déjà chaud pendant 20 minutes.

Le vin conseillé

CIRÒ BIANCO. Couleur jaune paille, parfum caractéristique ; délicat et harmonieux.

Cernia a l'agghiotta.

Firdinannu a Lampidusa
Vosi genti e li purtò.
Ddà 'na vecchia ginirusa
'Stu piattu ci cunzò !

Priparàti sei beddi feddi di cernia, pigghià
ti un tianu e mittitici mezzu bicchieri d'og
ghiu bonu facennu suffrijiri : 'nu spicchiu
d'agghia, mezza cipudda, 'na testa d'accia. A suf

359

Datteri al sugo

Préparation : longue

Ingrédients : 1 kg (2 lb) d'amandes de mer, 1 oignon, huile, laurier, poivre, vin blanc sec, tranches de pain grillé

Niveau de difficulté : facile

Faites tremper pendant 30 minutes, dans de l'eau salée, les amandes de mer lavées, raclées et égouttés. Dans une casserole, faites revenir 1 oignon émincé dans une grande quantité d'huile d'olive, puis jetez-y les amandes de mer avec quelques feuilles de laurier et du poivre. Mélangez, agitez la casserole, mouillez avec du vin blanc sec, retirez le laurier et versez dans les assiettes creuses où attendent des tranches de pain grillé.

Le vin conseillé

MALVASIA ISTRIANA del COLLIO. Couleur jaune paille avec des reflets dorés, parfum caractéristique et intense ; sec, rond, harmonieux.

Datoli de mar in squareto.

Ciolè un chilo de datoli de mar, lavèli, scar
tazeli, scoleli, dopo gaverli lassadi per una
mera oreta in aqua salada.

Ze' inzalir in una tecia una rivola tazada,
issai sio de oliva, buteghe dresto i datoli co'
un dò foie de làvarino e pevere. Missiè, scassè
la tecia, bagnè de vin bianco, tirè fora el là
varno e poxèli nei piati fondi, dove gaverè mes
so fete de pan brustolà.

Filetti di pesce persico
Filets de perche

 Préparation : rapide

 Ingrédients : farine, filets de perche, beurre, sauge, citron

Niveau de difficulté : facile

Farinez les filets, que vous pouvez acheter déjà préparés, faites-les frire dans le beurre avec quelques feuilles de sauge jusqu'à ce qu'ils prennent une couleur dorée. Dès qu'ils sont cuits, retirez les filets à l'aide d'une spatule pour ne pas les casser, et déposez-les sur le plat de service avec des quartiers de citron.

Le vin conseillé

 BIANCO dei COLLI MORENICI MANTOVANI del GARDA. Couleur jaune paille, parfum délicat et caractéristique ; sec, sapide et harmonieux.

Filètt de pess persic -

J filètt se trœuven giamò preparàa e se passen a la farina, per faj frigg cónt el buttér tiràa al ross, insèmma a queij fœuja de erbasavia. Cœusen in prèssa e se leven da la padèlla con la paletta per non rompi e se metten sóra el piatt de portada, con queij fettinn de limon.

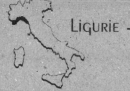
Fritto misto alla ligure

Préparation : rapide

Ingrédients : 1,5 kg (3 lb) de petits rougets, calamars ou gambas, homards, farine, huile, sel, citron

Niveau de difficulté : facile

Achetez des rougets de roche de petite taille, des calamars et des homards, pour un poids total de 1,5 kg (3 lb). Lavez sommairement les poissons et les fruits de mer, enlevez la tête des calamars et coupez-les en rondelles fines. Séchez bien, farinez, et faites frire dans de l'huile bouillante, en salant à la toute fin. Cette friture se sert très chaude avec quelques tranches de citron.

Le vin conseillé

CINQUE TERRE. Couleur jaune paille intense, parfum délicat ; sec, caractéristique, agréable.

Frito vario a ligure.

Accattè trigge de scœggiü, totani e gambai
tanti pè fà 1 chillo e mezô de pescio. Lavè, mö
troppo pe ô sotti, trigge e gambai, mentre i totani, pè a testa, taggeli ad anello. Sciughi ben,
passeli in ta faenn-a e frizzei tutto in èuio
bôggente, sâlando a fin.
Ô frito ô va servio câdo e guarnio de fette de
limon.

Gamberi imperiali

🕐 *Préparation* : longue

✕ *Ingrédients* : gambas, huile, ail, persil, basilic, thym, marjolaine, 250 ml (1 tasse) de vin blanc sec, sel, poivre, paprika

🍴 *Niveau de difficulté* : facile

Voici une recette qui aurait plu à Lin Yutang pour son livre *L'importance de vivre*. En fait, c'est une sorte de prélude à la vie contemplative. Commencez en faisant revenir les gambas dans de l'huile aromatisée d'ail (2 gousses d'ail que vous faites dorer puis que vous enlevez). Ajoutez du persil, du basilic, du thym, de la marjolaine, et mouillez avec le vin blanc sec. Assaisonnez avec du sel, du poivre et une pincée de paprika. Couvrez et laissez cuire à feu doux pendant une dizaine de minutes. Décortiquez les gambas et plongez leurs carapaces dans un bol rempli de vin blanc sec, que chaque hôte a devant lui. Après avoir dégusté les gambas et rempli les bols de leurs carapaces, écrasez-les légèrement et savourez le vin. Pour goûter à un autre raffinement, ne buvez pas le vin, mais versez-le plutôt dans une casserole avec les carapaces, en y ajoutant un bon bouillon réduit. Faites bouillir pendant 5 minutes, filtrez et dégustez très chaud.

Le vin conseillé

BBIANCO di CUSTOZA. Couleur jaune paille, parfum vineux, légèrement aromatique ; sec, souple, légèrement amer.

Patacéto de gambari.

El molto onorevole Lin-Yu-Tang gavaria vudo a caro de conossar sta riçeta par metarla nel so libro " L' importanza di vivere". Par che sto magnaréto sia fato par quei che se dà ala vita contemplativa.

Se scominzia intanto a far rosolar i gambari ne l'ogio profumà de agio (2 spigoleti de agio fati' deventar rossi e pò cavài), insieme co parssimolo, basilico, timo, magiorana, ben tritai e bagnai co un goto de vin bianco seco, sal, pevare e una puntina de peprica. Se ghe mete el covercio e se lassa cusinar par 10 minuti' abondanti. Davanti al piato de ogni persona ghe sarà una scuelèta piena de vin bianco seco indove che se metarà i scorzi dei gambari, dapo a vergnr magnà la polpa. Finio de magnar i gambari, se schissa col piron i sorzi che xe dentro la scuelèta e se beve el vin col sugheto delirioso.

Y più rafinati, rancura tuté le scuelète de vin e de scorsi, le buta tute in una pignata co la zonta de un poco de brodo ristrèto. Lassar bógiar par 5 minuti e pò filtrar e bevar caldissimo sto balsamo real.

Gattucci di mare
Chats de mer

🕐 *Préparation* : rapide

✕ *Ingrédients* : 3 ou 4 chats de mer, noix, pignon, ail, persil, vinaigre blanc, pain râpé

🍴 *Niveau de difficulté* : facile

Lavez et enlevez la peau de 3 ou 4 chats de mer, en ôtant la tête et le foie (réservez le foie), et débitez en tronçons. Faites bouillir les tronçons de chat de mer avec le foie dans de l'eau salée. Extrayez le foie à peine cuit et pilez-le au mortier avec 5 ou 6 noix et des pignons. Pendant ce temps, faites revenir un hachis composé de 2 gousses d'ail et de persil ; dès que l'ail prend une couleur dorée, versez-y le mélange à base de foie, ajoutez 15 ml (1 c. à soupe) de vinaigre blanc et 15 ml (1 c. à soupe) de pain râpé. Laissez revenir encore un peu, puis versez la sauce sur le poisson que vous aurez déposé dans un plat de service. Laissez refroidir.

Le vin conseillé

🍷 **MANDROLISAI ROSATO.** Couleur rosée tirant sur le rouge cerise, parfum vineux et caractéristique ; sec, sapide, harmonieux et velouté.

Burrida.

Si segara ad arrogus sa gattu de mari; si scroriara e si segara a tancheddus e si fai bud dixi in acqua salia in pari cun su figau. Candu tottu esti cottu, si fairi unu pista cun su figau e is mexis. Si preparara unu suffrit tu in ollu de ulia cun pordusemini e allu, e poi s'acciungiri puru su figau cun is nuxis. Si fai coi ancora unu pagu e s'acciungi me ra callenti a sa gattu de mari. Candu tottu i hirau, si fairi una bagna callara cun axedu e pani trattau chi si 'nci ghettara a pixxus de sa gattu de mari. Lassai a reposai su tot tu, de modu chi di intri beni su condimen tu, a su mancus po dexi oras in d'unu tianu tuppau.

Impepata di cozze

Préparation : rapide

Ingrédients : 2 kg (4 lb) de moules, persil, poivre

Niveau de difficulté : facile

Pour ceux qui apprécient la saveur des moules, il n'y a pas de meilleure façon de les déguster ni plus simple. Pour 6 personnes. Lavez et raclez avec soin les moules. Mettez-les à cuire dans une grande casserole, avec de l'eau à couvert. Quand èlles commencent à s'ouvrir, ajoutez une bonne pincée de poivre et une belle touffe de persil haché. Poursuivez la cuisson pendant quelques minutes, et servez les moules dans leur bouillon de cuisson. Vous pouvez également préparer les palourdes de cette façon.

Le vin conseillé

GRECO di TUFO. Couleur jaune paille ou doré, parfum agréable et caractéristique ; sec, léger et harmonieux.

'A 'mpepatella 'e cozzeche-

Pe chi apprezza 'o sapore d'e cozzeche nun 'nce stà modo migliore é semplice cà 'e chillo d'e gustà.

Pe sei persone: lavate é raschate bone 2 Kg. e cozzeche é mettitele a cocere dint'à na pentola grossa, é cummigliatela. Quanno 'e cozzeche accummenciano 'à s'arapi, menatece na bella sranca 'e pepe é na sranca 'e petrusino. Jacitele cocere ancora pe poche minute é pò servitele eu 'o stesso brodo 'e cuttura cà stesse 'e cozzeche hanno cacciato.

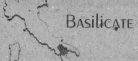

Merluzzo al pomodoro
Merlu à la tomate

🕐 *Préparation* : rapide

✕ *Ingrédients* : 1,5 kg (3 lb) de merlu, huile, ail, 125 ml (1/2 tasse) de vin blanc, 6 tomates pelées, sel, poivre, persil

🍴 *Niveau de difficulté* : facile

Il faut un merlu plutôt gros parce que vous devrez le couper en tranches. Dans une casserole ovale à bords bas, faites revenir dans un peu d'huile 2 gousses d'ail hachées. Ajoutez le poisson et faites-le bien rissoler, faites s'évaporer le vin blanc, et ajoutez les tomates pelées, épépinées et hachées. Salez, poivrez, et finissez avec 15 ml (1 c. à soupe) de persil haché, couvrez partiellement et faites cuire.

Le vin conseillé

 LIZZANO ROSATO. Couleur qui tend au rouge rubis délicat, parfum légèrement vineux, caractéristique ; sec, frais et harmonieux.

Merluzze cu la pummadora.

Gine vole nu chile e 500 gr. d' "nasello"
'npò rosse pecchè l'haia taglià a fedde.
'Inda a nà sartàscena fa shigge cu
'npò d'uoglie doie spicchie d'agli tritare. Aggionge lu pesce e fallo risulà
bone; doppe fa svàpura 'menz' bicchiere d'vine gianche e aggionge sei pumm-
madore pelare, senza semenze e a piezze piccile. Sala, 'mpepa, aggionge nu
cucchiare d' petrisino tritare, cummuoglia la sartàscena dascia lu cuverchie
nu file- file averte e fa cuosce.

Polipetti affogati

🕐 *Préparation* : rapide

✕ *Ingrédients* : 1 kg (2 lb) de petits poulpes, 5 à 6 grosses tomates, ail, sel, poivre, huile, persil

🍴 *Niveau de difficulté* : facile

La gastronomie napolitaine se vante, à juste titre, de ses incomparables polipetti affogati. Le secret pour savourer les délices de ce plat se trouve dans un vieux dicton napolitain : «O' purpo se coce dint'all'acqua soja» (Le poulpe doit cuire dans son eau). En effet, en cuisant, le poulpe libère les liquides qui lui donnent sa saveur pendant la cuisson. Pour 6 personnes, comptez 1 kg (2 lb) de petits poulpes de 80 à 100 g (3 à 4 oz) chacun. Nettoyez-les et cuisez-les dans une casserole en terre cuite avec les tomates pelées et épépinées, ajoutez 2 ou 3 gousses d'ail, du sel, du poivre et beaucoup d'huile. Couvrez la casserole avec une feuille de papier épais ou, mieux encore, avec du papier d'aluminium, posez le couvercle par-dessus et laissez cuire à feu doux pendant environ 50 minutes ; ajoutez le persil, vérifiez l'assaisonnement et laissez sur le feu pendant encore 15 minutes. La sauce devra être épaisse et foncée. Un délice avec les célèbres vermicelles.

Le vin conseillé

BIANCO del VESUVIO. Couleur jaune paille, parfum vineux et agréable ; sec et légèrement acidulé.

'E purpetielle affugate -

'O santo 'e Napule sò 'e purpetielle affugate
'O segreto pe gustà stu piatto stà rint'à 'u
ditto antico che dice : "o purpo se coce cu
ll'acqua soia stessa !!"
E infatti 'o purpo euce-nannese, caccia ll'acqua
soia che ll'assapora durante 'a cuttura.
Pe sei persone : pigliate 1 Kg. 'e purpetielle
piccerille (purpetielle 'e morze) d'o piso 'e
80...100 gramme l'uno. Pulezzatele è facitele
cocere dint'à na pentola 'e terracotta ('a
caccavella 'e creta) 'nzieme 'a 1 Kg. 'e pummarola spellecchiate è senza semmente, tre
spicule d'aglio, sale, pepe è uoglio in abbun-
danze. Cummigliate 'a pentola cu nu foglio
'e carta doppia, meglio cu nu fuoglio 'e carta
stagnola, mettitece 'o cummuoglio 'a coppe
è facite cocere 'a fuoco lento pe quase 50
minute, mettitece 'o petrusino è lassatele
'ncopp'ò ffuoco pe nu quarto d'ora ancora...
è pò levatele.
Nun ve scurdate 'e cundi c'ò zuco 'e famosi.
"Vermicelli" !!

Polpi in tegame

🕐 *Préparation* : longue

✗ *Ingrédients* : 1 kg (2 lb) de poulpes, 2 tomates, ail, 1 poivron, huile, sel, persil, piment

🍴 *Niveau de difficulté* : facile

Pour préparer ce plat, il faut des poulpes petits et tendres. Lavez-les et mettez-les dans une casserole en terre cuite avec 2 tomates pelées et hachées, 2 gousses d'ail hachées, 1 poivron coupé en lamelles très fines, de l'huile, du sel, beaucoup de persil et une pincée de piment. Faites cuire à couvert sur un feu moyen. N'ôtez le couvercle qu'au moment de servir, de sorte que les hôtes puissent apprécier le parfum très délicat qui se dégage de la casserole.

Le vin conseillé

PENTRO di ISERNIA BIANCO. Couleur jaune paille avec des reflets verts, parfum délicat et caractéristique ; sec, harmonieux et intense.

Pulpi aju ticame.

Pe prepará stu piattu ci serveno riu chile
di pulpi maggiulini che tengheno esse picchili
e tiniri. Allavetiji e mettetiji a nu ticame de
cocciu co 2 pumaore pelate e tajate, 3 spicchi
d'aiju tritati, nu pependò tajatu a fittine sutti
li, aiju, sale, parecchiu pressemulu e nu pissicu
di pipirincinu pizzicusu. Mettete aju focu ju
ticame che tea sta chiusu e facete coce pe 20
minuti a focu lentu. Ju coperchiu ju tenete
levà aju' momendu di sirvi, cuscinda ji con
menzali ponno apprezzà pure ju prefumu
dilicatu che esce daju ticame.

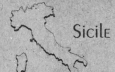
Sarde a beccafico alla palermitana

🕐 *Préparation* : rapide

🍴 *Ingrédients* : 1 kg (2 lb) de sardines, chapelure, huile, ail, sucre, persil, 180 ml (3/4 tasse) de pignons, 180 ml (3/4 tasse) de raisins de Corinthe, sel, poivre, huile

🍴🍴🍴 *Niveau de difficulté* : facile

Les anchois, les sardines, les maquereaux, le thon et l'espadon constituent, en Sicile, la scénographie fantasmagorique des marchés de quartier. Pour les non-indigènes, c'est toujours une source d'étonnement joyeux que d'observer les astuces sournoises et bruyantes auxquelles ont recours les «pescivendoli» pour pousser à l'achat le passant indécis et un peu timoré. À Palerme, la «Vucciria» est, de longue tradition, le marché aux poissons par antonomase et il est possible, dans les *friggitorie* (friteries) qui bordent les ruelles étroites, d'y déguster ces «sarde a beccafico», franche recette populaire.

Ouvrez les sardines, ôtez la tête et l'arête centrale, en laissant les deux parties attachées au dos. Faites légèrement dorer 125 ml (1/2 tasse) de chapelure dans un peu d'huile, où vous incorporerez, en travaillant avec une spatule de bois, 2 gousses d'ail hachées, 15 ml (1 c. à soupe) de sucre, 15 ml (1 c. à soupe) de persil haché, les pignons, les raisins de Corinthe que vous aurez réhydratés dans de l'eau tiède, du sel, du poivre, et 125 ml (1/2 tasse) d'huile d'olive. Lorsque le mélange est bien amalgamé, versez-en une petite portion sur chaque sardine ouverte, que vous replierez ensuite dans le sens de la longueur. Déposez les sardines farcies dans un plat huilé en intercalant une feuille de laurier entre chaque sardine. Mouillez avec une solution à base d'huile, de jus de citron, de sel et de poivre, puis enfournez pendant une quinzaine de minutes à 180 °C (350 °F).

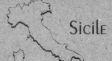
Sardi a beccaficu a la palermitana.

Fu 'na notti cu la luna
Chi Palermu, vecchiu anticu,
Si livà serpi e curuna
E trasì dintra 'n' amicu:
— Dammi tuttu l'occorrenti! —
Dissi lestu e risolenti
E accussì, quantu ti dicu,
Fici sardi a beccaficu.

Un chilu di sardi friski, lavatili e facitili sciu
lari, pizzhiatili ad una ad una e, cu lu pollici
di la manu dritta, sciuntratili livannuci la testa e la resca e facennu attenziuni di lassalli
attaccati pi lu schienu e di sistimalli, beddi aper-
ti, dintra un piattu.

A 'stu puntu pigghiati un tianu e mittiticci 'na
sbrizza d'ogghiu e a focu lentu jti juncennu ottu
cucchiajati di pani grattatu, dui spicchi d'agghia
sminuzzata, un mazziteddu di pitrusinu tritatu, 70 grammi di pinoli, 70 grammi di uva sultanina, 'n'anticchiedda di sali e di pipi, un cucchia
inu di zuccaru e, mentri girati cu 'na cucchiara
di lignu junciti, a stizza a stizza, menzu bicchie
ri d'ogghiu d'oliva e continuati a girari cu la
cucchiara finu a 'mpastari tutti sti cosi.
A 'mpastu prontu, pigghiati li sardi e, a una a
una, 'mprinatili cu 'ste pani 'mpastatu aggrium
muniannuli pi tutta la lunghizza e pusannuli,
beddi sistimati, dintra 'na tigghia untata d'ogghiu, mittennu tra sarda e sarda 'na pampina
d'addauru.
'Fattu chistu, sbattuliati ogghiu cu 'na sbrizza di
limuni e 'n'anticchia di sali e pipi macinatu e
sbrizziaticcillu supra. A stu puntu, 'nfurnati
e aspittati un quartu d'ura.
A tavula, parenti e amici, si licchiranu l'ugna!
A chiarimentu oogghiu diriviri chi a Catania, lu
paisi di l'elefanti, li sardi a beccaficu li fannu
nui la seguenti manera: li pigghianu e dopu
avilli priparati comu si dissi, li mettinu a mari

mari dintra 'na 'nzalatera cu dui bicchieri d'a
citi facennu passari almenu un'ura.

Lu ripienu è lu stissu di chiddu palermitanu, cu
la differenza chi ci juncinu tanti pizzudda di ca
ciucavallu. Ora, anzi chi agghiummuniari li sar
di, mettinu l'impastu tra linguata e linguata e
cioè 'na sarda supra e 'na sarda sutta; accussi
priparati li passanu nni la farina e poi dintra
un piattu cu l'ova sbattuti, li sistemanu nni la
padedda e li fannu friiri nni l'ogghiu ruggghien
ti. Cuntenti iddi, cuntenti tutti!

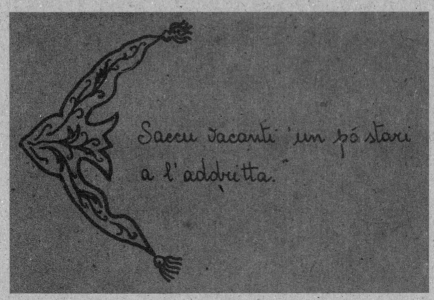

Saccu vacanti 'un pò stari
a l'addritta.

Sarde in teglia

🕐 *Préparation* : rapide

✕ *Ingrédients* : 1 kg (2 lb) de sardines, origan, sel, huile, 250 ml
(1 tasse) de vinaigre de vin blanc

🍴 *Niveau de difficulté* : facile

Videz et nettoyez les sardines fraîches, enlevez la tête et déposez
les sardines dans un plat ; saupoudrez généreusement d'origan et
salez. Mouillez avec de l'huile et le vinaigre de vin blanc, et faites
cuire à demi couvert à température élevée, pendant 15 minutes.

Le vin conseillé

CIRÒ BIANCO. Couleur jaune paille intense, parfum
caractéristique ; délicat et harmonieux.

Sardi 'nt'a cassalora.

Pigghjati 'nu chilu 'i sardi frischi e, dopu
chi si 'ndaviti tagghjatu 'a testa e cacciatu
i cosi d'intra, 'i conzàti 'nt'a 'na cassalora
e si mmuvvrati 'na junta 'i riganeghiu, sali,
ogghju e 'nu bicchjeri 'i citu 'i vinu jancu.
Dassàtili 'i si coci nu, sup'a 'nu bellu focu,
pa 'nu quartu d'ura, c'à cassalora menza
scumbogghjata.

Scampi alla cardinale

🕐 *Préparation* : longue

✕ *Ingrédients* : langoustines, jambon cru, huile, 1 petit oignon, persil, tomate, 15 ou 30 ml (1 ou 2 c. à soupe) de vin blanc sec, sel, poivre

🍴 *Niveau de difficulté* : facile

Lavez, ôtez la tête et décortiquez les langoustines, et enroulez-les une à une dans une tranche de jambon cru. Mettez-les ensuite dans une casserole où vous aurez fait revenir dans l'huile 1 petit oignon émincé et une pincée de persil. Laissez les langoustines mijoter un peu, puis ajoutez quelques tomates fraîches, pelées et, si nécessaire, le vin blanc sec. Faites cuire à feu doux, en sauce. N'oubliez pas le sel et le poivre.

Le vin conseillé

MALVASIA del CARSO. Couleur jaune paille intense, parfum aromatique ou fruité et harmonieux ; sec et agréable.

Scampi ala cardinale.

Gabriele D'Annunzio iera come mato per 'sti scampi, co' el iera a Fiume. Ciolè code de scampi, insolitzièle una per una, in una fetina de parsuto crudo istrian, e metè sti rodoleti in una tecia dove gavè za sofigà una poca de zivola a fetine co' un fià de parsemolo tazà. Lassè ciapar un poco de color, pò zontè un do' pomodori novi, speladi e, se ve par, un do' biceri de vin bianco. Cusinè a fogo basso. Non steve dismentigar sal e pevere.

Seppie alla veneziana
Seiches à la vénitienne

🕐 *Préparation* : longue

✕ *Ingrédients* : petites seiches, 2 oignons, ail, 1 carotte, 1 branche de céleri, persil, huile, 5 tomates, sel, poivre, 1,5 litre (6 tasses) de bouillon de poisson, 500 ml (2 tasses) de riz

🍴 *Niveau de difficulté* : facile

Pour cette préparation, il faut des seiches de petite taille et très fraîches. Hachez 2 petits oignons, 2 gousses d'ail, 1 carotte, 1 branche de céleri et une touffe de persil. Faites revenir ce hachis dans 250 ml (1 tasse) d'huile et, dès que l'ail et l'oignon commencent à se colorer, ajoutez 5 tomates pelées et épépinées. Laissez mijoter pendant 10 minutes, puis ajoutez les seiches (dont vous aurez ôté la tête). Salez, poivrez et, lorsque les seiches se seront bien imprégnées du goût, diluez avec le bouillon de poisson. Quand le bouillon entre en ébullition, versez 500 ml (2 tasses) de riz que vous ferez cuire à feu moyen. Une fois cuit, le riz sera plutôt sec. Servez bien chaud.

Le vin conseillé

SOAVE. Couleur jaune paille, parfum vineux, intense et délicat ; sec, moyennement corsé, légèrement amer.

Sepe ala Veneziana.

Sceglier le sepe novèle e picolete, cavarghe i oci,
el beco, el bueléto e anca el sachetin del nero.
Darghe 'na bela lavada e magari anca cavar
ghe la pelesina par sora. Far un desfrito de
ségola tagiada fina e de parzemolo trità den_
tro a l'agio de oliva profumà de agio (rosolar
2 spigoli de agio, e co i xe deventai rossi, caver
li). Comtarghe mezo goto de vin bianco seco e
lassar che l'evapora.
Metar el cavercio e lassar cusinar adasieto.
Ala fin se zonta el sal e el pevare.
A Venezia, i palati fini, invense de la conser_
va de pomidoro, ghe mete un sacheto de nero
slongà co l'acqua calda.

Seppie ripiene
Seiches farcies

🕐 *Préparation* : longue

✗ *Ingrédients* : 6 seiches, huile, ail, 125 ml (1/2 tasse) de chapelure, 125 ml (1/2 tasse) de câpres, 125 ml (1/2 tasse) d'olives noires de Gaeta, sel, poivre, persil, 500 ml (2 tasses) de sauce tomate

🍴 *Niveau de difficulté* : complexe

Videz et nettoyez 6 seiches de taille moyenne et coupez une partie de leurs tentacules que vous réserverez. Faites revenir pendant quelques minutes, dans 125 ml (1/2 tasse) d'huile, 2 ou 3 gousses d'ail avec la chapelure, les câpres, les olives noires de Gaeta hachées et les tentacules réservées coupées en petits morceaux. Ajoutez du sel et du poivre, une belle touffe de persil, et farcissez les seiches de ce mélange. Étendez-les dans un grand plat, recouvrez de sauce tomate et poursuivez la cuisson au four préchauffé à 180 °C (350 °F) pendant 1 heure. En fin de cuisson, vérifiez l'assaisonnement, et ajoutez du persil haché fin. Servez les seiches tièdes.

Le vin conseillé

ROSATO del CILENTO. Couleur rosée plus ou moins intense, parfum caractéristique ; harmonieux et frais.

'A seccia 'mbuttunata-

Pulezzate é lavate bone 6 secce, nun tante
grosse, levàtece 'e zampetelle.
Suffriggete dint'à nu miezo bicchiere d'uglio
2 'o 3 spicule d'aglio cu 50 gr. 'e chiapparielle,
100 gr. d'aulive nere 'e Gaeta cù 'e zampetelle
d'e secce tagliate 'a pezzettine.
Lassate suffriggere pochi minute, aiutece
sale, pepe é na franca 'e petrusino, é cu stu
cumposto 'mbuttunate 'e secce. Sistimatele
dint'a na tiella larga, cummigliatele cu
500 gr. 'e sarza 'e pummarola é facitele
cocere lentamente chiù 'e n'ora.
Regulatele cù 'o sale, é 'a fine 'e cuttura
mettitece ancora 'o petrusino tritato é servitele quanno sò ancora tiepide.

Sgombri alla griglia
Maquereaux grillés

🕐 *Préparation* : rapide

✕ *Ingrédients* : 1 kg (2 lb) de maquereaux, huile, vin, origan, ail, sel, poivre, citron.

🍴 *Niveau de difficulté* : facile

Videz et lavez les maquereaux et faites-les mariner dans une mixture d'huile, de vin, d'origan, d'ail, de sel et de poivre. Au bout de 2 heures, passez-les au gril et servez-les chauds avec de l'huile, de l'origan et le jus de 1 citron.

> ### Le vin conseillé
>
> 🍷 MELISSA BIANCO. Couleur jaune paille clair, parfum vineux et caractéristique ; sec, délicat et harmonieux.

Sgombri alla griglia.

Svacánta e dava nu chile di sgombri, mettélle a bagno cu noglie, vine, agli, sale e pepe. Doppe doie ore arrastélli sova a la ratiglia è falli magná caure-caure cu noglie sbattute cu ricino e na stizza d' limone.

Stoccafisso « a ghiotta »

🕐 *Préparation* : longue

 Ingrédients : 1,5 kg (3 lb) de stockfisch, huile, ail, 1 oignon, 6 ou 7 tomates, basilic, sel, poivre, 125 ml (1/2 tasse) d'olives noires, câpres, persil

🍴 *Niveau de difficulté* : complexe

Faites tremper le stockfisch. Coupez en morceaux, enlevez la peau et les arêtes. Dans une casserole faites revenir, dans 125 ml (1/2 tasse) d'huile, 1 gousse d'ail et 1 oignon finement hachés. Lorsque l'oignon commence à fondre, ajoutez les tomates pelées, épépinées et hachées et 2 feuilles de basilic. Salez, poivrez, faites cuire pendant 10 minutes, ajoutez le stockfisch et poursuivez la cuisson à demi couvert. Cinq minutes avant de retirer la casserole du feu, ajoutez les olives noires dénoyautées, 1 poignée de câpres dessalées et 15 ml (1 c. à soupe) de persil haché. Laissez les saveurs s'exprimer et servez.

Le vin conseillé

🍷 SAN VITO di LUZZI BIANCO. Couleur jaune paille, parfum vineux et agréable ; sec, harmonieux et délicat.

Stucafisso a l'ancunetana.

Por tradizió se magna de venardì: solo per
góde a 'stu piato bisugnaria veni in Ancona,
ma però t'el pòi fa da per te.
Compra 1,300 kg. de stucafisso mòlo, tàjelo a tu
cheti regulari, lèv'je 'l spi e mètelo in te 'na
pigna da fògo bèla grossa (o inte 'na teja fonda):
'na stesa de stucafisso, pò una de pumidoro
frexo mixkiato cu' l'ajo, l'erbète e carda trincà
ti, pò 'n'antra stesa de stucafisso e cuscìi. Via.
Bagna 'gni stesa cu' 'n pò de goce d'ojo e per
fini mètece in qua e in là le patate spelate
e fàte a tòchi bèli grossi. Adè bùtece 'n bichiere de vi' bianco de la chiavèta e uno de late
fredo, e pò mete la pigna sopro al fògo alègro.
Dòpo 'na ½ ireta de cutura, sbassa 'l fògo, cò
pre la pigna e fa' còce 2 ore e mèza. Si te ne
corgi ch'el suugo n'è streto bè, finito de còce, lèia
'l cuperchio e abra 'l fògo. E adè te spiego 'n segreto: tra 'l fògo e la pigna ce vòle, digo vòle,
un pramièro de fèro, de modo ch'el fògo nun

Stoccafisso all'anconitana

🕐 *Préparation* : longue

 Ingrédients : 1,5 kg (3 lb) de stockfisch déjà trempé, tomates fraîches, ail, persil, carotte, huile, pommes de terre, 250 ml (1 tasse) de vin blanc, lait

🍴 *Niveau de difficulté* : facile

Achetez du stockfisch déjà trempé, coupez en morceaux réguliers, enlevez les arêtes et déposez-le dans un plat, en alternant avec des couches de tomates fraîches mélangées à un hachis d'ail, de persil et de carotte. Mouillez chaque couche avec quelques gouttes d'huile et finissez avec des pommes de terre pelées et débitées en gros tronçons. Versez le vin blanc et 250 ml (1 tasse) de lait froid et cuisez à température élevée (si ça va au four, remplacez à température élevée par 230 °C (450 °F). Au bout d'environ 30 minutes, couvrez et poursuivez la cuisson pendant 2 1/2 heures. Si vous vous rendez compte que la sauce n'a pas bien épaissi, enlevez le couvercle et élevez la température.

Le vin conseillé

🍷 **VERDICCHIO** dei **CASTELLI** di **JESI**. Couleur jaune paille clair, parfum délicat et caractéristique ; sec et harmonieux, avec un arrière-goût agréablement amer.

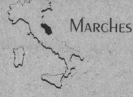
Stucafisso a l'ancunetana.

Per tradizió se magna de venardì: solo per
góde a 'stu piato bisugnaria veni in Ancona,
ma prò t'el pòi fa' da per te.
Compra 1,300 kg. de stucafisso mòlo, tàjelo a tu
cheti regulari, lèv'je 'l spi e mételo in te 'na
pigna da fògo bèla grossa (o inte 'na teja fonda):
'na stesa de stucafisso, pò una de pumidoro
fresco mischiato cu' l'ajo, l'erbete e carota trincà
ti, pò 'n'antra stesa de stucafisso e cusci via.
Bagna 'gni stesa cu' 'n pò de goce d'ojo e per
fini métece in qua e in là le patate spelate
e fàte a tòchi bèli grossi. Adè bùtece 'n bichie
re de vi' bianco de la chiaveta e uno de late
freds, e pò mete la pigna sopro al fògo alégro.
Dopo 'na ss. ureta de cutura, sbassa 'l fògo, cò
pre la pigna e fa' còce 2 ore e 'mèze. Si te ne
corgi ch'el sciugo n'è streto bé, finito de còce, lèva
'l cuperchio e alza 'l fògo. E adè te spiego 'n se
greto: tra 'l fògo e la pigna ce vòle, digo vòle,
un framèzo de fèro, de modo ch'el fògo nun
toca la pigna.

Tonno in graticola
Thon grillé

 Préparation : rapide

Ingrédients : thon, huile, citron, sel, poivre, graines de fenouil

Niveau de difficulté : facile

Coupez du thon en tranches moyennes, que vous ferez mariner pendant quelques heures dans de l'huile d'olive, du citron, du sel et du poivre. Égouttez bien les tranches, passez-les dans des graines de fenouil (que vous aurez pilées au mortier pour les réduire en poudre) et faites-les cuire au gril, en les retournant. Arrosez d'huile d'olive et saupoudrez de poudre de graines de fenouil.

Le vin conseillé

PINOT BIANCO dell'ISONZO. Couleur jaune paille, parfum délicat et caractéristique ; velouté, souple et harmonieux.

Ton in gradela.

Taiè fete no ssai grosse de ton, lassèle a smoio
per un poche de ore in oio de oliva, limon,
sal e pevere. Scolèle ben, pò insoltizèle in
semenze de fenocio (pestade ben nel morter fina che le diventa polvere) e cusinèle su la gra-
dela, voltandole ogni tanto.
Bagnèle ben con oio de oliva e zonteghe sempre polvere dele semenze de fenocio.

Triglie al cartoccio

 Préparation : longue

 Ingrédients : rougets de roche ou rougets-barbets

Niveau de difficulté : facile

Il y a beaucoup de versions de la préparation des triglie al cartoccio dans toute l'Italie, mais celle des Pouilles est singulière : c'est la « fin du monde », comme dirait Banfi. On préfère aux rougets de roche – excellents pour la friture – les rougets-barbets de vase. N'enlevez pas la peau, ne les videz pas et ne les lavez pas. Arrosez-les, entiers, d'un peu d'huile, déposez-les sur du papier huilé ou, mieux, sur des feuilles de vigne, et faites-les cuire à feu doux au gril ou sous la braise chaude.

Le vin conseillé

 MARTINA FRANCA. Couleur verte ou jaune paille clair, parfum délicat, vineux et caractéristique ; sec et frais.

Trègghj-a lla crudèlə

Nəssciünə canossə jìnd-a ttuttə l'Ìtagliə la mègghjə manèrə də cosə lə trègghjə lla crudèlə Lə sàbbənə fa assəlutə lə Pəlignanisə.

Sò la finə du munnə!

Lə cchjü mmègghjə trègghjə sò cchidèlə bəllònə o də sesə. Non s-avànnə scamà, svənbrà, lavà, e càbbər-e ttuttə s-òngənə chə nu picchə d-ègghjə e sə mèttənə avvəduàtə jìnd-a la cart-ə ogliàtə oppuramèndə jìnd-a lə fiònsiə də vignə e sə fàscənə cosə a ffuèchə liəndə səp-a lla radiquə o sott-a la caniə ngaldəsscüitə.

Trotelle
Truites

🕐 *Préparation* : longue

✕ *Ingrédients* : 6 truites, huile, farine, sel, 1 oignon, ail, persil, 125 ml (1/2 tasse) de raisins de Corinthe, menthe, orange, citron, 500 ml (2 tasses) de vinaigre de vin

🍴 *Niveau de difficulté* : facile

Lavez et videz les truites, et essuyez-les bien. Faites-les frire dans de l'huile bouillante, après les avoir légèrement farinées et salées. Déposez dans un plat en pyrex de sorte qu'elles ne se chevauchent pas. Dans une casserole, faites rissoler dans 125 ml (1/2 tasse) d'huile 1 oignon émincé, 1 gousse d'ail et du persil hachés menu, puis ajoutez les raisins de Corinthe, quelques feuilles de menthe, une cuillerée d'écorce d'orange et de citron râpée et le vinaigre de vin. Laissez cuire pendant quelques minutes et versez sur les truites. Laissez refroidir, couvrez et laissez reposer dans un endroit frais pendant au moins 12 heures.

Le vin conseillé

🍷 **LAGREIN ROSATO dell'ALTO ADIGE.** Couleur allant du rouge rubis clair au rosé, parfum délicat et agréable ; harmonieux.

Le trotele.

Lavar e netar fora sei trotele e sugarle so ben
en de na peza de lin emprima de enfarinarle,
salarle e frixerle 'en de l'oio braent de la pa
dela de fer. Se le poza una arent all'altra
en de 'na terina.
'En del padelin con meza bicera de oio se fa
rosolar na zigola taiada su fina con na costi=
na de ai e prezemol ben pestà e se ghe zonta
dese deche de na passa, arquante foiete de men
ta, en cuciar de scorza de arauz e limon gra
tà e doi bicere de agro de vin.
Se lassa coser 'na scianta e pò se ghe 'l tra'
sora ale trotele. Se le lassa sfredir e se ghe
mete el so cuercio; se le lassa 'for dala finestra
o dla qualche banda al fresch per almen 'en di
e 'na not.

Zuppa di anguille di Comacchio
Soupe d'anguilles de Comacchio

🕐 *Préparation* : longue

✕ *Ingrédients* : 1 kg (2 lb) d'anguille, 2 carottes, 1 branche de céleri, 2 oignons, persil, sel, poivre, 30 ml (2 c. à soupe) de vinaigre, croûtons de pain grillés

🍴 *Niveau de difficulté* : facile

Cette soupe, pour 6 personnes, figure parmi les meilleures spécialités de la région de Comacchio. Nettoyez et débitez l'anguille en tronçons. Émincez 2 carottes, 1 branche de céleri, 2 gros oignons, hachez un beau bouquet de persil et mélangez le tout. Déposez des couches de morceaux d'anguille dans une casserole en alternant avec des couches de légumes jusqu'à épuisement des ingrédients. Couvrez d'eau, portez à ébullition, puis faites cuire à feu doux pendant environ 45 minutes, sans trop remuer. Ajoutez du sel, une pincée de poivre et le vinaigre. La soupe est presque prête : servez-la avec son bouillon et surtout très chaude, accompagnée de croûtons de pain grillés.

Le vin conseillé

 FORTANA del BOSCO ELICEO. Couleur rouge rubis, parfum vineux et agréable ; sec ou semi-doux, corsé, modérément tannique, sapide et vif.

Sòppa d'anguélla al môd ed Cumâcc.

Sta sòppa l'é onna del miâuri dla rivira emi-
liéna, e l'é la spezialitò ed Cumâcc. Par si
parsàun, tulì un chillo d'anguélla, ban pulì,
e taiè tant pizz brisa tant grand. Fè un batö
con 2 pistinègh 'na costa ed sàrel, e zivàll
piatòst giustéini, un bel pògn ed prasi e armisdè incòsa. In d'na pgnâta miti i pizz
dl'anguélla intramzè dal batö ch'avan détt,
féin ch'ai n'aiti. Adèss azuntè in dla pgnâta
tant'âqua da criver tòtta l'anguélla e fè cü-
ser a fügh moderè par 3/4 d'aura, sanza ar-
misdèr trôpp. Passé ste tamp, azuntèi al sèl
ch'ai vôl, un bèl pôch ed pàvver e 2 cuèir d'a-
sà ban. Adèss sculè la sòppa con un sculadùr;
in dl'anguélla cavèi tott'el ràsch, ch'i vgnaràn
fazilmant; turnè a métter insam la pàulpa d'anguélla col so sûgh, fèl arivèr pr'un mumant al
bài, e fè i piàtt varsàndla acsè bruianta sàvra
a di crustéin abrustulè.

Zuppa di pesce
Soupe de poissons

⏱ *Préparation* : rapide

🍴 *Ingrédients* : 1,5 kg (3 lb) de poissons et de fruits de mer, notamment du poulpe, de la daurade, de la seiche, de l'anguille, quelques crabes, huile, oignon, ail, 3 à 4 grosses tomates, piment, sel, poivre

🍴 *Niveau de difficulté* : facile

La « cassola », mot d'origine espagnole, tient son nom du récipient dans lequel on fait cuire cette soupe. Pour la préparer, il faut une grande quantité de poissons et de fruits de mer, notamment du poulpe, de la daurade, de la seiche, de l'anguille et quelques crabes si possible. Pour 6 personnes, on procède de la façon suivante : dans quelques cuillerées d'huile, faites à peine revenir 1 oignon émincé et 2 ou 3 gousses d'ail. Ajoutez les tomates pelées et épépinées, 1 petit piment, du sel et du poivre. Laissez réduire pendant quelques minutes. Ajoutez alors les poissons et les fruits de mer, en commençant par ceux qui mettent le plus de temps à cuire, comme le poulpe et la seiche. Laissez mijoter à feu doux, vérifiez si c'est assez salé et servez la « cassola » accompagnée de tranches de pain grillées. Cette soupe de poisson devra être plutôt piquante.

Le vin conseillé

 SIBIOLA. Couleur rosée et intense, parfum délicatement vineux ; sec, léger mais équilibré.

Sa cassola.

Limpiai e sciacquai beni tottus is calita_
tis de pisci, chi anti sciaperau.
In d'una cassarola manna fai arrosolai in
d'una mexu tassa de ollu una cipudda,
allu, affabica, e unu arrogheddu de pipero_
ni, tottu tritau a fini. A sa fini is toma_
tas, spiellancaras e sburiaras, issas puru
tritaras. Sali pagu. Fai arrosolai tottu e
acciungi acqua; candu incummenzara a
buddiri acciungi is diversas calitatis de su
pisci. po prima cussus chi olinti plus cottu_
ra e poi a manu a manu is atrus. Sa
cassola boliri una longa cottura e cun sa
cassarola coverta.
Candu sa zuppa i pronta serbiri, beni
callenti, a pizzus de crostinus de pa_
ni abbruschiau.

Zuppa di poveracce

🕐 *Préparation* : rapide

✕ *Ingrédients* : 1,5 kg (3 lb) de poveracce (palourdes), huile, ail, persil, 2 grosses tomates fraîches, 125 ml (1/2 tasse) de vin blanc sec, sel, poivre, croûtons de pain grillés ou frits

🍴 *Niveau de difficulté* : facile

Pour 6 personnes, faites tremper, pendant au moins 1 journée, les poveracce (type de palourdes locales), puis lavez-les à l'eau courante. Dans 125 ml (1/2 tasse) d'huile, faites revenir 4 ou 5 gousses d'ail et une grosse poignée de persil haché. Ajoutez les tomates fraîches pelées et épépinées, puis les poveracce. Dès que les mollusques commencent à s'ouvrir, versez le vin blanc sec, assaisonnez de sel et d'une bonne pincée de poivre. Servez la soupe chaude sur des croûtons de pain grillés ou frits.

Le vin conseillé

PAGADEBIT di ROMAGNA. Couleur jaune paille intense, parfum caractéristique d'aubépine ; sec ou semi-doux, herbacé, harmonieux et délicat.

Sópa 'd paxaraz.

Par 6 parsôn fasi spurghê par imânc un dè
1 kg. e mêz 'd paxaraz e lavili in aqua curén
ta.

Fasi sufrézar int tz bicir d'öli x o5 spigul
d'àj e una gròsa manzê d'pidarsul tridé.
Quand e' sufret e' sarà pront, uníj 200 gr.
aol pandur fresch, plé e senza anum, e in
chêv al pixaraz.

Quand i gós i s' cminzarà aol artì, britij sò
ra tz bicir d'ven biânc sec e cundi cun pöc
sêl e una bona manzê d'pwar.

Rurtì in têvla la sópa chêlda sòra crustén
'd pan brustighé o fret.

Frittate, Lumache

Omelettes, escargots

Frittata di carciofi
Omelette aux artichauts

 Préparation : longue

 Ingrédients : 3 artichauts romains, 7 ml (1/2 c. à soupe) de saindoux, huile, vin blanc sec, persil, sel, poivre, 6 œufs

Niveau de difficulté : facile

Pour 6 personnes, nettoyez et coupez en petits quartiers 3 artichauts romains. Cuisez-les à la poêle dans du saindoux ou de l'huile, mouillez avec quelques cuillerées de vin blanc pour qu'ils restent tendres et assaisonnez avec une touffe de persil haché, du sel et du poivre. Pendant ce temps, battez les œufs dans un bol avec le sel nécessaire, montez le feu au maximum et, lorsque les artichauts vous semblent cuits, versez les œufs dessus ; laissez cuire pendant quelques minutes, retournez l'omelette et faites-la cuire pendant quelques minutes de l'autre côté, toujours à feu vif, de sorte que les œufs prennent bien à l'extérieur et demeurent moelleux à l'intérieur.

Le vin conseillé

 COLLI LANUVINI. Couleur jaune paille, parfum délicat et vineux ; sec et sapide, relativement corsé, velouté.

Frittata de carciofoli-

Pe' 6 perzone ce vonno 3 carciofoli armeno,
ma, me raccomanno, che sieno romaneschi!
Tajateli a spicchj, doppo d'aveje levato le
foje più toste e le spuntature, e metteteli
'n padella co' lo strutto oppuro co' l'ojo.
Mentre che se soffrigheno piano piano,
'nnaffiateli ca' vino bianco secco ('n par
de cucchiari ponno abbastà), accussì
che se mantengheno teneri e nun s'asseccano,
e aggiugnetece erbetta attritata, sale e
pepe. Sbattete da parte 6 ova co' er zale
quanto abbasta. Azzate er foco e quanno
che li carciofoli ve pareno cotti buttatece
sopra l'ova sbattute: lassate côce da
'na parte e doppo ariggirate da l'antra.
La frittata bisogna sapella fa: dev'esse
cotta bbene de fori e puro 'n mezzo, ner
core.

Frittata con gli zoccoli

🕐 *Préparation* : rapide

✕ *Ingrédients* : viande de porc séchée (« rigatino », du lard maigre), œufs, sel, poivre

🍴 *Niveau de difficulté* : facile

Autant le dire tout de suite, ce n'est pas une omelette légère. Mais ancrée depuis si longtemps dans la tradition florentine que l'on en retrouve la trace dans le journal du peintre Pontormo. Par une journée d'hiver, quand souffle la tramontane et que le froid aide à brûler les calories, cette omelette est particulièrement indiquée. Prenez la viande de porc séchée – que l'on appelle le rigatino, à Florence – coupée en tranches fines, à raison de 60 g (2 oz) par personne. Mettez ces tranches dans la poêle sans autre condiment et faites rissoler jusqu'à ce qu'elles se recroquevillent. Éliminez le gras superflu, en ne laissant que le gras nécessaire pour cuire l'omelette. Versez dessus les œufs, que vous aurez longuement battu à part, de sorte qu'ils soient presque montés (le mixeur convient parfaitement et n'enlève rien à ce plat « d'époque »), avec une pincée de sel et beaucoup de poivre. Faites prendre les œufs, mais l'omelette doit demeurer baveuse. Servez-la très chaude, dans sa poêle de cuisson.

Le vin conseillé

MONTESCUDAIO ROSSO. Couleur rouge rubis intense, parfum vineux et souple ; sec, légèrement tannique.

Frittata imbottita

Préparation : rapide

Ingrédients : 6 œufs, 125 ml (1/2 tasse) de parmesan, mozzarella, sauce tomate, basilic, origan

Niveau de difficulté : facile

Avec les œufs et le parmesan râpé, faites de petites omelettes fines. Superposez-les, en déposant sur chacune une tranche de mozzarella et 30 ml (2 c. à soupe) de sauce tomate bien réduite et aromatisée de feuilles de basilic. Si vous en aimez le goût, vous pouvez également ajouter une pincée d'origan. Nappez bien la dernière omelette de sauce tomate, puis enfournez au four préchauffé à 220 °C (425 °F) jusqu'au moment de servir.

Le vin conseillé

GRECO DI TUFO. Couleur jaune paille ou jaune doré, parfum agréable et caractéristique ; sec et harmonieux.

'A frittata 'mbuttunata.

Cu sei ove é 50 gr. 'e parmiggiano facite tanta
frittatine suttile pe quante ne riescene d'ò cumposto. Mettitele una 'a copp'a n'ata sistiman-
nece 'ncoppo nu stato 'e muzzarella tagliata
'a felluceie, nu pare 'e cucchiare 'e sarza é
pummarola ristretta; na fronna 'e vasenicola
é si ve piace mettitece nu poco arecheta.
L'urdima frittata cummigliatela bona 'e
sarza 'e pummarola, mettitele dint'ò furno caldo 'a fuoco mudarato fino 'a ché
'e servite!!

Frittata con i pomodori verdi
Omelette aux tomates vertes

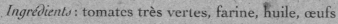

Préparation : rapide

Ingrédients : tomates très vertes, farine, huile, œufs

Niveau de difficulté : facile

Prenez de grosses tomates encore très vertes et coupez-les en tranches. Farinez puis faites frire à la poêle dans de l'huile bouillante. Lorsqu'elles sont colorées des deux côtés, versez dessus les œufs battus et faites prendre.

Le vin conseillé

BIANCO di PITIGLIANO. Couleur jaune paille avec des reflets verts, parfum délicat ; sec.

Frittata con gamberi
Omelette aux écrevisses

🕐 *Préparation* : longue

✖ *Ingrédients* : écrevisses, farine blanche, huile, 5 ou 6 œufs, sel, poivre

🍴 *Niveau de difficulté* : facile

L'omelette aux écrevisses est vraiment délicieuse. Enlevez la coquille des crustacés d'eau douce et farinez-les avant de les faire frire dans l'huile bouillante. Égouttez-les, coupez-les en deux, puis incorporez-les, dans un bol, à 5 ou 6 œufs battus avec du sel et du poivre. Faites frire le tout dans de l'huile, en prenant soin de cuire l'omelette des deux côtés. Servez-la encore bouillante avec une garniture d'oignons frais émincés.

Le vin conseillé

🍷 RIESLING RENANO di AQUILEIA. Couleur jaune paille clair, parfum caractéristique ; sec et harmonieux.

Fritaia coi gambari.

La ze ssai bona. Doprè i gambari de aqua dolze, ghe se tira via la scorza e se li buta nela farina bianca, primu de frizerli in aio sbrovente. Scolèli ben e taièli à metà, butèli in una piadina dove gavè sbatù zinque - sie ovi con sal e pevere. Frisè in una fersora con aio e cusinè la fritaia de tute e dò le parte. Servila sbrovente con zivolete nove taia ole fine fine.

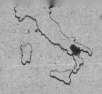

Lumache alla potentina

🕐 *Préparation* : longue

🍴 *Ingrédients* : 1 kg (2 lb) d'escargots, feuilles de vigne, sauce tomate, ail

🍴🍴🍴 *Niveau de difficulté* : facile

Lavez soigneusement les escargots que vous aurez fait dégorger pendant 2 jours dans une corbeille en osier avec quelques feuilles de vigne. Versez-les dans une casserole, couvrez-les d'eau et mettez sur le feu. La chaleur les fera sortir de leur coquille ; vous monterez alors le feu au maximum pour qu'ils meurent sans souffrir et sans retourner dans leur coquille. Faites bouillir pendant quelques minutes, retirez du feu et passez les escargots à l'eau courante. Décoquillez-les, puis faites-les mijoter dans une sauce tomate réduite, bien aromatisée à l'ail.

┌─────────────── *Le vin conseillé* ───────────────┐

 AGLIANICO del VULTURE. Couleur rouge rubis ou grenat, parfum caractéristique ; sec et harmonieux.

└──┘

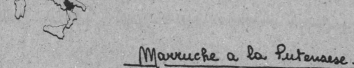

Marruche a la Putenaese.

Dava bone-bone nu chile d'marruchedde, dappe ca so stà a spurgà p'doie giorni nda na cesta paisana cu 'ncarch' fronna d'vite. Mettelle 'nda na sartàscena cummuoglia cu acqua e fa cuoce sova a lu fuo-o.

Cu le caure iescene da la casaredda e tanne haia aumentà lu fuo-o e accuscì li marruchedde muóreno senza dulore e nunn' tornano 'cchiù 'ncasa.

Falle buoglie 'ncarch' menute, pó disàlle da lu fuo-o e passàlle sotto a d'acqua ca scorre. Pulezzàlle e dilissàlle cu salsa d'pummadore cu assaie agli.

Lumache in umido
Escargots en sauce

🕐 *Préparation* : longue

✖ *Ingrédients* : 1 kg (2 lb) d'escargots, huile, beurre, ail, céleri, 1 oignon, 4 anchois, farine blanche, 250 ml (1 tasse) de vin blanc sec, sel, poivre

🍴 *Niveau de difficulté* : complexe

Préparez les escargots dégorgés, bouillis, apprêtés et faites cuire à feu doux dans une casserole où vous aurez fait revenir, dans un mélange d'huile et de beurre, quelques gousses d'ail, la moitié d'une branche de céleri hachée, un oignon émincé, 4 anchois (lavés, sans arêtes et hachés). Laissez les escargots s'imprégner de la saveur, puis ajoutez 15 ml (1 c. à soupe) de farine blanche et mélangez avec une cuillère de bois. Dès que la farine prend, mouillez avec le vin blanc sec, salez, poivrez et laissez cuire à couvert pendant 1 heure, à feu doux.

Le vin conseillé

🍷 LUGANA. Couleur jaune paille avec des reflets verts, parfum délicat et agréable ; frais et sec.

Lumagh in umid -

Se prepara on chilo de lumagh mettaa,
buji e se fann couus adasi in d'ana cassiroeula, dove s'era faa indorà, in metà
oli e metà buttér, ona quaij coa d'aj
mezza gamba de séller, ona zeigolla
tajada a fett finn, quatter inc…od (lavàa,
mettàa, triàa). Se lassa indorà i lumagh,
e poeu se ghe giontà on cugiàa de farina
bianca. Se mes cia cónt el cugiaa de legn.
Quand la farina la s'è inspessida, se
bagna cónt on biccér de vin bianch, seuch,
se sala, se mett el pever e se lassa couus
quattàa, per on'oretta, adasi adasi.

« Omelettes » di frutta
Omelette aux fruits

Préparation : rapide

Ingrédients : fruits (au choix : abricots, cerises, fraises, pommes, poires, pêches et noix), œufs, sel, sucre glace, raisins secs

Niveau de difficulté : facile

Goût insolite, mais délice pour le palais, l'omelette aux abricots, cerises, fraises, pommes, poires, pêches et noix. Vous ajoutez les fruits épluchés, lavés et séchés, voire coupés en dés (pommes, poires, pêches) aux œufs battus dans un bol avec une pincée de sel. Faites-les cuire à feu vif et servez-les, si désiré, saupoudrés de sucre glace. L'omelette aux noix est tout aussi exquise, mais il faut faire attention : il faut enlever la peau des cerneaux, sans quoi ils auront un goût amer. Pour enrichir cette omelette, vous pouvez ajouter aux noix des raisins secs que vous aurez réhydratés au préalable dans de l'eau bouillante ou directement dans du marasquin.

Le vin conseillé

PICOLIT dei COLLI ORIENTALI del FRIULI. Couleur jaune paille clair, parfum caractéristique et délicat ; semi-doux ou doux.

Omlèt de fruti.

Ai foresti ghe par strano el saòr dele omlèt
cai armelini, seriese, fragole, pomi, peri, per_
sighi e anca nose. Laiè i fruti, sughèli, tire_
ghe via i ossi e i torsi, taiè a tocheti i più
grandi, zontèli ai ovi sbatudi in una piadi_
na co' un fià de sal. Metè a frizer a fogo
forte e servì la fritaia, se ve piase, con zuca_
ro farina.
La fritaia co' le nose la xe ssai bona, ma se
devi star un fià atenti: dovè tirarghe via la
pele, senò la ciapa un gusto marotico.
Xe ancora meio zontar a sta fritaia un pu_
gneto de zibibe, messe a smoio in aqua sbro_
vente o in un bicer de maraschino.

Uova al pomodoro
Œufs à la tomate

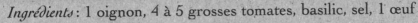

 Préparation : longue

Ingrédients : 1 oignon, 4 à 5 grosses tomates, basilic, sel, 1 œuf

Niveau de difficulté : facile

Pour ce plat, que l'on appelle à Naples « uova 'mpriatorio », c'est-à-dire « œufs au purgatoire », préparez une sauce tomate en faisant revenir, dans une grande poêle, 1 oignon émincé. Dès que l'oignon commence à blondir, ajoutez les tomates pelées et épépinées, et un beau bouquet de feuilles de basilic. Faites bien réduire la sauce, salez, et cassez-y 1 œuf par personne. Faites cuire les œufs normalement et servez-les bien chauds.

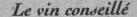

Le vin conseillé

 GRECO di TUFO. Couleur jaune paille ou jaune doré, parfum agréable et délicat ; sec et harmonieux.

Ll'ove cu'a pummarola.

Priparate na sarza 'e pummarole abbondante, soffriggete dint'a na tiella larga na cepolla fettata, appena 'a cepolla accummencia 'a se 'mbiundì menatece 'a dinto 700 gramme 'e pummarole spellicchiate é senza semmente, nu mazzetielle 'e vasenicola é lassate stregnere 'a sarza pe paricchiu tiempo, regolateve eu 'o sale. 'A dinto 'nce menate n'uovo 'a testa facennele cocere comme 'a quanno se fanno in ... tegamino.
Servitele calde ... calde.

Uova in funghetto ♥

🕐 *Préparation* : longue

✗ *Ingrédients* : œufs, sel, poivre, huile, persil, ail, beurre, 750 ml (3 tasses) de cèpes, bouillon

🍴 *Niveau de difficulté* : facile

Plat traditionnel de la Vénétie Julienne à base d'œufs durs coupés en deux, légèrement salés, poivrés, arrosés d'un filet d'huile d'olive et saupoudrés de persil haché. Dans une casserole que vous pouvez apporter à table, faites rissoler quelques gousses d'ail dans un peu de beurre. Si vous préférez, vous pouvez omettre l'ail et faire cuire lentement dans du beurre les cèpes (épluchés, séchés, détaillés en lamelles). Après 10 minutes de cuisson, déposez les œufs dans la casserole, la partie persillée vers le haut. Mouillez avec une cuillerée de bouillon et laissez cuire pendant une dizaine de minutes à feu doux. Peu de temps avant d'éteindre le feu, « mouillez » les œufs avec leur sauce. Servez avec des tranches de polenta grillées. À défaut de cèpes, vous pouvez utiliser des girolles.

Le vin conseillé

TOCAI FRIULANO di GRAVE del FRIULI. Couleur jaune citron, parfum vineux et caractéristique ; sec, plein, avec un arrière-goût légèrement aromatique.

Ovi cai fonghi.

Cusinè ovi duri, taièli a metà, meteghe sal
e pevere, bagnè de aio de oliva e buteghe sora parsemolo tazà. Sofighè int' una tecia
de vetro un do' spighi de aio in un poco de
britiro; se preferì tirè via l'aio e fe' cusinar
apian nel britiro 30 deca de fonghi porzini
(netadi e taiadi a fetini). Dopo diese minuti,
metè int'ela pignata i ovi col parsemolo de
sora. Bagnè co' un do' cuciari de brodo (anca de bechi) e lassè cusinar, par un diese
minuti, col fogo basso. Poco prima de distudar
el fogo, ciolè co' un cuciar el sguareto e bu-
tèlo sora i ovi Servi in tola co' fete de polenta brustolada.
Se no trovè i porzini, podè usar anca i
"finferli" sempre netadi, lavadi, asugadi, e
taiadi a tochetini.

Contorni
GARNITURES

Asparagi alla parmigiana

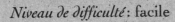

 Préparation : rapide

 Ingrédients : 2 kg (4 lb) d'asperges, beurre et parmesan

Niveau de difficulté : facile

Les asperges sont particulièrement bien adaptées à cette préparation, qui en exalte la saveur délicate. Pour 6 personnes. Nettoyez les asperges avec soin, en ne laissant pas plus de deux doigts de la tige. Déposez dans une marmite d'eau froide, la tige vers le bas, de sorte que les pointes soient complètement hors de l'eau, et portez à ébullition. Lorsqu'elles sont cuites, égouttez-les et déposez-les dans un plat sans les casser. Saupoudrez généreusement de copeaux de beurre et de parmesan râpé, et enfournez au four préchauffé à 220 °C (425 °F) pendant environ 30 minutes.

Spèrz al mòd ad Perma.

Y spèrz i' en aslàtt in mòd spezièl a sta preparaziòn, ch'la mett in valaur al so savaur delichèt. Par 6 parsàun a in vòl zirca 1 chilo. Lavèi con dimondi cura, taiànd vi la pèrt bianca. Adèss avti da cùsri in àqua fradda, pusibilmànt in d'na pgnàta, ch'i pòssen stèr in pi, in mòd chi la pàunta la sia fòra dl'àqua. Quand s'intànden en, a s'intri ch'i en bi e cùtt, salèi, stindii in d'na tàia sanza rampri, mitii in vatta di baluchéin ed brutir e passèi in dal fàuren chèld par zirca 30 minuid.

Asparagi alla piemontese
Asperges à la piémontaise

Préparation : longue

Ingrédients : asperges, œuf, grana padano, poivre

Niveau de difficulté : facile

Nettoyez les asperges en raclant la partie la plus dure et la plus sale de la tige ; coupez l'extrémité si elle est trop grosse. Lavez rapidement les pointes et la partie supérieure. Attachez les asperges en bouquets et faites bouillir debout pendant environ 30 minutes dans de l'eau salée, en maintenant les pointes hors de l'eau. Égouttez-les, étendez-les dans un plat et versez dessus un œuf au plat avec son beurre, beaucoup de grana padano et du poivre.

Sparz a la piemonteisa

Polidé je sparz ras. ciand la part pi legnosa dla gamba, che se a l'è tròp gròssa, va eliminà.
Lavé la part che a l'è dxora, cotia, e le ponte.
Gropeje ansema a mass e fé beuje an acqua caoda e salà, butandie drit ant un a pignata aota
A cheuso en 30 minute apeupré; peuy se scolo, as buto ant i tond, versandie anseма, un euv fracassà con el sò butir, motobin ëd gran. a e pèiver.

Broccoletti « strascinati » in padella

🕐 *Préparation* : rapide

✗ *Ingrédients* : 1,5 kg (3 lb) de rapini, ail, piment fort, huile, sel

🍴 *Niveau de difficulté* : facile

Pour 6 personnes. Éliminez les tiges et les feuilles les plus dures des rapini, et faites bouillir dans une grande quantité d'eau salée. Pendant ce temps, faites revenir à la poêle 2 ou 3 gousses d'ail et une pointe de piment fort dans 1/2 doigt d'huile. Versez-y les rapini égouttés, faites-les bien revenir dans l'huile et ajoutez du sel, si nécessaire.

Broccoletti strascinati 'n padella

Pe' 6 perzone se pija 'n chilo e mezzo de broccoletti de rape; je se leveno er gambo e le foje più dure e se lesseno affogati drento l'acqua salata. 'Ntanto se fa 'n soffritto in una padella nera, larga. S'aricopre pe' mezzo deto d'ojo e ce se metteno a rosolà 2 o 3 spicchi d'ajo e 'na spuntata de peperoncino piccante. Quanno l'ajo s'è arosolato bbene buttate 'n padella li broccoletti appena scolati e fateli 'nzaporì pe' bbene. Si serve aggiugnete er zale.

Caponata

🕐 *Préparation* : longue

🍴 *Ingrédients* : 6 aubergines siciliennes, sel, huile, 2 oignons, 2 cœurs de céleri, 4 tomates mûres pelées, 250 ml (1 tasse) d'olives noires, 45 ml (3 c. à soupe) de câpres, basilic, sucre, vinaigre

🍴🍴🍴 *Niveau de difficulté* : facile

Dans la via Alloro, cette rue étroite, artère principale du quartier historique de la Kalsa, peuplée des rêves d'un passé plus ou moins lointain, mais toujours suggestif, nous nous retrouvons subitement face au palais Abatellis, œuvre de Carnalivari. En partie détruit par les bombes du dernier conflit, aujourd'hui restauré, il fut commandé à Carnalivari par Francesco Abatelli, homme d'armes qui, de retour d'Espagne, rêvait de l'offrir à sa future progéniture. Or, ni sa première épouse, Elena Solera, ni la seconde, Maria de Tocco, ne lui donneront de descendance, tant et si bien que le palais grandiose deviendra un monastère de sœurs. L'entrée est vaste et lumineuse, avec une magnifique fontaine à étages, et la construction gagne de l'amplitude en contenant les poussées verticales des deux tours latérales crénelées ornées de fenêtres trilobées avec des petites colonnes minces et élégantes. Aujourd'hui, l'édifice abrite la Galerie régionale de la Sicile, qui vaut le détour. Si vous sortez de la Galerie vers midi, au printemps, vous sentirez dans l'air des ruelles, fourmillantes d'une foule bigarrée, une agréable odeur douce et âcre : ce sont les femmes qui, dans les cuisines délabrées des immeubles avoisinants, préparent la fameuse caponata d'aubergines ou la courgette jaune à la sauce aigre-douce, dont voici la recette. Pour la

caponata, coupez en dés 6 belles aubergines siciliennes, mettez les dés dans une grande passoire, saupoudrez-les de sel, et laissez-les dégorger leur liquide amer pendant 1 heure. Faites-les frire dans de l'huile bouillante et réservez. Versez l'huile de friture dans une grande casserole à bord bas et faites revenir 2 oignons émincés, auxquels vous ajouterez 2 cœurs de céleri déjà blanchis et coupés en tronçons, 4 tomates mûres pelées, épépinées et hachées, les olives noires dénoyautées et coupées en deux, les câpres dessalées et du sel. Faites cuire la sauce jusqu'à ce que le céleri soit bien cuit, puis ajoutez les aubergines avec quelques feuilles de basilic. Poursuivez la cuisson pendant 10 minutes, en mélangeant souvent, puis saupoudrez la caponata de 22 ml (1 1/2 c. à soupe) de sucre et délayez-la avec 125 ml (1/2 tasse) de vinaigre (s'il est fort ; sinon, augmentez la quantité). Encore quelques minutes sur le feu, et le plat est prêt. Servez-le froid.

Cui mancia e nun vidi,
mai sàturu si vidi.

Capunatina.

Pigghiàti sei beddi milinciani pansuti e accussì
comu sunnu tagghiatili a pizzudda a pizzudola
sistimammuli dintra un culapastu, saliatici un
pugniddu di sali di cucina e lassàtili ripusari pi
un'ura abbuccatedda. A'otu puntu priparati 'na
bedda padedda e fàcitici friiri li milinciani.
Ora pigghiàti un tianu, mittitici dintra l'ogghiu di
la frittura e dintra 'stu stessu ogghiu, faciti suffrii
ri dui cipudduzzi sminuzzati, dui testi d'agghia
tagghiati a pizzudda, quattru pumadamuri pilati senza simenza e tagghiuzzati a duviri, 200
grammi di olivi virdi sminuzzati, un pugnu di
chiappara lavata e 'na sbrizza di sali di cucina.
Faciti cociri la salsa tastannu l'accia e quannu l'accia è cotta, jttatici dintra li milinciani cu qualchi
pampina di basilicò. Cuntinuati a cociri pi 'n'au
tri deci minuti abbuccateddi, girannu e rigirannu
a tempu giustu e a 'stu puntu juncìti un cucchiaru e mezzu di zuccaru e mezzu bicchieri
di acitu bonu.
Aspittati ancora 'n'auticchia e ximmiti.
La capunatina si mancia friddda e ricurdativi
chi è 'na cosa calata di lu paradisu.

Cappucci « garbi »

🕐 *Préparation* : longue

✗ *Ingrédients* : chou vert, ail, beurre, 1/2 oignon, ail, 125 g (1/2 lb) de speck, 1 pomme, vinaigre, sel, poivre, bouillon

🍴 *Niveau de difficulté* : facile

Coupez en lamelles un chou vert ; lavez-le, égouttez-le et faites-le revenir à la poêle avec de l'ail et du beurre. Quand il a bien fondu, ajoutez 1/2 oignon émincé et 2 gousses d'ail. Laissez cuire un peu et retirez l'ail. Ajoutez le speck coupé en petits morceaux et une pomme épluchée, évidée et coupée en tranches. Faites revenir à feu vif puis baissez le feu. Ajoutez deux cuillerées de bon vinaigre, du sel et du poivre. Laissez cuire pendant 30 minutes à feu très doux. Si c'est nécessaire, mouillez avec du bouillon.

Capuzi garbi.

I capuzi garbi sta ben cola carne de porco.
Taiè a filetini una verza, lavèla, scolèla ben
e pò sofighèla int'una tecia con sio, butiro
andove gaverè zà disfrito una meza zivola
tarada e un dò spighi de aio (l'aio va tirè
via), con 15 deca zirca de spek taiado a to
cheti. Ai capuzi zontè un pomo spelà, senza
torso e taiado a fetine.
Dopo gaver sofigà, sbasè el fogo, zontè un dò
cuciari de asedo bon, sal e peicre.
Lassè cusinar apian per una mezaoreta. Se
scori, bagnè con brodo, anche de bechi.
Chi che ghe piasi el garbo-dolse, pol zontar
un pugneto de zibibè, sbrovade in aqua.

Carciofi al basilico
Artichauts au basilic

🕐 *Préparation* : longue

✗ *Ingrédients* : 10 artichauts, huile, sel, poivre, basilic, vin blanc, croûtons de pain

🍴 *Niveau de difficulté* : facile

Coupez en quartiers 10 beaux artichauts, en prenant soin d'enlever les feuilles les plus dures et le foin. Faites-les tremper dans de l'eau acidulée. Dans une casserole, faites chauffer 125 ml (1/2 tasse) d'huile, puis jetez-y les artichauts. Salez, poivrez et ajoutez 4 ou 5 belles feuilles de basilic hachées. Couvrez et portez à ébullition, en mouillant de temps en temps avec du vin blanc. Servez ces artichauts avec des croûtons de pain frits.

Articiocche in gaeli ao baxaicò

Dividei in gaeli 10 belle articiocche, levando barba e diio. Laxele in pittin in aegua acidulà pe levaghe ôn pò de "ligadenti".
In te ôn testo faè boggi mezzo gotto d'euio in tô quale cacci e articiocche. Sâlè, peiviè e uni 4/5 feügge de baxaicò pestaû.
Covrì o testo e portè a cheûttua, bagnando de tanto in tanto, con in pò de vin gianco.
Servì queste articiocche con crostin de pan friti.

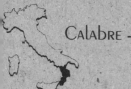

Carciofi ripieni
Artichauts farcis

⏱ *Préparation* : longue

✗ *Ingrédients* : 12 artichauts, citron, 250 g (1/2 lb) de bœuf haché, 30 ml (2 c. à soupe) de chapelure, pecorino, ail, persil, 2 œufs, huile, sel, poivre

🍴 *Niveau de difficulté* : facile

Prenez 12 artichauts, coupez le pied, enlevez les feuilles les plus dures et le foin. Déposez dans de l'eau citronnée et préparez la farce. Mélangez le bœuf haché avec la chapelure, 30 ml (2 c. à soupe) de pecorino râpé, 2 gousses d'ail hachées, du persil haché, 2 œufs, quelques gouttes d'huile, du sel et du poivre. Quand vous aurez obtenu une pâte homogène, farcissez-en les artichauts que vous aurez retirés de l'eau acidulée. Déposez bien serrés dans une casserole huilée et faites cuire à couvert à feu modéré.

Canciòffuli chjni

Pigghjati ddudici canciòffuli belli grossi e, dop-
pu chi ssi 'ndaviti cacciatu 'u pedali e i fogghj
'i fora cchjù duri, 'i lapriti 'nt'o menzu e si
scippati 'u pilu d'a curumeglia. Apoi, 'i mentiti
'nt'a ll'acqua cu limuni e dassatili stari.
'Mpastati 300 gr. 'i carni vaccina macinata cu
dohui cucchjara 'i pani stricatu, ddui i furmaggiu pecurinu, dohui spicchj d'agghju pezzijatu
finu finu, petrusinu, ddu' ova, ccocchj fila
d'agghju, sali e spezzi. 'M 'mpastati bonu bonu,
cacciati i canciòffula 'i ll'acqua e 'i perinchjti.
'I mentiti conzati unu vicinu all'attru e faciti 'i si cociunu 'nt'a 'na tiana cunduta d'ogghju, bella cumbogghjata, supi'o focu

Carciofi e finocchi
Artichauts et fenouil

Préparation : longue

Ingrédients : petits artichauts, bulbes de fenouil, huile, ail, oignon, pancetta ou salami, bouillon, sel, poivre

Niveau de difficulté : facile

Il s'agit d'un mélange de légumes très délicats, il faut utiliser de petits artichauts de première floraison, qui s'épluchent et se coupent en deux, dans le sens de la longueur. Lavez les bulbes de fenouil et coupez-les en quartiers. Pendant ce temps, dans une casserole, faites revenir dans de l'huile de l'ail haché, de l'oignon émincé et de la pancetta pilée (certains préfèrent de petites tranches de salami). Lorsque l'oignon prend une couleur dorée, ajoutez les légumes et faites-les rissoler. Baissez le feu et mouillez avec un peu de bouillon, salez, poivrez, et laissez cuire à feux doux en mélangeant de temps à autre. Les petits artichauts et les bulbes de fenouil devront, à la fin, être croustillants ; pour ce faire, mettez la casserole au four préchauffé à 220 °C (425 °F), sans couvercle, pendant quelques minutes.

Castraure de articiochi e de fenoci.

Sto insieme de verdure xe molto delicato, ma bisogna daparar articiocheti de primo fior, che vien
tagiai in dò par el longo. I fenoci, invense, laiti
e netai d'ale fogie grosse, se li tagia a spigoli.
Intanto, se parecia un desfrito de segola e agio
tritai e panseta pestaola fina (chi che vol o che ga
in casa, ghe mete qualche feta de salame, sempre
pesteda). Apena che la segola sarà dorata, se ghe
zonta la verdura e se la rosola a fogo vivo.
Se sbassa el fogo e se bagna co un fià de brodo.
Metarghe sal e pevare e lassar che se cusina adasieto, mescolando ogni qualtràto.
Far atension che la cotura no se prolunga e che le
verdure no vaola in pape, parchi, co i articiochi e i
fenoci xe coti se li passa co la tecia in forno caldo
e sensa cavercio, che i fassa un bel crostolin.

Cardi alla parmigiana

Préparation : longue

Ingrédients : 1,5 kg (3 lb) de cardons, chapelure, beurre, parmesan

Niveau de difficulté : facile

Beaucoup de légumes peuvent être préparés de cette manière, et le résultat est généralement délicieux. Pour les cardons, il est important d'en choisir des tendres et de bien les nettoyer. Débitez les cardons en tronçons d'environ 10 cm (4 po), faites-les bouillir dans de l'eau salée jusqu'à ce qu'ils soient tendres, puis égouttez et laissez sécher. Dans un plat bien beurré et légèrement saupoudré de chapelure, étendez une première couche de cardons, et saupoudrez généreusement de copeaux de beurre et de parmesan. Étendez une deuxième couche et procédez jusqu'à épuisement des ingrédients. Enfournez au four préchauffé à 230 °C (450 °F) pendant environ 30 minutes et servez les cardons très chauds. Vous pouvez préparer de la même façon les courgettes, les épinards, les bulbes de fenouil ou les haricots.

Cardlétt al 'môd ed Pèrma.

Dumondi verdür is pòlen preparèr in'sta ma niria e totti ed bona riuscida.

Ch'i chèrd l'è impurtant dlizri ténder e d'pu liri dimandi ban. Par 6 parsàun a in trà zir ca mi chillo e mèzz. Avi dla taiiri a pzii ed 8-10 cm. e pó ai cusri in acqua buiànta salè fèin ch'in sran ognò ténder; adèss scutii e las sèi sughèr. Ruli in tegàm, imzèl pulid ed butir e pó passèi al pan gratè.

Adèss fè un strè ed cardlétt, pó sàura suguànt baruchèin ed butir, pó dli èter cardlétt e acsi d'longh, finand con 'na bèla infurmaii. Miti al tegàm in dal fàuren par zirca 30 mi nud e sarvii ban chèld.

Al stass môd, sèlv al tamp ed cotura, a pói preparèr zuchétt, spinâzz, fniuc, fasulèin ...

.....

Cavolata

🕐 *Préparation* : longue

✗ *Ingrédients* : ail, 3 boudins de Sassari, 1 chou cabus, sel, 1/2 piment, sauce tomate

🍴 *Niveau de difficulté* : facile

Plat typique de Sassari. Dans une casserole, faites blondir 2 gousses d'ail hachées, ajoutez 3 boudins de Sassari, 1 chou cabus tendre coupé en lamelles très fines, assaisonnez avec du sel, 1/2 piment rouge broyé et de la sauce tomate. Laissez cuire à couvert à feu moyen.

Caulada.

Pigai unu caliu accuppau beni moddi, segaiddu a fittireddas e poneiddu in su fogu ain d'unu pagu de ollu, sali, allu tritau e sartizzu sassaresu. Acciungirei unu pagu de bagna de tomata e, boleu di, un arrogheddu de pibireddu arrubiu. Truppai beni cun su ccofuttori e lassai in su fogu finsas a candu i beni cottu.

Fagioli all'uccelletto

 Préparation : rapide

Ingrédients : haricots, sauge, huile, sauce tomate, sel, poivre

Niveau de difficulté : facile

Faites bouillir les haricots et égouttez-les. Mettez dans une casserole beaucoup d'huile et de la sauge fraîche que vous faites un peu griller. Jetez alors les haricots dans la casserole et assaisonnez de sel (si nécessaire) et de poivre. Laissez mijoter, en secouant la casserole de sorte que les haricots n'attachent pas, jusqu'à ce qu'ils aient absorbé toute l'huile. Ajoutez de la sauce tomate, et lorsqu'elle a épaissi, le plat est prêt.

Fagiolini piccanti
Haricots verts piquants

🕐 *Préparation* : longue

✗ *Ingrédients* : 2 litres (8 tasses) de haricots verts, beurre, 6 filets d'anchois salés, ail, croûtons de pain

🍴 *Niveau de difficulté* : facile

Faites bouillir dans de l'eau légèrement salée les haricots verts jusqu'à ce qu'ils soient tendres. Égouttez-les bien. Dans une casserole, faites fondre du beurre dans lequel vous ferez revenir doucement 6 filets d'anchois salés. Émincez 2 gousses d'ail et ajoutez-les aux anchois. Quand l'ail commence à dorer, ajoutez les haricots verts que vous ferez revenir en remuant souvent. Servez les haricots bien chauds avec des croûtons de pain frits dans le beurre.

Tegolinn e piccanti.

Lessè in aegua leggermente sâlà 1 chillo de tegolinn-e tenëe e sensa fi. Scolele ben, poi in te unn-a teggia faé scioglie unn-a noxe de bûtiro, in tô quale fàiei già 6 filetti de anciôe sotto sâ. Affetté de fin dui gaeli d'aggiô e unili aô bûtiro e a e anciôe. Quando cominça a piggià de biondo, ûni e tegolinn-e ché lasciei insavôi, remesciando de frequente. Servili ben cadi con di crostin de pan freiti in tô bûtiro.

Scafata

🕐 *Préparation* : longue

✕ *Ingrédients* : 1 kg (2 lb) de scafate (fèves) fraîches, 500 ml (2 tasses) de bettes à cardes, 1 oignon, 1 branche de céleri, 1 carotte, huile, sel, poivre, 2 à 3 grosses tomates fraîches

🍴 *Niveau de difficulté* : facile

Il s'agit d'un mot d'origine dialectale: «scafo» est en fait le terme en Ombrie qui désigne la cosse des fèves, qui constituent l'ingrédient de base de cette recette. Pour 6 personnes, comptez environ 1 kg (2 lb) de scafate. Mettez dans une casserole les fèves fraîches et déjà écossées avec les bettes bien lavées et coupées en morceaux, 1 oignon émincé, 1 branche de céleri et 1 carotte hachées, 125 ml (1/2 tasse) d'huile, du sel et du poivre. Faites cuire à feu doux pendant environ 45 minutes. Ajoutez alors 2 à 3 grosses tomates fraîches bien mûres, pelées, épépinées et coupées en morceaux, et terminez la cuisson en remuant de temps en temps.

Scafata.

Co 'n chilo de fave fresche, se po fae 'na bella scafata per sei.

'Ste fave se metton nto in tegame 'nsieme a quat tr'etti de beta a pezzi, 'na cipolla a fette, 'na costa de sellero e 'na carota tritati, mezzo bicchier d'olio, sale e pepe.

Se fa coce a foco lento pe tre quarti d'ora, ee se mettono quattr'etti de pomidori freschi a pezzi e se lascia coce.

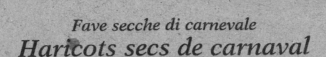

Fave secche di carnevale
Haricots secs de carnaval

🕐 *Préparation* : longue

🍴 *Ingrédients* : 500 g (1 lb) de haricots secs, ail, 500 g (1 lb) de petits morceaux de viande de porc, 250 g (1/2 lb) de saucisse sèche, 250 g (1/2 lb) de couenne, 15 ml (1 c. à soupe) de lard

🍴 *Niveau de difficulté* : facile

C'est une spécialité de la Barbagia, généralement préparée pour le jeudi gras. Pour 6 personnes, faites tremper pendant 24 heures, dans de l'eau tiède, les haricots secs. Égouttez et, dans une marmite remplie aux trois quarts d'eau légèrement salée, faites cuire les fèves avec 2 ou 3 gousses d'ail. À la mi-cuisson, ajoutez les petits morceaux de viande de porc, la saucisse sèche, la couenne coupée en petits morceaux et une cuillerée de lard. Laissez cuire à couvert en remuant souvent.

Faiada.

Si pronganta is fais ad ammoddiai in ae qua tepida da su miri primu.

Sa di dopu, si segara su croxu po sa longaria, si cundiri cun perra de porcu, sartizzu tipu « cotechino », croxolu e lardu tritau cun calincuna tittula de allu e sali. Si tuppa su tianu e si lassara ascabbai de coi semprei a tianu tuppau.

Fiori di zucca fritti
Fleurs de courge frites

Préparation : longue

Ingrédients : 3 ou 4 fleurs de courge, anchois, mozzarella, farine, sel, huile

Niveau de difficulté : facile

Comptez 3 ou 4 fleurs de courge très fraîches par personne, et enlevez le pistil. Ouvrez-les délicatement et glissez à l'intérieur un morceau d'anchois et un petit dé de mozzarella. Préparez une pâte à frire pas trop liquide avec de la farine, de l'eau et du sel, plongez-y les fleurs farcies et faites-les frire dans une grande quantité d'huile bouillante.

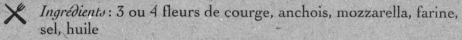

Fiori de zucca fritti –

Ce sonno 3 o 4 fiori a testa, freschi e senza l'anima (sarebbe er pistillo).

Se roprena piano piano e s'ariempiano co' 'n pezzetto d'alice e 'n daderello de mozzarella. 'Ntanto s'appronta 'na pastetta co' farina, acqua e sale, ma nun troppo lenta, e ce s'affogheno drento li fiori già ripienati. Quinni se fanno frigge affogati ne l'ojo bollente. Se deveno da magnà calli annalapena scolati.

Frittedda

🕐 *Préparation* : longue

🍴 *Ingrédients* : 2 oignons, huile, 6 artichauts, 2 litres (8 tasses) de petits pois, 2 litres (8 tasses) de petites fèves, sel, poivre, vinaigre

🍴 *Niveau de difficulté* : facile

Du palais Abatellis à l'église de la Gancia, il n'y a que deux pas. Cette construction, qui date également de la fin du XVᵉ siècle, doit son nom à l'hospitalité que le couvent des franciscains annexe offrait aux moines malades ou de passage en ville (on appelait «gancia» – ou hospice – les couvents prévus à cet effet). La nef unique de l'église est bordée de chapelles latérales ornées des tableaux d'Antonello da Palermo et de Pietro Novelli, des stucs de Giacomo Serpotta et des sculptures de l'école de Gagini. Au XIXᵉ siècle, cette église servait de lieu de réunion pour les patriotes insurgés contre les Bourbons. On peut encore voir aujourd'hui l'ouverture pratiquée dans le mur extérieur pour la fuite de deux patriotes qui ont miraculeusement survécu à l'échec de l'insurrection du 4 avril 1860. Treize de leurs compagnons furent capturés et fusillés sur la place voisine qui tient son nom de leur martyre : «Place des 13 victimes». Francesco Riso, l'un des principaux instigateurs de la révolte, mourut dans le conflit. Si ce souvenir laisse un goût amer, la grande paix qui règne à l'intérieur du monastère a pris le dessus et, peu à peu, les souvenirs de guerre se dissipent et font place aux fantaisies beaucoup plus pacifiques des frères cuisiniers rubiconds qui s'affairent autour des grands fourneaux de la cuisine communautaire. Comme nous sommes en avril, c'est la saison des légumes frais et

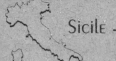
tendres. Et c'est à base de légumes frais qu'est faite la recette classique de « frittedda ».

Émincez finement 2 oignons et faites-les fondre dans 250 ml (1 tasse) d'huile d'olive. Pendant ce temps, vous aurez coupé la tige et ôté les feuilles externes de 6 petits artichauts, écossé les petits pois et les petites fèves. Coupez chaque artichaut en 8 quartiers, éliminez-en le foin et ajoutez-les aux oignons en les faisant rissoler pendant une dizaine de minutes. Ajoutez ensuite les fèves et, quelques minutes après, les petits pois. Salez, poivrez et diluez avec 250 ml (1 tasse) de vinaigre. Lorsque le vinaigre se sera presque complètement évaporé, retirez du feu et laissez refroidir.

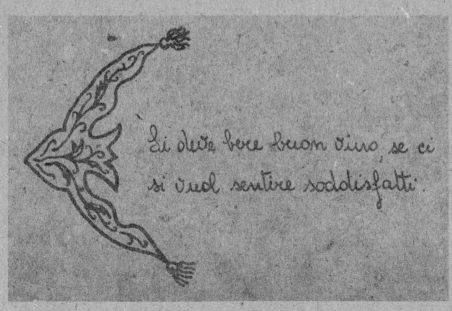

Si deve bere buon vino, se ci si vuol sentire soddisfatti.

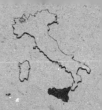

Frittedda.

Tritati dui cipudduzzi e facitili 'mpassuliri
dintra un biccheri d'ogghiu d'oliva. Pigghia
ti sei carcocciuliddoli beddi teniri, livatici li ci
mi e li primi fogghi e tagghiatili a fiddduzzi
livannuci la sarva di dintra.

Ora pigghiati 800 gr. di pisidduzzi e 800 gr.
di favuzzi virdi e spicchiatili. Priparativi
'na padedda cu ogghiu d'oliva e mittitici
dintra a focu lentu la cipudduzza priparata
e li carcocciuli. Faciti rusulari giranmu cu
'na cucchiara di lignu pi 'na dicina di mi_
nuti. A 'stu puntu jttatici li favuzzi e dopu
qualchi minutu, li pisedoli. Mittiti sali e pipi
e un bicchieri di acitu biancu. Quannu l'acitu
sarà tuttu svapuratu, scimiti e lassati ripusa
ri pi mezz'ura.

A 'stu puntu siti pronti pi liccarivi l'ugna.

Funghi alla maniera del Lauson
Champignons à la manière du Lauson

🕐 *Préparation* : rapide

✕ *Ingrédients* : 8 cèpes de taille moyenne, beurre, sauge, sel, poivre, 250 ml (1 tasse) vin blanc sec, 250 ml (1 tasse) de crème

🍴 *Niveau de difficulté* : facile

Recette du Lauson annotée par Pierina Ferrat.

Nettoyez bien les cèpes de taille moyenne et coupez-les en tranches longitudinales. Faites-les revenir pendant quelques minutes dans du beurre, puis ajoutez de la sauge, du sel et du poivre. Faites cuire à feu vif pendant au moins 8 à 10 minutes en allongeant avec le vin blanc sec, puis éteignez le feu et ajoutez la crème. Mélangez doucement avec une cuillère de bois, et terminez la cuisson, qui devrait être brève.

Bouli a la moda du Lauson.

Poulité amgolo 8 dzen = porcini = e le coppé a litre. Le fére frie an pousa deun l'aglio en djonten de sarve, de peivro e de so. Sapendre lo fouà pe 8-10 menute e djonté un veiro de vein blan sec, apri tour mè beiché la flama e djonté un veiro de crama.

Quetté eunco eun mauman, cangue-can sie coué, eun mecllèn avoui an coue = glièr de bouque.

Involtini di salvia fritti
Paupiettes de sauge frites

🕐 *Préparation* : longue

✕ *Ingrédients* : sauge, anchois ou jambon ou mozzarella, pâte à frire, huile

🍴 *Niveau de difficulté* : facile

Il faut de la sauge fraîche, avec de belles grosses feuilles luxuriantes. Comptez 2 feuilles par paupiette et, après les avoir lavées et essuyées avec délicatesse, mettez entre les deux feuilles un petit morceau d'anchois, de jambon ou de mozzarella. Fermez les paupiettes avec un cure-dents, plongez-les dans la pâte à frire, et faites-les frire dans de l'huile bouillante, à feu vif.

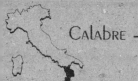

Involtini di melanzane
Paupiettes d'aubergine

🕐 *Préparation* : longue

✕ *Ingrédients* : 4 aubergines calabraises, chapelure, ail, persil, pecorino, sel, poivre, huile

🍴 *Niveau de difficulté* : complexe

Coupez en tranches 4 aubergines calabraises, faites dégorger leur liquide amer et faites légèrement frire. Dans un bol, mélangez 60 ml (4 c. à soupe) de chapelure avec un hachis à base d'ail et de persil, 2 cuillerées de pecorino râpé, du sel, du poivre et quelques gouttes d'huile. Quand les ingrédients sont bien amalgamés, étendez la pâte sur chaque tranche d'aubergine que vous enroulerez et fermerez avec un cure-dents. Passez les paupiettes au gril et servez.

Malangiani 'ntorchjati.

Faciti ffetti ffetti quattru malangiani, faciti
'i sciulime e mi cangianu pocu pocu culuri
'nt'a padeglia. 'nt'a 'nu testicegliu 'i crita,
miscitàti 4 cucchjari 'i pani stricatu cu 'na
pizzicata d'agghju e petrusinu, 2 cucchjari
i furmaggiu pecurinu stricatu, sali, spezzi
e 'na 'nticchja di ogghju.
Apai pigghjati 'sti 'mmurratini e si mentiti
quantu basta pa ogni ffetta 'i malangiana.
'A 'ntorchjàti e a 'mpilàti cu 'n' accònduru
'i lignu senza capocchja. Mentiti i malan-
giàni sup'e ferri cardi d'a furnacetta e con-
zàtili sup'o tavulu.

Melanzane alla griglia
Aubergines grillées

Préparation : longue

Ingrédients : 1 aubergine, sel, chapelure, persil, ail, huile, poivre

Niveau de difficulté : facile

Coupez en deux, dans le sens de la longueur, 1 aubergine par personne. Saupoudrez les aubergines de sel et laissez-les dégorger pendant quelques heures, afin qu'elles perdent leur amertume. Rincez-les et pratiquez une incision transversale dans la pulpe avec la pointe d'un couteau. Dans un bol, préparez la farce en mélangeant 125 ml (1/2 tasse) de chapelure, un beau bouquet de persil et 1 gousse d'ail hachée, 30 ml (2 c. à soupe) d'huile, du sel et du poivre. Introduisez la farce dans la fente des aubergines et couvrez-en la surface. Alignez les aubergines sur une grille posée sur la braise et laissez cuire pendant environ 15 minutes.

Mlanzân int la gardëla.

Avrì a mitê pr'e' vers de lóng 1 mlanzâna a tě sta, salêli e lassili acsè par quéjca ora, parchè al perda l'amèr. Passi'li in aqua giarêda e fasi di tajulin ad travers cun la ponta d'un curtël.
Preparì e' ripin armis-cénd int una tirèna 50gr. d'pân gratê, 1 bël max d'pidarsul e un spigul d'àj tridé, 2 cucér d'öli, sêl e pevar.
Sistimé ste ripin int al specadur d'igna mlanzâna e sparguin un bël pö d'sôra.
Mitili óna drì a cl'ètra int una gardëla sôra la bresa e lassili cùsar par zirca 15 minut.

Melanzane alla tarantina

🕐 *Préparation* : rapide

✗ *Ingrédients* : 4 grosses aubergines, 125 ml (1/2 tasse) d'olives noires, câpres, pecorino, menthe, basilic, sel, poivre, huile

🍴 *Niveau de difficulté* : facile

Achetez 4 grosses aubergines, coupez-les en deux dans le sens de la longueur et mettez-les à tremper un peu dans de l'eau salée. Essuyez-les et coupez la chair en rectangles sans les détacher complètement. Dans un bol, mélangez les olives noires dénoyautées et hachées, 1 poignée de câpres hachées, du pecorino râpé, des feuilles de menthe et de basilic hachées, du sel et du poivre. Distribuez ce mélange dans les fentes des aubergines et, après les avoir arrosées d'huile, mettez-les à cuire sur le gril. Laissez refroidir avant de servir.

Malangiana a la manèra da Tarda.

S-accattana quatta grossa malangiana, sa tàg-
ghjana iuna iuna a mmiànza, dalla sanna-
ialda, e sa mèttana nu piccha jind-a ll'ac_
qua cu ssala. S-assuchana e cu charti'adda
sa fàscana bbèlla bbèlla tanda quadrucca
sop-a la fara tagghjata. Pò jind-a nu tia_
niàdda sa faxa nu mmiscka da na ciamba_
ta da chjapparina, 50g. d-auui laccisa sénza
mòzzara e tacchasciata fina fina, farmagga
pagharina grattata friònnua da mènda e da
vasanacòla adacciata, sal-e ppèpa.
Sa mètta nu picch-a la volda cussa chambòsta
jind-a la sparcaxxa da la malangiana. Doppa s-ammèna sopa u-ègghja e sa fàscana
coxca sop-a la radiggua.
A pprima sa fàscana sfardèssca e ppò sa man_
gana.

Parmigiana di melanzane

Préparation : longue

Ingrédients : 1 kg (2 lb) d'aubergines, sel, huile, 5 à 6 grosses tomates, basilic, 250 g (1/2 lb) de mozzarella, parmesan

Niveau de difficulté : facile

Expression d'une cuisine pauvre mais ingénieuse et, surtout, économique, voici l'un des plats les plus exportés et connus. Pour 6 personnes. La veille coupez les aubergines en tranches d'environ 1/2 cm (1/4 po) d'épaisseur et saupoudrez-les de sel, afin qu'elles perdent leur amertume. Le lendemain matin, rincez-les et séchez-les avec soin et faites frire dans une grande quantité d'huile bouillante. Préparez une sauce avec les tomates bien mûres, pelées et épépinées, et une belle touffe de basilic. Quand la sauce est bien réduite, déposez les aubergines dans un plat, en alternant avec de la sauce tomate, la mozzarella coupée en tranches et beaucoup de parmesan. Lorsque les ingrédients sont épuisés, finissez avec une dernière couche de sauce tomate et enfournez à température élevée pendant 30 minutes.

'A parmiggiana 'e mulignane.

E nà spressione 'e na cucina puverella, economica
é fantasiosa. É 'o piatto 'o chiù diffuso é 'o chiù
cunusciuto.

Pe sei persone: 'a sera primma priparate 1 kg.
'e mulignane, tagliatele 'a felle 'e 1/2 cm.
Mettitele dint'à na pentola é pe ogni strato
na vranca 'e sale pe fà levà ll'amaro.

'A matina apprisso sciacquatele, asciuttatele
bone, é facitele suffriggere dint'à ll'uoglio
bullente, abbundante. Priparate na sarza
cu 1 kg. 'e pummarole spellecchiate é senza
semmente, é na vranca 'e vasenicola.

Quanno 'a sarza é bona ristretta, mettite
'e mulignane dint'à nu ruoto, é 'ncopp'à
ogne strato 'nce mettite 'a sarza 'e pummarola, 300 gr. 'e muzzarella tagliata 'a pezzettine, é assaie furmaggio parmiggiano.

All'urdimo strato 'nce mettite 'o riesto d'a
sarza, pò mettite dint'o furno é facite cocere
pe mez'ora!!

Peperonata

🕐 *Préparation* : longue

✗ *Ingrédients* : 1 kg (2 lb) de poivrons, 5 à 6 grosses tomates, 2 oignons, persil, câpres, 250 ml (1 tasse) d'olives noires de Gaeta, origan, sel

🍴 *Niveau de difficulté* : facile

Pour 6 personnes. Passez au gril les poivrons afin de pouvoir enlever la peau. Coupez en lamelles pas trop fines et mettez à cuire dans une poêle avec les tomates pelées et épépinées, 2 gros oignons, 1 touffe de persil hachée, 125 ml (1/2 tasse) de câpres, les olives noires de Gaeta dénoyautées, 15 ml (1 c. à soupe) d'origan et du sel. Laissez cuire à feu doux pendant environ 40 minutes en mélangeant de temps en temps.

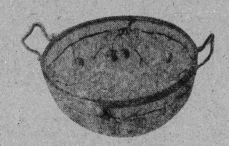

'A puparunata-

Pe sei persone: arrustite 'ncopp'o fuoco 1 kg.
'e puparuole é levatece 'a pellecchia attuorno.
Tagliatele 'a listarelle, nun tanto suttile, é
mettitele 'a cocere dint'à na padella cu nu
poco d'uoglio, 'nzieme a 500 gr. 'e pummarole
spellecchiate é senza semmente, ddoie cepolle
grussicelle fettate, na vranca 'e petrusino tri
tate, 50 gr. 'e chiapparielle, 100 gr. d'aulive
nere 'e Gaeta senza l'uosso, nu cucchiaro de
arecheta 'e 'o sale.
Facitele cocere 'a fuoco lento pe quase 40
minute 'e misculatele cu nu poche 'e pa -
cienza di tanto in tanto.

Polpette di fagioli
Croquettes de haricots

🕐 *Préparation* : longue

✗ *Ingrédients* : 1 litre (4 tasses) de haricots, céleri, 1 oignon, clou de girofle, fromage, chapelure, sel, poivre, 2 œufs, huile

🍴 *Niveau de difficulté* : complexe

Faites bouillir 500 g (1 lb) de haricots dans de l'eau salée aromatisée avec du céleri, 1 oignon, 1 clou de girofle. Passez le tout au tamis et incorporez dans la purée 30 ml (2 c. à soupe) de fromage, 15 ml (1 c. à soupe) de chapelure, du sel, du poivre et 2 jaunes d'œufs. Quand vous aurez obtenu une pâte bien homogène, faites-en des petites croquettes que vous passerez dans les blancs d'œufs et dans la chapelure avant de les faire frire dans de l'huile bien chaude. Ces croquettes se servent chaudes.

Polpete de fasoi.

Se fa' boier mez' chilo de fasoi en l'aqua
e sal con en par de coste de selem, zigole e
garofoi. Se i sghiza for dale scorze come a
far en pirè s'ei empasta con doi cuciari de
formai gratà, en cuciar de pan gratà, sal
e pever e doi rossi de of e se fa' su balote
sghizade da bagnar en la ciara de of sbatù e da far sugar en d'el pan gratà per
farle frizer en de l'oio broent.
Se le ga da magnar sempre ben calde.

Pomodori verdi fritti
Tomates vertes frites

🕐 *Préparation* : rapide

✕ *Ingrédients* : tomates très vertes, farine blanche, huile

🍴 *Niveau de difficulté* : facile

Les tomates à salade, grosses, rondes et encore très vertes constituent, comme nous l'avons vu pour l'omelette, un excellent légume pour la friture. Coupez-les en tranches, passez-les dans la farine blanche, et faites-les à feu vif dans de l'huile bouillante parce qu'elles doivent dorer et rester croquantes.

Fattoria La Bandita

Vino Rosso

Proprietà Bonzotti
Sassetta (prov. Livorno)
Imbottigliato dal Produttore alla Fattoria

Radicchio col lardo
Chicorée au lard

⏰ *Préparation* : rapide

✕ *Ingrédients* : chicorée, 125 g (1/4 lb) de lard, vinaigre

🍴 *Niveau de difficulté* : facile

Il s'agit d'une délicieuse salade de printemps rustique. Dans le saladier, déposez la chicorée bien épluchée, et versez dessus le lard coupé en dés que vous aurez fait revenir à feu vif pour le faire fondre un peu. Une fois le lard retiré du feu, l'arrosez de vinaigre et voilà, c'est prêt. Préparé ainsi, le lard est délicieux avec tous les types de salade de même qu'avec le chou blanc, coupé en lamelles.

Ridric cu lis frizzis.

Cheste 'e je une salate campagnole di viarte, sauride. Tal platel si prepare il ridric ben net e parsore si brùtij cent grams di ardiel ta jât a tasseluz e passât te fersorie sun tune flame vivarose, fin ch'al scomence a disfâsi. Tirât vie dal fûc, l'ardiel al va sclipignât cul asêt e al è pront.

Chest ardiel al è bonissim cun qualunche qualitât di salate e ancje cui brocui blancs tajâz a stielis.

Rape in agro

⏰ *Préparation* : rapide

✖️ *Ingrédients* : navets, huile, vinaigre, sel, poivre

🍴 *Niveau de difficulté* : facile

Prenez des navets pas trop gros, brossez-les pour les nettoyer, lavez-les, sèchez-les et faites-les bouillir dans de l'eau salée. Alors qu'ils ne sont pas tout à fait cuits, déposez-les dans un plat en pyrex avec un filet d'huile d'olive, mouillez avec du vinaigre, salez et poivrez. Laissez-les ensuite étuver au four, couvert de papier huilé. Servez-les très chauds, en garniture de viande de porc, de bollito.

Rave garbe.

Ciolè rave nè grandi nè pice, gratèle per nu
tarle, lavèle, sughele e metèle a boir in aqua
salada. Co' le xe squasi cusinade, ciolèle fora, me
tèle int' una tecia de vetro, con un cuciar de oio,
zonteghe asedo bon, sal e pevere.
Cusinèle in forno, coverte co' una carta oleada.
Portèle in tola sbroventi, co' carne de porco o baida.

Rape gratinate
Navets gratinés

🕐 *Préparation* : rapide

✕ *Ingrédients* : navets, huile, beurre, béchamel et fromage

🍴 *Niveau de difficulté* : facile

Lavez, séchez et tranchez les navets. À la poêle, dans un mélange d'huile et de beurre, faites dorer les tranches de navet, puis déposez-les dans un plat en pyrex bien beurré, en les alternant avec des couches de béchamel et de fromage râpé. Finissez avec la béchamel et enfournez.

Rave gratinade.

Gave' da lavar, da sugar zo e da taiar su à fiete le rave che se ga da meter en de la padela con oio e boter desfa' perchè le ciapa 'na meza endorada.

Pò se le metè en de na padela de teracota on zuda de boter, a strati, un de rave, e un de besciamela col formai grat' per ultim e pò se el fa' coser en d'el forno.

La « ratatuia »

🕐 *Préparation* : longue

✖ *Ingrédients* : 3 grosses pommes de terre, 250 ml (1 tasse) de carottes, 250 ml (1 tasse) de haricots verts, laurier, sauge, beurre, sel, poivre

🍴 *Niveau de difficulté* : facile

Recette annotée et cuisinée par Ines Cossard de Villeneuve.
Nettoyez et coupez les pommes de terre et les carottes en ron-delles fines. Coupez les haricots verts en deux. Étendez les en couches, en commençant par les carottes, dans un plat bien beurré. Entre chaque couche, mettez du laurier et de la sauge, salez, poivrez et assouplissez avec une quantité généreuse de copeaux de beurre. Enfournez et faites cuire à basse température de 1 heure à 1 1/2 heure, selon la tendreté des légumes.

La ratatouie.

Poulitté, coppé a boccon, beutté deun an casserolla vouendua avoui 1 éito de beu-ro, a rèn, 3 éito de gneuffe, 3 éito de trei-folle moèle, 3 éito de feisou, canque-can sie pleia.
Entre un rèn e l'otro beutté de sarve, de lauvri, tchica de so e de peivro e bien de beuro. Beutté i for pe un-gn'aira, un-gn'aira e demi.

Rosolacci stufati

 Préparation : longue

 Ingrédients : 1 kg (2 lb) de coquelicots, rapini, chou-fleur, feuilles de ravenelle, huile, ail, sel, olives de Lecce, raisins secs, cerneaux de noix

 Niveau de difficulté : facile

Peu de gens savent que les pavots sauvages ou rosolacci (coque-licots), qui se distinguent par leur belle couleur rouge dans les champs au printemps, peuvent être utilisés pour faire une excellente soupe. Ce sont les habitants du Salento qui l'ont découvert. On épluche les coquelicots avec un peu de rapini et de chou-fleur et, surtout, des feuilles de ravenelle, «raphanus rapha-nistum» pour les botanistes, rapèstre à Daun, rapòne à Bari, «lapazzu» pour les habitants du Salento, qui disent: «Senza lu lapazzu la paparina ce me la fazzu?» (Tu me fais des coquelicots sans ravenelle?)

Lavez et comprimez dans une casserole dans laquelle on aura fait chauffer de l'huile avec une gousse d'ail. Couvrez. À la mi-cuisson, quand l'eau des légumes s'est évaporée, salez et versez 1 poignée d'olives de Lecce, des raisins secs, des cerneaux de noix. Lorsque c'est cuit, laissez tiédir et servez avec du pain.

Sckattarulə stəfatə

Sə vonn-a ceògghjə forə nu chilə də chjan-
də də sckattarulə, chioldə pə ffà u sckattə.
Sə mannèscənə nnàimə ddo cimə də rapə, ddo
cimə də colə, ddo camèddə də rapònə e sə lə
vanə. Sə səstèmənə jind-a nu tianə, s-am-
mèmə sopə assà iègghjə ngaldəssciutə chə
nu spəcuddə d-agghjə. Sə mètt-u chəviər
chjə e sə faxə coxə. Acquannə l'acquə c-am-
mènənə lə fiònnə s-av-assuttə, sə mètt-u
ssalə, na ciambatə d-auii təccisə, iu və pas-
sə e parriattə də nuxə. Sə fàxənə coxə e
sə mangənə cu ppanə.

Spinaci alla fontina
Épinards à la fontina

🕐 *Préparation* : longue

🍴 *Ingrédients* : 3 litres (12 tasses) d'épinards, pain noir rassis, fontina, beurre, 250 ml (1 tasse) de bouillon de viande

🍴 *Niveau de difficulté* : complexe

Après les avoir lavés soigneusement, faites bouillir les épinards, égouttez-les et essorez-les complètement. Dans une terrine beurrée qui va au four, déposez les ingrédients en alternant les épinards, le pain noir rassis en tranches et de la fontina en tranches fines. Entre chaque couche, attendrissez avec quelques copeaux de beurre. Mouillez modérément avec le bouillon de viande et enfournez. La fontina sera l'indicateur de cuisson : lorsqu'elle sera fondue et dorée, vos épinards seront prêts à être servis.

Le s-épéatse a la fontia.

Laède 1 Kilo é djemi de s-épéatse avoui
chauen, féiède-lè cauéé, colède-lè é preu
chède-lè canque l'éé sie totta ia.
Dedeun an cocotta de tera, voueundua
avoui bien de beuro, beuttède a ten le
s-épéatse, coutche litse de pan ner, 200
gram de fontia copéte a fette fie.
Eun tremi d'un ten é l'òtro plachède
coutche toque de beuro.
Arousède avoui modérachon atò 1 veiro
de bauglion de treur é beuttède i for.
Osservède bien la fontia: un cou fondua
é doréte Vauhe s-épéatse saren preste
pe iké servie a tobla.

Tartufi alla piemontese
Truffes à la piémontaise

🕐 *Préparation* : rapide

✕ *Ingrédients* : truffes, grana, sel, poivre, huile, citron

🍴 *Niveau de difficulté* : facile

Après avoir nettoyé les truffes, coupez-les en tranches très fines et mettez-les dans un plat légèrement beurré, en les étalant en couches alternées : truffes, copeaux de grana, sel et poivre, huile, et ainsi de suite. Enfournez le plat à température modérée pendant 10 minutes, puis servez les truffes accompagnées de quartiers de citron.

Trifole a la piemonteisa

Dòp avèj polidà le trifole, tajeje a fëtte sutile. buteje ant un fojòt oit con pòch butir, dëspondie a strat alternà:
trifole, scaje ed gran-a, sal e pèiver, euli, ecc.
Passé el fojòt an forn caod per 10 minute e serve le trifole contornà da fische ëd limon.

Verze con la salsiccia

🕐 *Préparation* : longue

✖ *Ingrédients* : 1 gros chou vert, 125 ml (1/2 tasse) de lard ou de pancetta, bouillon, 250 ml (1 tasse) de vin rouge ou blanc sec, sel, poivre, saucisse

🍴 *Niveau de difficulté* : facile

Recette automnale typique pour laquelle il faut du chou vert, bien nettoyé, dont les feuilles sont détachées une à une, coupées en lamelles et cuites pendant 4 heures avec un hachis de lard ou de pancetta (environ 125 ml [1/2 tasse]) et immergées dans un peu de bouillon qui peut être enrichi de vin rouge ou, plus délicatement, blanc, mais sec. Remuez de temps en temps avec une cuillère de bois. Salez et poivrez. Ajoutez la saucisse en quantité voulue 30 minutes avant la fin de la cuisson. Servez ce chou vert assaisonné avec de la polenta.

Verse eo la luganega.

Quando che vien l'autuno e el fredo scomin_
ria a pizegàr le recie, se gà vogia de magnar
qualcossa de sostanzioso.

Se compra, alora, 2 chili de verze che vien ben
lavae e tagiae a strichéte fine e messe a cusi_
nar in tecia col solito desfritin de ségola e
lardo, o panseta, ben pestai, inumidie co un
poco de brodo e mezo gotesin de vin rosso o bian_
co seco (più delicato) dove che se le lassa par
più de 4 ore, missiando ogni tanto col sculier
de legno. Sal e pevare (pocheto).

Meza ora prima che le sia cote, se ghe zonta
i muzei de luganega, uno a testa e anca qual_
chidun de sfregolà, tanti o pochi a seconda del
gusto. La sò morte xe la polenta zala, sia ape_
na fata, che brustolada.

Zucca alla ricotta forte
Courge à la ricotta forte

🕐 *Préparation* : longue

✗ *Ingrédients* : huile, 2 anchois, câpres, ail, 500 g (1 lb) de courge d'hiver, olives grecques, ricotta forte, sel, poivre, croûtons de pain

🍴 *Niveau de difficulté* : facile

Plat typique de la région de Brindisi. Dans une grande casserole, faites revenir dans un filet d'huile bouillante 2 anchois salés sans arêtes, lavés et hachés, un peu de câpres, 1 gousse d'ail, et ajoutez la courge d'hiver ou « génoise » épluchée, lavée et coupée en petits dés. Une fois la courge dorée, ajoutez une bonne poignée d'olives grecques et faites cuire pendant 15 minutes. Avant de retirer du feu, incorporez une cuillerée comble de ricotta forte, une pincée de poivre et de sel. Servez chaud avec des croûtons de pain maison.

Chacozzə du viərnə chə la racott-aschuandə.

Lə fàcənə lə Brinnəsinə; da nu cangə nu
picchə. Jind-a nu tianə sə fàcənə sfrixə,
chə nu picchə d-ègghjə, ddo alixə dui sprə
mə sénxa spinə, lavatə e a pəxxièttə, dolu chjəp
pəxinə, nu spacuddə d-agghjə, na frənxa d-ec
cə tacchəxiatə, mènxa capəddə faddəxiatə.
Sə lèv-u-agghjə e s-ammènənə 600g. də chə-
coxxə du viərnə, doppə ca iè statə lavatə la
xcoxsə, lavatə e tagghjatə a pəxxiettə.
Accomə addəvèndə bbiòndə, s-ammènənə na
ciambatə d-auui gnorə e sə facə coxə nu
quartə d-orə. Appximə də lavallə do ffuèchə,
sə xciòngə nu chacohjəxə chjienə də racott-aschuan
də, na pəxxəcatə də salə e də pìpə. Sə sèwənə chə
la fièddə də panə casaxulə avxəstutə.

Zucchine ripiene
Courgettes farcies

🕐 *Préparation* : longue

✗ *Ingrédients* : 1 courgette, beurre, oignon, carotte, céleri, 250 g (1/2 lb) de viande de bœuf, sel, 1 œuf, parmesan, persil, noix de muscade, poivre

🍴 *Niveau de difficulté* : facile

Par personne, comptez 1 courgette de grandeur moyenne et de forme régulière. Si les courgettes sont trop longues, coupez-les en deux. Videz-les sans les casser. Préparez la farce en faisant revenir, dans 1 noix de beurre, un hachis d'oignon, de carotte et de céleri. Ajoutez la viande de bœuf hachée, du sel, et laissez cuire pendant environ 15 minutes. Incorporez à cette farce 1 œuf entier, 125 ml (1/2 tasse) de parmesan râpé, 1 poignée de persil haché, 1 pointe de muscade (si vous en aimez le parfum), du sel et du poivre. Pour une préparation plus économique, réduisez la quantité de viande et ajoutez de la mie de pain trempée dans du lait. Dans une grande poêle, faites revenir 1/2 oignon émincé dans 1 noix de beurre. Ajoutez les courgettes, allongez avec quelques cuillerées d'eau chaude, et laissez cuire à feu doux et à couvert pendant 40 minutes environ.

Zucchini rimpìdi

'Calcuté una zucchina a tèsta ad giòsta grandè za ad deima rigulèra. S'al fóss tròpi lónghi tajéli a mitê. Svuitìli 'd déntar senza ràmpli. Preparè e' rimpì fasénd sufrézar int 1 nôsa d'butì un tridè d'zvòla, carôta e sàral. Azunxi 300 gr. d'chèrna d'mânz tritêda e sèl niciséri e lassì cùsar par zirca 15 minut.

Incurpurì pu a ste ripín 1 öv intir, 50 gr. ad forma gratêda, una manzè d'pidarsul tridè, 1 pônta d'nôsa muschêda (s'uv'piés e su udòr), sèl e pvar.

A vlénd fê culumì, mitì mitê dla chèrna e a zunzì dla muliga d'pân bagnêda int e'lat. Int un tigiâm piótòst lèrg sufrézar ½ zvòla sfitulêda stila int una nôs d'butì.

Azunzì al zuchìn, slunghì cun quéjca cucêra d'aqua chêlda e lassì cùsar a fiâmba basa e a tigiâm cvert par quési 40 minut.

DOLCI

DESSERTS

« *Bensone* »

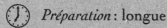 *Préparation* : longue

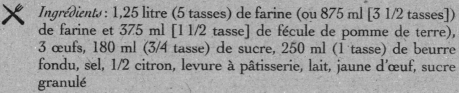 *Ingrédients* : 1,25 litre (5 tasses) de farine (ou 875 ml [3 1/2 tasses]) de farine et 375 ml [1 1/2 tasse] de fécule de pomme de terre), 3 œufs, 180 ml (3/4 tasse) de sucre, 250 ml (1 tasse) de beurre fondu, sel, 1/2 citron, levure à pâtisserie, lait, jaune d'œuf, sucre granulé

Niveau de difficulté : facile

Dessert traditionnel de Modène, le «bensone» est simple à préparer. Pour 6 personnes, mélangez la farine (ou la farine et la fécule de pomme de terre) avec les œufs, le sucre, le beurre fondu, une pincée de sel, l'écorce râpée de 1/2 citron et un sachet de levure à pâtisserie. Travaillez les ingrédients en ajoutant quelques cuillerées de lait tiède de façon à obtenir une pâte lisse et homogène. Beurrez une plaque à biscuits et étendez-y la pâte, en lui donnant une forme en S. Badigeonnez la surface de jaune d'œuf et décorez de sucre granulé. Enfournez au four préchauffé à 190 °C (375 °F) pendant environ 40 minutes.

Bensàn.

L'è quasi un antìgh e tradizionèl dàurz in û.
in dal mudnàis, ch'l'é d'na gran sempliżitè.
Par 'na tàurta par 6 parsàun impasti 500 gr.
ed faréina (opùr 350 gr. ed faréina e 150 gr. ed fé-
cola ed patèt) insàm a 3 ôv, 150 gr. ed żòcher e
120 gr. ed butìr dsfàtt, 'ma pràisa ed sèl, la scòrza
gratè ed ½ limàn e 'na bustéina ed livadùr in
pàlver par dulz. Armisdè incòsa ażuntandi
quèlch a cièr ed làtt chèld in mòd d'avèir
un cumpòst tatt'uguèl. Adèss tuli 'na piastra
da fàuren; stindìi sàura al cumpòst furmand
un "°S". Sponèi al dsàura cau dal tàrrel d'ôv
sbattò; sparguièi in vatta dal żòcher in granéin
e mitìl al fàuren a calàur moderè par 10 minùd
żirca.

« *Bostrengo* »

🕐 *Préparation* : longue

🍴 *Ingrédients* : 1 litre (4 tasses) de riz, 250 ml (1 tasse) de chocolat amer, 15 ml (1 c. à soupe) de pignons, écorce de citron ou d'orange, 500 ml (2 tasses) de sucre, 500 ml (2 tasses) de lait, 125 ml (1/2 tasse) de rhum, 125 ml (1/2 tasse) de marasquin, 4 œufs, cannelle, sel, sucre glace

🍴 *Niveau de difficulté* : facile

Portez à mi-cuisson le riz, égouttez et mélangez au chocolat amer, aux pignons, à l'écorce de citron ou d'orange, au sucre, au lait, au rhum et au marasquin, aux jaunes d'œufs battus, à la cannelle et à une pincée de sel. Versez le riz dans un moule bien beurré et faites cuire au four de 40 à 50 minutes. Saupoudrez de sucre glace.

Le vin conseillé

🍷 **VERNACCIA di SERRAPETRONA.** Couleur allant du grenat au rubis, parfum vineux et aromatique ; semi-doux ou doux, mousse fine et persistante.

Bastréngo.

É 'l più antigo dolce de Natale de le Marche, inventato da le parte d'Asculi. Qualchiduno el fa int'un modo e qualchiduno el fa int'un aubro, e j dicene ancora "frustengo" o "frustengo". Per fa' 'l bastréngo, fa' 1 kg. de riso a lesse, a mèza cutura, scòlelo e impàstelo cun 200 gr. de ciculata amara, 1 cuchiaro de pignòli, scòrza de limò o de rancia, ½ kg. de zzucaro, ½ litro de late, un bichiere de rume e uno de marashi, 4 rosci d'ao sbatuti, canèla e 'na presa de sale. Buta 'stu riso lavurato in te 'na forma imburata bè e fa' còce drent'al forno 40-50 minuti. Quanto che l'hai tirato fò ra, dàje 'n velo de zzucaro.

« *Buzolai* »

🕐 *Préparation* : longue

✗ *Ingrédients* : 1,25 litre (5 tasses) de farine, 125 ml (1/2 tasse) de beurre, 80 ml (1/3 tasse) de sucre, 2 œufs, crème de tartre, bicarbonate de sodium, vin blanc, beurre, écorce de citron, noix de muscade ou cannelle

🍴 *Niveau de difficulté* : complexe

Il s'agit de petits savarins que l'on prépare avec de la farine, du beurre, du sucre, 2 œufs. Travaillez bien le tout sur la planche à pâtisserie, puis incorporez une pincée de crème de tartre et une pincée de bicarbonate de sodium dissous dans un peu de vin blanc tiède. Travaillez la pâte avec le beurre fondu jusqu'à ce qu'elle soit compacte mais moelleuse. N'oubliez pas d'ajouter une écorce de citron râpée et un peu de muscade ou de cannelle en poudre. Formez à la main les « buzolai », des savarins légers, que vous déposerez sur une plaque à biscuits beurrée ou huilée. Laissez cuire au four préchauffé à 220 °C (425 °F) pendant une vingtaine de minutes. Si vous le souhaitez, vous pouvez décorer le dessus de ces petits gâteaux de raisins secs ramollis dans de l'eau chaude.

Le vin conseillé

🍷 RAMANDOLO dei COLLI ORIENTALI del FRIULI. Couleur jaune doré, parfum délicat et caractéristique ; fruité, du corps, typiquement semi-doux.

Buzolai.

Ciolè mezo chilo de farina, 10 deca de butiro,
8 deca de zucaro, do' ovi. Lavorè ben la pasta,
prima de zontar cremor tartareo (giusto un fià)
e un poco de bicarbonato, moladi in un bicerin
de vin bianco tepido. Lavorè el paston, co' 10 de
ca de butiro squaià, fin che basta.
No stè dismentigar scorza de limon gratada e
un bic' de nosa mus'ciada o de canela in
polvere.
Co' le man bagnade fè i buzolai e posèli sul
stampo del forno, ontolà de butiro o de oio.
Cusinèli in forno caldo, par un vinti minuti.

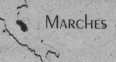

« *Caciuni* »

 Préparation : longue

 Ingrédients : 1,25 litre (5 tasses) de farine, sel, 15 ml (1 c. à soupe) d'huile, 500 g (1 lb) de pecorino, 4 œufs, 310 ml (1 1/4 tasse) de sucre, 1 citron

 Niveau de difficulté : complexe

Ce sont des raviolis sucrés que l'on prépare à Ascoli Piceno et à Ancône. Mélangez la farine, une pincée de sel, 15 ml (1 c. à soupe) d'huile et autant d'eau que nécessaire pour obtenir une pâte moelleuse et compacte. Faites la farce à part en travaillant le pecorino doux et frais avec 4 jaunes d'œufs, 2 blancs d'œufs, le sucre et l'écorce râpée de 1 citron. Quand le mélange est bien amalgamé, préparez et coupez les raviolis. Mettez-les dans un plat bien beurré et faites cuire au four.

Le vin conseillé

 VERNACCIA di SERRAPETRONA. Couleur allant du grenat au rubis, parfum vineux et aromatique ; semi-doux ou doux, mousse fine et persistante.

Caciuni.

Eme ravioli dolci, 'na specialità da le parti d'Ascoli e Macerata, è se dice ch'è stati
inventati a Petriòlo, ma pro se fane ancora
in Ancona.

Cun 500 gr. de farina, 'na presa de sale,
1 cuchiaro d'ojò e l'aqua che te ce vòle
per fa' 'na pasta legerà e streta, fa' la sfòje
'nt' un piato da insalata. lavorà ½ kg.
de peguri dolce e fresco cun 4 rosci d'ovo,
2 chiare, 300 gr. de zzucaro e' la scòrza
trinciata d' 1 limò.

Quanto ch'hai mischiato ben bè 'sto ripieno, fa' i ravioli e sprigeli a croce.
Mételi in te 'na teja imburrata bè e fiche-
li intel forno.

Calciumi molisani
Calciumi de Molise

🕐 *Préparation* : longue

✗ *Ingrédients* : 625 ml (2 1/2 tasses) de farine blanche, 2 œufs, vin, huile, eau, 125 g (1/4 lb) de châtaignes bouillies, 15 ml (1 c. à soupe) de miel, une dizaine d'amandes grillées, chocolat fondant, cédrat confit, vanille ou cannelle, huile, sucre glace

🍴 *Niveau de difficulté* : facile

Il s'agit de raviolis sucrés que l'on prépare pour Noël. Mélangez la farine blanche à pâtisserie avec 2 jaunes d'œufs, du vin, de l'huile et de l'eau (60 ml [4 c. à soupe] en tout). Abaissez la pâte et divisez-la en petits disques de 5 ou 6 cm (2 à 2 1/2 po) de diamètre. Dans un bol, mélangez les châtaignes bouillies avec le miel, une dizaine d'amandes grillées et hachées, du chocolat fondant, du cédrat confit, de la vanille ou de la cannelle. Préparez les raviolis avec ce mélange, faites frire dans l'huile bouillante et saupoudrez de sucre glace.

Le vin conseillé

🍷 POMINO-VIN SANTO BIANCO. Couleur allant du jaune paille au jaune ambré, parfum éthéré et intense ; harmonieux et velouté.

Cauciune mulesane.

So' na specie e rattijuole roce, che ze pre=
parene pe' Natale.
'Le 'mpastene 250 gramme re fiore che 2
rusce r'uove, vine, oglie e acqua ('ntutte a=
 za esse 4 cucchiare).
Stennete la pasta e facete tante deschette
re 5 o 6 centimetre re larghezza.
Rente a' na 'nzalaterella mischiate bbuo
ne: 150 gramme re polepa re castagne al=
lesse, nu cucchiare re miele, na decina
de mennule abbrustulite e tretate, ciuccula=
ta amara e cedre candite a pezzettine, nu
poche re vaniglia e cannella.
Preparate le cauciune, mettenne nu cucchia
rine de 'st' impaste, juste 'mmieze a lu=
deschette re pasta.
Chiuretele bbuone e frijete rente all'oglie
vullente.
Mettetele rente a na sperlonca e spulverate
le re zucchere a vele.

« *Cannoli* »

Préparation : longue

Ingrédients : 625 ml (2 1/2 tasses) de farine blanche, blanc d'œuf, saindoux, sucre, café en poudre, chocolat amer en poudre, sel, vin blanc, huile, 250 ml (1 tasse) de ricotta, 160 ml (2/3 tasse) de sucre semoule, 125 ml (1/2 tasse) de fruits confits, 125 ml (1/2 tasse) de chocolat amer

Niveau de difficulté : facile

Ces gâteaux, désormais célèbres dans toute l'Italie, sont constitués d'un biscuit en forme de rouleau (l'« écorce ») fourré à la crème de ricotta. Pour l'écorce, formez un puits dans 375 ml (1 1/2 tasse) de farine blanche, dans lequel vous incorporerez un blanc d'œuf, 1 noix de saindoux, 15 ml (1 c. à soupe) de sucre, 5 ml (1 c. à thé) de café en poudre, 5 ml (1 c. à thé) de chocolat amer, 1 pincée de sel et autant de vin blanc que nécessaire pour obtenir une pâte plutôt consistante que vous laisserez reposer pendant 1 heure enroulée dans un linge propre. Abaissez ensuite la pâte au rouleau à pâtisserie en une couche pas trop fine, dans laquelle vous découperez des petits disques de 10 cm (4 po) de diamètre. Graissez de saindoux les « cannelli » (petits cylindres en métal ou en fer blanc de 13 cm [5 po] de long et 2 cm [3/4 po] de diamètre), autour desquels vous enroulerez les disques, en scellant bien le point de jonction. Faites-les frire dans de l'huile bouillante (dans une friteuse si possible) jusqu'à ce qu'ils arborent, à l'intérieur comme à l'extérieur, leur couleur brune caractéristique. Égouttez, déposez sur du papier absorbant et retirez les écorces des cannelli. Préparez maintenant la garniture. Passez au tamis la ricotta et mélangez-la avec le sucre semoule, les fruits confits coupés en dés et le chocolat amer râpé. Quand les ingrédients sont bien amalgamés, remplissez les écorces.

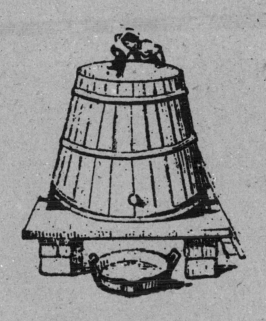

Le vin conseillé

 MUSCAT di NOTO LIQUOROSO. Couleur jaune doré, parfum délicat et agréablement aromatique de muscat; doux, chaud et velouté.

Cannola.

Cci voli la scorcia e la crema di ricotta.
Pi la scorcia, faciti 'na conca cu 250 grammi di
farina bianca e dintra 'sta conca mittitici: 'na chi-
ra ô'ova, 'na nuci di sugna, un cucchiaru di
zuccaru, un cucchiainu di café macinatu, un
cucchiainu di cioccolattu amaru, un pizzicu di
sali di cucina e un quartu di litru abbuccatéddu
di vinu biancu. 'Mpastati tutti cosi e quannu la
pasta sarà bedda tosta aggriummuniatila dintra
'na salvietta e facitila arripusari pi quasi un'ura.
A puntu giustu pigghiàti 'sta pasta e stirnicchiatila
cu lu lasagnaturi pi farina 'na sfogghia bedda
granni ma nun tantu fina. Ora jti staccannu
tanti quatratéddi di pasta e sistimatili supra li can-
noli fatti a misura e unti di sugna.
'Ncuddati pirnu e pizzu di pasta cu albumi d'ova
e jti mittennu 'sti cannola dintra un piattu béddu
granni. Pronti chi sunnu, jttati 'sti cannola dintra
la padedda e faciteli friiri cu ogghiu abbunnanti
e rugghienti e appena sunnu 'mbruniti, scinnitili unu
pi unu, faciti sculari e sistimatili supra un fogghiu
béddu granni di carta assorbenti. Faciti rifriddari

e livatici li caruiola unu pi' unu.

Quantu a la crema di ricotta, faciti passari a se tàcciu merzza sascidda di ricotta frisca di pecura e travagghiatila cu 150 grammi di zuccaru si mulatu, 50 grammi di cucuzzata sminuzzata, 50 grammi di ciocculatu amaru puru tagghiatu a pizzudda pizzudda.

Ricurdativi chi echiù assai ammarturati la ri_cotta, megghiu veni la crema. E cu 'sta crema jnchiti li scorci e cuntàtimillu a cosa fatta.

Cassata

Préparation : longue

Ingrédients : 750 g (1 1/2 lb) de ricotta, 500 ml (2 tasses) de sucre, vanille, 250 ml (1 tasse) de chocolat, 250 ml (1 tasse) de fruits confits, liqueur douce, Pan di Spagna, glaçage à la pistache

Niveau de difficulté : facile

Passez au tamis la ricotta et, à l'aide d'une spatule de bois, incorporez le sucre, un peu de vanille, le chocolat coupé en dés, les fruits confits également coupés en dés, le tout mouillé avec quelques gouttes de liqueur douce. Couvrez un moule à gâteau de papier blanc ciré auquel vous ferez adhérer, en utilisant de la gelée de fruits, des tranches fines de Pan di Spagna. Versez la crème de ricotta, et fermez avec une autre tranche de Pan di Spagna. Laissez le moule au réfrigérateur pendant quelques heures, puis retournez le gâteau sur un disque en carton (celui que l'on utilise dans les pâtisseries). Étendez le glaçage à la pistache et décorez-le avec des fruits confits.

Le vin conseillé

PASSITO di PANTELLERIA. Couleur jaune ambré, parfum délicat de muscat ; doux et agréable.

Cassata a la siciliana.

Pigghiati 800 gr. di ricotta di pecura bedda frisca e passatila a setacciu. Fattu chistu, pigghiati mez, zu chilu di zuccaru, un pizzicu di vanigghia, 100 gr. di ciocculattu tagghiatu a pizzudda pizzudda, 100 gr. di frutta candita sminuzzata; 'mmiscati tut ti cori cu la ricotta e cuminciati a travagghiari lu miscu cu 'na bedda cucchiara di lignu, vutannu e civutannu e senza scurdariti di mettiri qualchi sbirria di rosoliu. Tiniti presenti chi cchiù assai am mszartucati la ricotta, megghiu è.

Ora pigghiati 'na bedda furma, fatta apposta, mitti trici un fogghiu di carta bianca 'mpermiabili e cu la gelatina di frutta, sistimati tuttu 'ntornu li fidduzzi di pani di Spagna. Dintra la parti vacanti di la fur ma, jttatici la crema di ricotta e chiuditi cu 'na bed da fidduzza di pani di Spagna. Pigghiati lu tuttu comu si trova e sistimatilu dintra lu frigorifiru pi circa dui uri.

Priparatevi 'nu beddu piattu di cartuni pi pasticceri e sistimatici di supra la cassata a testa jusu e a culu 'nta l'aria.

A stu puntu mittitici li guarnizioni a vostru piaciri, vistitila cu glassa a lu pistacchiu e sistimatici la frutta candita e la zuccata a strisciteddi.

Migliaccio o Castagnaccio

🕐 *Préparation* : longue

🍴 *Ingrédients* : 1,25 litre (5 tasses) de farine de châtaigne, huile, sel, pignons, raisins secs, noix

🍴 *Niveau de difficulté* : facile

Ce dessert toscan, simple mais délicieux, remonte à loin. Dans la chronique du XVIᵉ siècle d'un père augustin, Ortensio Lando, sur «les choses les plus remarquables et les plus monstrueuses d'Italie», figure justement le migliaccio dont le créateur serait un dénommé Pilade di Lucca. Dans un bol, tamisez la farine de châtaigne. Ajoutez progressivement de l'eau froide, ainsi que 30 ml (2 c. à soupe) d'huile d'olive et une pincée de sel. Mélangez bien de façon à obtenir une pâte plutôt liquide. Huilez un plat et versez-y la préparation à la farine, que vous couvrirez de pignons, de raisins secs et de quelques morceaux de noix. Enfournez au four préchauffé à 220 °C (425 °F) et cuisez jusqu'à la formation d'une belle croûte marron craquelée comme de la terre sèche.

Le vin conseillé

🍷 OCCHIO di PERNICE. Couleur allant du rose intense au rose pâle, parfum chaud et intense ; doux, souple, velouté et rond.

Castagnole

 Préparation : longue

 Ingrédients : 1 litre (4 tasses) de farine, 2 œufs, 160 ml (2/3 tasse) de sucre, 30 ml (2 c. à soupe) de saindoux, 1/2 citron, 125 ml (1/2 tasse) d'anis (ou de vin blanc), levure à pâtisserie, sel

 Niveau de difficulté : facile

Généralement préparées pour le carnaval, les castagnole figurent parmi les desserts les plus répandus en Romagne. Mélangez la farine avec les œufs, le sucre, le saindoux, l'écorce râpée de 1/2 citron, l'anis (à défaut, vous pouvez utiliser du vin blanc), 1 sachet de levure à pâtisserie et une pincée de sel. Travaillez bien la pâte et divisez-la en petites boules. Faites frire les castagnole dans du saindoux très chaud, en prenant soin de les retourner constamment. Égouttez sur du papier absorbant et saupoudrez de sucre.

Le vin conseillé

 ALBANA di ROMAGNA PASSITO. Couleur jaune doré tirant sur le jaune ambré, parfum intense et caractéristique ; semidoux ou doux, velouté.

Castagnöl

Preparêdi ad sòlit par carnvêl, al castagnöl, a
gli è ôn di dulz più cumôn in tóta la Rumâ
gna. Impasté 400gr. d' farína cun 2 öv, 150gr.
d' zócar, 30gr. d' gras, la scôrza gratêda d' ½
limôn, ½ bicir d' mistrà (si no ad röm, o ad
ven biânc), 1 bustina ad lèvd in pórbia par
dulz e 1 pizgutìn ad sêl.
Lavurè bèn l' impast e dividìl in tânti palu
tìn piótòst znìni. Farvì al castagnöl in abun
dânt gras brulént, faséndli zirê cuntinuamént.
Sculìli sôra la chêrta sugânta e dasìj una bè
la spuvrièdà d' zócar.

Charlotte alla milanese
Charlotte à la milanaise

Préparation : longue

Ingrédients : beurre, pain de mie, sucre, 1 kg (2 lb) de pommes, vin blanc, écorce de citron, raisins secs, pignons, 15 ml (1 c. à soupe) de rhum

Niveau de difficulté : facile

Il s'agit d'une charlotte typique, différente de toutes les autres puisqu'elle est à base de pain de mie et de pommes. Enduisez généreusement un moule rond d'un mélange de beurre et de sucre, garnissez de tranches de pain de mie dur tartinées de beurre sucré et remplissez de pommes tranchées que vous aurez fait cuire dans du vin blanc avec un peu de sucre, de l'écorce de citron râpée, 1 poignée de raisins secs, quelques pignons et 15 ml (1 c. à soupe) de rhum. Couvrez, comme pour le fond, de tranches de pain de mie dur tartinées de beurre sucré. Enfournez au four préchauffé à 190 °C (375 °F) pendant environ 30 minutes. Servez la charlotte chaude, mouillée avec du rhum que vous faites flamber au moment de servir.

Le vin conseillé

SANGUE di GIUDA dell'OLTREPÒ PAVESE. Couleur rouge rubis, parfum vineux et intense ; demi-sec ou doux, beaucoup de corps, pétillant naturel.

"Charlotte" a la milanèsa.

L'è differenta de tutti i alter "charlotte",
l'è original de Milan perchè là se fà
cónt el pan francés e cónt i pómm.
Se ciappa on stamp ròtond e el se passa
con tanto buttér impastà cónt el zuccher,
poeu el se fooudra con di felt de pan
francés poss e passàa cónt el buttér e
el zuccher, se impieniss de pómm (on
chilo) tajàa a fettinn (che eren stàa colt
in del vin bianch e con pocch zuccher, ona
scòrza de limon, ona presinna de ughetta
passa e quej pignoeu, on cugiàa de rhum),
se quatta cónt i felt de pan poss e passàa
al buttér e zuccher. Se mett in fórno minga
tropp cald per ona mezz-'oretta e se serviss
cald, bagnàa de rhum e ghe se dà foeugh
al moment de portall a tavola.

« *Chifeleti* »

🕐 *Préparation* : rapide

✘ *Ingrédients* : 1 kg (2 lb) de pommes de terre, 125 g (1/4 lb) de sucre, 500 ml (2 tasses) de farine, beurre, 2 œufs, sel, huile, sucre glace, cannelle

🍴 *Niveau de difficulté* : facile

À Trieste, on prépare les chifeleti en travaillant énergiquement les pommes de terre bouillies, épluchées et pilées, avec le sucre, la farine, 1 noix de beurre fondu et 2 œufs. Et une pincée de sel, comme d'habitude. Avec la pâte obtenue, formez des demi-lunes minuscules que vous faites frire dans de l'huile bouillante. Servez les chifeleti très chaudes, saupoudrées de sucre glace mélangé avec de la cannelle en poudre.

Le vin conseillé

 PICOLIT dei COLLI ORIENTALI del FRIULI. Couleur jaune paille clair, parfum caractéristique et délicat ; semi-doux ou doux, chaud et harmonieux.

Chifeleti.

Lavorè ben el paston de un chilo de patate
boide, spelade e strucade col strucapatate, col
zucaro (10 deca), farina (20 deca zirca), butiro
squaià (una nosa) e do' ovi. No steve dismentigar un fià de sal. Dovè darghe la forma de
"chifel", (o de balete, carotine, ociai, ecc.) e me-
teli a frizer in aio sbrovente; se li porta in
tola subito, butandoghe sora zucaro in polvere, missià a canela.
Opur, senza zucaro, podè magnar i chifeleti
cola carne rosta.

« *Chinulille* »

🕐 *Préparation* : longue

✗ *Ingrédients* : 1,25 litre (5 tasses) de farine, 5 jaunes d'œufs, 250 ml (1 tasse) de ricotta, 180 ml (3/4 tasse) de sucre, huile, sucre vanillé

🍴🍴🍴 *Niveau de difficulté* : complexe

Avec la farine, 3 jaunes d'œufs et autant d'eau que nécessaire, préparez une pâte moelleuse et compacte. Dans un bol, travaillez la ricotta passée au tamis, avec 2 jaunes d'œufs et le sucre. Abaissez la pâte et, avec la ricotta, préparez de petits raviolis que vous ferez frire dans de l'huile chaude et que vous saupoudrerez de sucre vanillé. Ils se mangent aussi bien chauds que froids.

Le vin conseillé

 AGLIANICO del VULTURE SPUMANTE. Couleur grenat, parfum vineux et caractéristique ; sec et harmonieux, pétillant naturel.

"Chinuline."

Cu 500 gr. d' farina, tre padde d' uave e tanta acqua quanta n'accorre a'prepara na pasta tenera e cunsistenta.

'Nola na ruppiera ammesá 300 gr. d' recatta se-tacciara cu daie padde d' uave e 200 gr. d' zuc-chere. Stenne la pasta e cu la recotta a'prepa-ra tanta raviuoli piccili ch'haia fa frigge 'nola uoglie cavre ca dopp'haia cungia cu na polvera d' zucchere vanigliare.

Li puoi fa magná cavre e freddi.

Ciambelline alla veneziana
Ciambelline à la vénitienne

🕐 *Préparation* : rapide

🍴 *Ingrédients* : environ 1 kg (2 lb) de farine blanche, 3 œufs, 250 ml (1 tasse) de beurre, citron, cannelle, 125 ml (1/2 tasse) de vin doux

🍴 *Niveau de difficulté* : facile

Sur la planche à pâtisserie, mélangez environ 1 kg (2 lb) de farine blanche avec 3 œufs, le sucre, le beurre fondu, de l'écorce de citron râpée, une pincée de cannelle et le vin doux. Travaillez bien la pâte et formez les ciambelline (petites couronnes) que vous déposerez sur une plaque à biscuits beurrée. Badigeonnez les ciambelline de beurre fondu et faites dorer au four préchauffé à 190 °C (375 °F).

Le vin conseillé

VIN SANTO di GAMBELLARA. Couleur jaune ambré clair, parfum intense typique du vin de paille ; doux, harmonieux, velouté.

Bussolài ala veneziana.

Metar sula spianaòra 1 kg. de farina de fior
e romparghe dentro 3 vovi intieri, rontarghe 300
gr. de sucaro, 200 gr. de butiro descolà, grataù
ra de scorza de limon, una puntinà de canila
in polvare, mezo gotesin de vin de Cipro (o dolce
che xe istesso) un'idea de sal.
Ympastar tuto co man forte, fin a riduar la pa
sta morbida, elastica e consistente.
Dopo se forma tanti bussolài col buso che se me
te su la piastra del forno onta de butiro.
Se onze anca i bussolài col butiro descolà, e
se li fa deventar dorati, dentro nel forno à ca
lor medio.

Copata pugliese
Copata des Pouilles

🕐 *Préparation* : longue

✂ *Ingrédients* : 875 ml (3 1/2 tasses) de miel, 1,25 litre (5 tasses) de sucre, 5 blancs d'œufs, 1 kg (2 lb) d'amandes, vanille à l'écorce de citron

🍴 *Niveau de difficulté* : facile

Nougat ancien d'importation arabe. Dans une casserole, faites fondre à feu doux le miel et le sucre, en remuant constamment. Quand le contenu devient liquide, ajoutez 5 blancs d'œufs montés en neige ; ajoutez ensuite les amandes épluchées et grillées, un peu de vanille ou d'écorce de citron râpée, et continuez à remuer jusqu'à la fin de la cuisson, c'est-à-dire jusque ce qu'en goûtant la pâte obtenue, elle ne colle pas aux dents. Versez alors dans un moule rectangulaire garni d'une feuille de pain azyme ; laissez-le bien durcir avant de le manger.

Le vin conseillé

🍷 ALEATICO di PUGLIA. Couleur ROUGE GRENAT, ARÔME délicat et caractéristique ; modérément doux, souple et délicat.

La chappèta.

Yind-a na cazzariola məttita nu rèta da mè
la e 500g. da zruscra, facènna scuagghjä tutt-e
ddu, a ffuècha liànda, e tanènna cuita d-agga-
rà sèmma cha la chacchjara. Acquanna tutta
s-ha scuagghjata sa sciòngana cingha bbiàngha
d-èta sbattuta, pò nu rèta d-aminua mbar-
mata sènza pèdola, na parzacata da Vaniglia e
nu mmuèrsa da scorza da larmona grattata.
S-aggira sèmma cha la chacchjara, parzingh-a
lla chattura, ca sa iava acquanna, assuprənna
la pasta, chèssa sa sparzachèrza da mbacca-a
la diànda. S-ammèn-u ttutta jind-a na forma fodarata d-ostia.

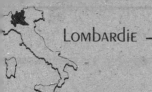
Crema di mascarpone
Crème de mascarpone

🕐 *Préparation* : rapide

🍴 *Ingrédients* : 3 œufs, 500 ml (2 tasses) de sucre, 250 ml (1 tasse) de mascarpone, 250 ml (1 tasse) de rhum ou de marasquin

🍴🍴🍴 *Niveau de difficulté* : facile

Fouettez 3 jaunes d'œufs avec le sucre jusqu'à ce que vous obteniez une crème presque blanche. Ajoutez le mascarpone et mélangez bien, en allongeant avec du rhum ou du marasquin. Incorporez délicatement, pour ne pas les casser, les 3 blancs d'œufs montés en neige. Versez dans des ramequins et mettez au réfrigérateur. Servez avec des biscuits secs.

Le vin conseillé

MOSCATO dell'OLTREPÒ PAVESE. Couleur jaune paille, parfum aromatique et caractéristique, intense et délicat ; doux et agréable.

Crema de mascarpòn -

In d'ona marmitta se sbatt per on bel
pòo tri ross d'oeuv con dusent gramm
de zuccher per ottegni ona crema squasi
bianca. Se ghe gionta dusent gramm de
mascarpòn e se mes'cia ben, mettend
anca on biccér de rhum o de maraschin
o anca de strega. In ultim se ghe gionta
i bianch sbattiu a nev, mes'ciand con
delicatezza per minga lassaj borlà giò.
Se versa in di tazzinn o in di copp e se
mett in frigorifer.
Se serviss con biscottit secch.

Crostata di ricotta
Tarte à la ricotta

🕐 *Préparation* : longue

🍴 *Ingrédients* : 750 ml (3 tasses) de farine, 180 ml (3/4 tasse) de beurre, 750 ml (3 tasses) de sucre, 4 œufs, citron, 500 ml (2 tasses) de ricotta, cannelle, fruits confits

🥄 *Niveau de difficulté* : facile

Préparez une pâte sablée avec la farine, le beurre, le sucre, 2 jaunes d'œufs et l'écorce de 1/2 citron râpée. Travaillez bien ces ingrédients et laissez reposer la pâte pendant environ 1 heure. Pendant ce temps, délayez dans un bol la ricotta avec deux œufs entiers, le sucre, 1 pincée de cannelle et 30 ml (2 c. à soupe) de fruits confits coupés en petits morceaux. Beurrez un moule de taille moyenne et garnissez-en la moitié de la pâte que vous aurez abaissée, et couvrez uniformément du mélange à la ricotta. Avec la pâte restante, décorez la tarte, en déposant de longues lamelles en croix sur le mélange à la ricotta et sur le bord. Enfournez pendant 30 minutes au four préchauffé à 190 °C (375 °F).

Le vin conseillé

🍷 ALEATICO di GRADOLI. Couleur rouge grenat avec des reflets violacés, parfum finement aromatique et caractéristique ; saveur de fruits frais, souple, velouté, doux.

La crostata co' la ricotta

Se prepara la pasta frolla co' 300gr. de farina, 150gr. de buro, 100gr. de zucchero, 2 rossi d'ovo e la scorza de 1/2 limone grattuciata. Se 'npasta tutto 'nzieme e se lassa ariposà pe' 'noretta. Drento 'na terina mischiate a scioje 500gr. de ricotta co' 2 ova 'ntere, 200gr. de zucchero, 'na pizzicata de cannella, 2 cucchiari pieni de canniti tajati a tocchetti. Se pija 'n recipiente e ce se strofina drento er buro; poi ce se mette 'npò de la pasta frolla preparata e sopra ce se sistema la ricotta. Co' er rimanente de la pasta frolla ce se fanno tante strisce a 'ncrociasse 'nzù la ricotta e a li bordi. Fatto questo se côce pe' 'na mezzora a forno callo.

Crumiri

 Préparation : longue

 Ingrédients : farine blanche et farine de maïs, sucre, vanille, beurre, œufs

 Niveau de difficulté : facile

Dans un bol, mélangez la farine blanche et la farine de maïs, ajoutez le sucre et un sachet de vanille. Incorporez alors le beurre ramolli (mais pas fondu), puis les œufs entiers, en mélangeant puis en travaillant les ingrédients de façon à obtenir une boule de pâte compacte et consistante, que vous laisserez reposer pendant environ 30 minutes, recouverte d'un linge propre. Introduisez progressivement la pâte dans une poche à douille et extirpez-en des biscuits plutôt étroits de 10 cm (4 po) de long que vous déposerez sur une plaque beurrée et légèrement farinée, et pliez-les ensuite en arc ouvert. Enfournez dans un four chaud jusqu'à ce que les crumiri soient dorés.

NOTE. Si vous n'avez pas de poche à douille ni de seringue, découpez les biscuits avec un couteau, puis déposez-les et arquez-les. Pour respecter la tradition, la surface des crumiri doit être striée ; on peut le faire avec une roulette de pâtissier ou la lame d'un couteau.

Le vin conseillé

 LOAZZOLO. Couleur jaune doré brillant, parfum complexe et intense, avec des arômes de musc, de vanille et de fruits confits ; doux et caractéristique.

Bruseur ëd Casal

Mes-cié le doe farin-e ant un fojòt, gionté
ël sùcher e la vanilia.

Uni el butir anmorbidi, ma nen slinguà,
j'euv antregh, mes-ciand e peuj travajà an
manera ëd oten-e un-a bala ëd pasta
consistenta, che as butrà a riposé per 30
minute, quatà con un tëssù polid.

A la fin, buté la pasta ant una sacòcia da
pastissé e spremmé formand biscotin longh
un-a desen-a ëd cm e un pòch strèit.

Buteje ant un fojòt legerment anfarinà e
ambutirà e peuj piegheje a arch un pòch
duvert e passé el fojòt ant el forn caod, fin-a
a quand i "crumiri" saran dorà

'J "crumiri" dovrio esse rigà (second la
tradission) pass-indye una roa dentà.

Fichi mandorlati
Figues aux amandes

⏱ *Préparation* : longue

✕ *Ingrédients* : figues, amandes, graines de fenouil, chocolat fondant, girofle, citron, feuilles de laurier

🍴 *Niveau de difficulté* : facile

On peut acheter les figues aux amandes toutes faites, ou les préparer soi-même pour mieux s'en délecter. Il suffit de suivre la recette suivante. Achetez des figues parfaites, «au cou tordu, à l'habit déchiré et l'œil larmoyant», à la peau vert clair, à la chair mûre et sucrée, et aux grains minuscules. Coupez-les en deux du côté du pédoncule, mais pas jusqu'au côté opposé, car il ne faut pas les diviser. Déposez les figues sur une claie, partie rouge vers le haut, pour les faire sécher au soleil. Une fois sèches, faites-les cuire au four. Dès que les figues ont refroidi, farcissez-les, au choix, avec : 1) 1 amande pelée et grillée et des graines de fenouil ; 2) 1 amande pelée et grillée (ou 1 cerneau de noix en petits morceaux), 1 dé de chocolat fondant et du girofle moulu ; 3) de l'écorce de citron râpée et des graines de fenouil. Refermez les figues et mettez-les dans des pots, en intercalant des feuilles de laurier, pour les provisions d'hiver de la famille. Le système de séchage varie d'un village à l'autre, mais celui-ci est le plus classique.

Le vin conseillé

PRIMITIVO di MANDURIA. Couleur rouge avec des reflets violacés, parfum léger et caractéristique ; plein et harmonieux, velouté avec le vieillissement.

Chjacun-a rrècchja.

Yé mmègghja ca s-accattana, parcè a ffal-
la nga vola passcièna-assà.
A vola, lo pota fa adacchari. S-accattana la
mègghja ficha vardarula, dolga e sénna graniad-
da, sa tàgghjan-a mmianna dalla ranna olu pa
dacina, fingh-o aula, sénna spaccalla totta.
Sa mèttana da cul-a ll'arria sop-o cannizza ad
assacuà o sola. Acquanna s-aronn-assacuato, sa
mbarmèscana. Pò sa iègnana a ssul-à ssula o a
rrècchja cha l'aminua e samènda da fanusschja a
cha l'aminua e nu parritta da mosca e nu mmuàr-
sa da cicchabata e ppèpa garòffua, oppuramènda cha
na racca da lamona e samènda da fanusschja.
Doppa s achjùidana o s-arcòcchjana e sa mèttana
jind-a la rròla o la capasèdda; sa càrrana bbèlla
bbèlla, sa mètta sopa sopa nghòsch-e ffrànza da
llòra e s-arripana pu viarna.

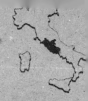

Maritozzi romani
Maritozzi romains

Préparation : longue

Ingrédients : pâte à pain levée, huile, raisins de Corinthe, pignons, sel, sucre

Niveau de difficulté : facile

Les maritozzi romains, qui sont davantage une spécialité des boulangers que des pâtissiers, furent un temps un dessert caractéristique du carême. Pour les préparer, utilisez de la pâte à pain levée, travaillée avec quelques cuillerées d'huile, 1 poignée de raisins de Corinthe et 1 poignée de pignons, une pincée de sel et quelques cuillerées de sucre. Une fois les ingrédients bien amalgamés, faites des maritozzi, à la forme caractéristique légèrement allongée, et après les avoir laissés reposer pendant une demi-journée, faites-les cuire au four préchauffé à 220 °C (425 °F).

Le vin conseillé

ALEATICO di GRADOLI. Couleur rouge grenat avec des tons violacés, parfum finement aromatique et caractéristique ; saveur de fruits frais, souple, velouté, doux.

Li maritozzi -

Er maritozzo nun è propio robba de pasticceria ma sibbene de li mastri fornari, e 'na sorta era acconziderato er dorce de la Quaresima Pe' fallo 'nfatti ce vo' poco.

Se pija 'mpò de pasta già co'er lievito, se lavora co' 'n par de cucchiari d'ojo, 'na manciata d'uva passa, artrettanto de pinoli, er zolito pizzico de sale e 'n par de cucchiari de zucchero.

Doppo avé 'npastato bbene er tutto se formeno li maritozzi, dannoje 'na forma 'mpò bislunga. Prima de coceli ar forno lassateli da 'na parte a riposà pe' 'na mezza giornata.

Mont blanc

Préparation : longue

Ingrédients : 1,5 kg (3 lb) de châtaignes, 375 ml (1 1/2 tasse) de sucre, 60 ml (1/4 tasse) de cacao, lait, 125 ml (1/2 tasse) de rhum, crème fouettée, sucre glace

Niveau de difficulté : complexe

Recette du cuisinier Ernesto Piccinelli, d'Aoste.
Faites bouillir les châtaignes, pelez-les chaudes et passez-les au moulin à légumes. Délayez le sucre et le cacao dans un peu de lait bouillant, incorporez à la pâte de châtaignes et ajoutez le rhum en mélangeant bien le tout. Versez la pâte dans le plat de service, en lui donnant une forme de mont. Recouvrez le tout de crème fouettée adoucie avec du sucre glace.

Le vin conseillé

NUS PINOT GRIGIO PASSITO della **VALLE D'AOSTA.**
Couleur jaune cuivré, parfum intense et agréable ; semi-doux, très alcoolisé, avec un arrière-goût de châtaigne.

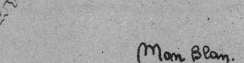

Mon Blan.

Fére couére un kilo e 1½ de tratagne, le pleum-
mé, le poulitté e le passé i passaverdeua, fe-
re fondre 4 éito de seucero e demi éito de ca-
eao deun tchica de laci couéisen, djonté a-
voui un trequett de rhom dessu le tratagne passée e bien mecllié.
Tourné passé i passaverdeua dessu un a-
chita san gnagué e en l'ei baglien la
fouema d'an montagne. Tappé avoui demi litre de crama debattua e adouchée
avoui de seucero.

Pan pepato

Préparation : longue

Ingrédients : 125 ml (1/2 tasse) de cerneaux de noix, 125 ml (1/2 tasse) d'amandes, 125 ml (1/2 tasse) de raisins de Corinthe, 125 ml (1/2 tasse) de fruits confits, 125 ml (1/2 tasse) de chocolat fondant, 125 ml (1/2 tasse) de miel, farine

Niveau de difficulté : facile

Il s'agit d'un dessert d'origine paysanne, que l'on prépare traditionnellement pendant les fêtes de Noël. Préparez les cerneaux de noix, 125 ml (1/2 tasse) d'amandes, les raisins de Corinthe, les fruits confits en dés et le chocolat fondant en morceaux. Ajoutez le miel et autant de farine que nécessaire pour obtenir une pâte plutôt consistante. Divisez-la en petits pains de 10 cm (5 po) de diamètre, badigeonnez-les de miel et déposez-les sur une plaque bien beurrée. Enfournez à température modérée jusqu'à ce qu'ils soient bien colorés.

Le vin conseillé

SAGRANTINO PASSITO di MONTEFALCO. Couleur rouge tirant sur le grenat, parfum délicat, avec des arômes de mûre sauvage ; demi-sec, agréablement corsé.

Pan pepato.

È 'n dolce ternano che se fa co mezzi' etto pe sorta de noci, mandole, uvetta, canditi a tocchetti e cioccolata fondente. Ce se mettono due etti de miele e 'n po de farina pe fa 'n impasto olivetto. Se divide a panetti de 'na decina de centimetri, se spennellono de miele, se mettono nto 'na tejia e se coceno nto 'l forno finché n'son dorati.

Pandoli

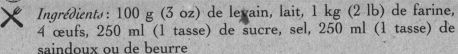

🕐 *Préparation* : longue

🍴 *Ingrédients* : 100 g (3 oz) de levain, lait, 1 kg (2 lb) de farine, 4 œufs, 250 ml (1 tasse) de sucre, sel, 250 ml (1 tasse) de saindoux ou de beurre

🍴 *Niveau de difficulté* : facile

Tout d'abord, délayez le levain dans un peu de lait tiède et ajoutez quelques cuillerées de farine. Mélangez le tout avec la farine disposée en puits, où vous ajoutez 4 œufs, le sucre, une pincée de sel et le saindoux ou du beurre fondu. Travaillez bien les ingrédients et formez les pandoli, petits pains allongés, que vous déposerez sur une plaque beurrée. Espacez-les et laissez-les lever légèrement avant de les cuire au four à chaleur modérée.

Le vin conseillé

MOSCATO dei COLLI EUGANEI. Couleur jaune paille clair, parfum intense et caractéristique de muscat ; doux, typique du cépage, parfois perlant.

Pandòli.

Par prima roba se destempara 100 gr. de levà de bira in poco late tepido e se impasta co un pocheta de farina de fior. Po se mete a levar. Cressuo che sia l'impasto, se lo mete in 9 kg. de farina de fior, messi a fontana sula tola rompendoghe dentro anca 4 vovi e impastando el tuto co 1 kg. de sucaro, una puntina de sal e 2 kg. de struto o anca de butiro de scolà. Lavorar ben la pasta; fin che la se destaca de le man.

Formar i "pandòli", cioè far una specie de fugassète de forma bislonga, che se mete sule piastra del forno ben separae.

Se lassa che le leva un altro poco e pò se le informa a calor medio, finchè le dventa color biscoto.

Panettone

Préparation : longue

Ingrédients : 250 ml (1 tasse) de beurre, 1 litre (4 tasses) de farine blanche, sel, 375 ml (1 1/2 tasse) de sucre, 5 œufs, 250 ml (1 tasse) de raisins secs, 125 ml (1/2 tasse) de fruits confits, 1 sachet de levure

Niveau de difficulté : complexe

Faites fondre le beurre au bain-marie. Laissez refroidir, puis travaillez le beurre pendant une dizaine de minutes avec la farine blanche, une pointe de sel et le sucre dissous dans 80 ml (1/3 tasse) d'eau. Ajoutez un à un 4 jaunes d'œufs, puis 1 œuf entier. Pétrissez jusqu'à obtenir une pâte solide. Ajoutez alors les raisins secs et les fruits confits, puis 1 sachet de levure. Mélangez bien. Versez la pâte dans un moule haut, beurré généreusement et légèrement fariné, puis enfournez au four préchauffé à 190 °C (375 °F) pendant 45 minutes.

Le vin conseillé

MOSCATO DELL'OTREPÒ PAVESE. Couleur jaune paille, parfum aromatique, caractéristique, intense et délicat ; doux et agréable.

Panaton

Buté 150 grama 'd butir a fonde a bagn-marìa ant na cassarola.

Lasseje sfreidé e ampasté për na disen-a 'd minute con 400 grama ëd farin-a bianca 00, na ponta 'd sal e 150 grama ëd sùcher bin fondù an 5 cuciar d'eva.

Gionteje 4 ross d'euv a un a un e peui un euv. Ampasté tant ch'a basta për fé na bela pasta cotia.

A sta mira gionteje un etto d'uva pàssola, 50 grama ëd candit e peui na bustin-a 'd lièvit. Toiré tut da bin.

Vërsé ël còmpost ant un-a tortera alta, onzùa con 20 grama ëd butir e legerment anfarinà, peui passé an forn a calor moderà për 45 minute.

Panzarotte

Préparation : longue

Ingrédients : 250 ml (1 tasse) de ricotta, 180 ml (3/4 tasse) de sucre glace, chocolat fondant, fruits confits, cannelle, 3 œufs, 875 ml (3 1/2 tasses) de farine blanche, huile, saindoux, sucre glace

Niveau de difficulté : complexe

Passez au tamis la ricotta et mélangez-là à du sucre glace, à du chocolat fondant, à des fruits confits coupés en petits morceaux et à une pincée de cannelle. Préparez une pâte moelleuse avec 3 œufs, la farine blanche et quelques gouttes d'huile. Abaissez la pâte au rouleau à pâtisserie et divisez-la en disques de 5 ou 6 cm (2 ou 2 1/2 po) de diamètre. Versez sur chaque disque un peu du mélange à la ricotta et fermez-les en chausson, en scellant bien les bords. Faites-les frire dans une grande quantité de saindoux bouillant, égouttez sur du papier absorbant et saupoudrez de sucre glace. Servez froids.

Le vin conseillé

GRECO di BIANCO. Couleur dorée, parfum alcoolisé, éthéré et caractéristique ; souple, harmonieux et chaud.

Panzarutti.

Passati 'o 'si tiacciu 300 gr. 'i ricotta e 'mpasta
ti ghià intra 150 gr. 'i zuccuru a velu, cicculatu
puru e frutta candita tagghjata mmorsa
mmorsa, e 'na ppena 'i canneglia. Faciti, a-
pai cu tri ova, ccocchj goccia d'agghju e 350 gr.
'i farina janca, 'na pasta ìmili.
'A faciti a fogghja c'u maccarunàru e 'a spar-
titi a vrogghia (magari cu 'nu bicchjeri) 'i cincu o 'i sei centimitri 'i larghezza. Sup'a ogni
vogghiu, si mentiti, 'na ppena d'a pasta chi 'nda
vèru fatte e 'u chjuditi a menza luna, bellu sar-
datu. Apoi, frijiti, 'nt'a saimi chi gguggħj e,
all' irtumu, 'i si 'ndi vaj l'agghju, mentiti, sti
dorci sup'a 'na ppena 'i carta ssorbenti.
'Na spurbarata 'i zuccuru a velu e... mi si man-
giunu ghjapaghja.

Papatilli

Préparation : longue

Ingrédients : 875 ml (3 1/2 tasses) miel, 250 ml (1 tasse) d'amandes grillées, 1 citron, poivre, farine

Niveau de difficulté : facile

Dans une casserole, versez le miel et portez à ébullition. Retirez partiellement du feu et, toujours en remuant, ajoutez les amandes grillées, l'écorce de 1 citron râpée, du poivre et autant de farine que nécessaire pour obtenir une pâte suffisamment dense. Versez cette pâte dans un plat peu profond et laissez refroidir. Découpez ensuite en rectangles que vous ferez cuire au four, à basse température. Les papatilli se conservent longtemps. Servez-les froids avec du vin de dessert.

Le vin conseillé

VIN SANTO di CARMIGNANO. Couleur allant du jaune paille au jaune ambré, parfum intense et éthéré ; harmonieux et souple, avec un arrière-goût légèrement amer.

'Mpepatielle.

Rente a na cazzarola mettete nu chile re miele e facetelu ullì. Luvate la cazzarola da lu fuoche e tenetela 'ncalle a 'nu spicute de la furnacella. Sempe mesculanne aunite 100 gramme re mennule abbrustulite, la scorcia rattata de nu lemone, nu bbelle po che re pepe 'npolvere e tanta fiore pe' quan= te ze ni'assorbè, fine a aiè na pasta abba= stanza morbeda.

Mettete 'sta pasta rente a na ramera facen= nela raffeddà. Quanne sè raffeddata, ta= gliatela a filone e mettetela a lu furne, facen= ne coce a fuoche liente.

A tre quarte re cuttura, ricacciatele e tagha= tele a tipe maltagliate.

Reficchiatele a lu furne e facete funi re coce.

Ze magnene fridde, accumpagnannele che nu vine roce e ze puonne 'stepà pe' paricchie tiempe.

Pastiera napoletana
Pastiera napolitaine

🕐 *Préparation* : longue

✗ *Ingrédients* : 250 ml (1 tasse) environ de blé, 500 ml (2 tasses) de lait, 1/2 citron, sel, 1/2 orange, cannelle, vanille, 750 ml (3 tasses) de farine, 1 litre (4 tasses) de sucre, 125 ml (1/2 tasse) de saindoux, 7 œufs, 250 ml (1 tasse) de ricotta, 60 ml (1/4 tasse) d'eau de fleur d'oranger, 250 ml (2 tasses) de fruits confits, sucre glace

🍴 *Niveau de difficulté* : complexe

Le plus connu des desserts napolitains est sans conteste la pastiera, dont la recette semble remonter au XIVᵉ siècle. Caractéristique de Pâques, la pastiera endosse en cette occasion un rôle festif. La ricotta et le blé, les ingrédients de base, sont les symboles traditionnels du bien-être et de la prospérité familiale. Faites tremper pendant plusieurs jours le blé (ou achetez-le déjà trempé), en prenant soin de changer l'eau tous les jours. La veille de la préparation de la pastiera, cuisez le blé bien égoutté dans le lait pendant environ 4 heures, en ajoutant l'écorce de 1/2 citron et une pincée de sel. Laissez cuire à feu doux et à couvert. À la fin de la cuisson, aromatisez le blé avec l'écorce de 1/2 orange, 1 pincée de cannelle et 1 de vanille. Le lendemain, faites une pâte sablée avec la farine, 125 ml (1/2 tasse) de sucre, le saindoux, 3 jaunes d'œufs et une pincée de sel. Laissez reposer la pâte pendant environ 1 heure. Pendant ce temps, mettez dans un bol la ricotta et travaillez-la avec 250 ml (1 tasse) de sucre, 4 jaunes d'œufs, l'eau de fleur d'oranger, les fruits confits coupés en petits dés, le blé et les blancs des 4 œufs montés en neige.

Garnissez un moule bien beurré de la pâte sablée, et versez-y le mélange à la ricotta. Découpez la pâte restante en bandes de la largeur d'un doigt, et organisez-les en treillis sur la garniture. Enfournez à température modérée (environ 180 °C [350 °F]) pendant 45 minutes. Laissez refroidir la pastiera et saupoudrez-la généreusement de sucre glace.

Le vin conseillé

SAGRANTINO PASSITO di MONTEFALCO. Couleur rouge tirant sur le grenat, parfum délicat, avec des arômes de mûre sauvage; demi-sec, agréablement corsé.

'A pastiera napulitana.

'O dolce cchiù cunusciute 'a Napule é senz'ato "'a pastiera". 'A ricetta é antica 'e pare addirittura ca s'arricorda 'o secolo XIV "a caratteristica 'e Pasca é 'a pastiera" pe l'occasione essa acquista 'o significato 'e bon'auria.

Ricotta 'e grano so l'alimento nicissario; difatti so 'e simbule d'o benessere e 'a prusperità dà famiglia. Mettite 'a bagno pe diverse juorne quasi 200 gr. 'e grano (oppure accattatele già bagnato) 'e cagnatece tutt'e juorne l'acqua.

'O juorno primme 'e cunfezionà 'o dolce mettite 'a cocere 'o grane, buono sgucciulate, rint'a mezzo litro 'e latte pe quase quattro ore mettannece 'a dinto 'a scorza 'e miezo limone e nu pizzeco 'e sale; lasciate cocere 'a fuoco lento 'e cu 'a pentola cuperta. 'A fine 'e cuttura mettitece dint'o grano meza scorza 'e purtuiallo, nu pizzeco 'e cannella 'e nu pizzeco 'e vainiglia. 'O juorno appriesso facite na pasta frolla cu 300 gr. 'e farina, 150 gr. 'e zucchero, 150 gr. 'e 'nzogna, tre tuorle 'i uovo 'e nu pizzeco 'e sale. Facite arrepusà 'a pasta pe quase n'ora. Intanto mettite dint'a nu recipiento 300 gr. 'e ricotta 'e stemperatela cu 250 gramme 'e zucchero, quatte tuorle d'uovo, 50 gr. d'acqua 'e fiore d'arance, 200 gr. 'e canditi tagliate 'a pezzettini, 'o grano, é o bianco 'e l'ova muntato 'a neve denza.

Cu na parte da pasta frolla fudarate nu

ruoto, buono 'mburrato 'e ghinghitelo cu 'o
cumposto 'e ricotta.
Cu' a rimanenza da pasta frolla facite tanta strisciuline dà larghezza 'e nu dito 'e
mettitele 'ngruciate 'ncoppa 'o ripieno.
Mettitelo dinto 'o furno caldo 'e facitelo
cocere 'a 180 gradi pe tre quarti d'ora.
Facite raffreddà 'a pastiera e spannitece
'ncoppa n'abbundanza 'e zucchero'a velo.

Pesche ripiene
Pêches garnies

🕐 *Préparation* : longue

✗ *Ingrédients* : 12 pêches, 125 ml (1/2 tasse) d'amandes, 250 ml (1 tasse) de cédrat et de courge confite, 3 biscotti della regina, vin blanc

🍴 *Niveau de difficulté* : facile

Coupez en deux 12 pêches et ôtez le noyau. Pilez au mortier les amandes, le cédrat, la courge confite, 3 biscotti della regina et la chair d'une pêche. Lorsque les ingrédients sont bien amalgamés, remplissez la partie creuse des pêches. Mettez les pêches dans un grand plat beurré, mouillez avec un peu de vin blanc et faites cuire au four.

Le vin conseillé

SCIACCHETRÀ delle CINQUE TERRE. Couleur jaune doré avec des reflets ambrés, parfum agréable ; de doux à quasi sec.

Pèsche pinn-e-

Sciappè in tô mezô 12 pèsche = spaccaosso.
e môndele de l'osso. Pestè in tô mortä 50
grammi de amandoe, 100 grammi de cedro e
sücca candia, 3 beschetti de reginn-a e a pör_
pa de unn-a pésca. Ottegnuô ôn pesto ben
amalgamaû fàie pinn-a a parte cava dë pé
sche. Yn te ôn testo grossô ben bûtirrou
côllochì e pésche unn-à distante dall'atra.
bagnaële côn dô vin gianco o licore e mettei_
le a cheûxe in forno.

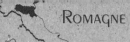

Piada dei morti

🕐 *Préparation* : longue

🍴 *Ingrédients* : 1 kg (2 lb) de pâte à pain déjà fermentée, 500 ml (2 tasses) de cerneaux de noix, 375 ml (1 1/2 tasse) de raisins de Corinthe, 250 ml (1 tasse) de sucre, huile

🍴 *Niveau de difficulté* : facile

Ce dessert typique de Romagne, caractéristique de la saison froide, et du mois de novembre en particulier, est moins répandu de nos jours. Ce qui est bien dommage, car il s'agit d'une recette facile et authentique. Mélangez la pâte à pain déjà fermentée avec les cerneaux de noix, les raisins de Corinthe, le sucre et 125 ml (1/2 tasse) d'huile. Travaillez la pâte énergiquement, de façon à bien amalgamer les divers ingrédients. Beurrez un grand moule, versez-y la piada et enfournez au four préchauffé à 190 °C (375 °F) pendant environ 40 minutes. Vous pouvez également diviser la pâte en petits pains que vous faites également cuire au four, mais moins longtemps.

Le vin conseillé

🍷 CAGNINA di ROMAGNA. Couleur rouge violacé, parfum vineux et caractéristique ; doux, corsé, légèrement tannique et acidulé.

Piê di muvt.

Sta dolci, rumagnöl da fat, che una völta l'era particulèr dla stasôn frèda e sôratôt dle mes d'muvèmbar incù u s'... mânc à l'è propi un pchê, parchè u s'trata d'una preparazîòn sémplixa e naturêla.

Impasté 1 kg. d pasta d'pân xa lèvda cun 200 gr. ad garój d'cócla; 150 gr. d'uvèta sultanina, 200 gr. d'zócar e ½ bicir d'öli.

L'avvré l'impast cum förxa, in möd da incur pvrê bèn tôt. Mxù cun e' brìti una padèla de fôran piótòst lêrga, sistimì; la piê e infurni int un fôran a mêx catôr par xirca 40 minut. Ul s'usa dividar l'impast in panìn piótòst s-ciaxé, infurné nénca lô, mo par mânc temp.

Polenta dolce e mele
Polenta sucrée aux pommes

🕐 *Préparation* : longue

🍴 *Ingrédients* : 1 kg (2 lb) de pommes reinettes, 500 ml (2 tasses) de vin rouge sec, 125 ml (1/2 tasse) de sucre, quelques clous de girofle, 125 ml (1/2 tasse) de kirsch, 10 tranches de polenta, beurre, sucre, crème sucrée

🍴 *Niveau de difficulté* : facile

Recette annotée et cuisinée par Delfina Lucianaz de Gressan.
Lavez soigneusement les pommes reinettes et mettez-les dans un plat avec le vin rouge sec, le sucre et quelques clous de girofle. Cuisez-les comme des pommes au four en ajoutant, peu avant le point de cuisson, le kirsch. Faites revenir à part 10 tranches de polenta dans du beurre et saupoudrez-les de sucre. Servez les pommes et leur garniture de polenta sucrée bien chaudes. Pour enrichir le plat, vous pouvez garnir de 15 ml (1 c. à soupe) de crème sucrée.

Le vin conseillé

🍷 **CHAMBAVE MOSCATO PASSITO della VALLE D'AOSTA.**
Couleur jaune doré tirant sur le jaune ambré, parfum intense et caractéristique ; semi-doux et aromatique, typique du muscat.

Polenta doussa é pomme.

Laède 1 Kilo de pomme é beuttède-lè dedeun an casserola avoui 2 veiro de veun rodzo sèque, 1 éito de seucro é coutche clliaù de garoffé.

Couèiède-lè comme de normale pomme i for, eun adjeunden, tchica devan que fussan proi couette, un pitchou veiro de Kirsh.

A par, frecachède 10 fette de polenta i beuro é seuccrède-lè. Servède lè pomme é la polenta doussa bien tsode.

Se voleide eunreutsi lo pla garnissède-lo avoui an couiglièo de crâma doussa.

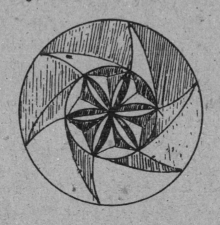

« *Rosada* »

Préparation : longue

Ingrédients : 750 ml (3 tasses) d'amandes, 125 ml (1/2 tasse) de sucre, 6 œufs, 375 ml (1 1/2 tasse) de lait

Niveau de difficulté : complexe

Il s'agit d'une préparation typique du Trentin. Pelez les amandes et détaillez-les en petits morceaux. Dans une petite casserole, faites fondre le sucre, faites-y griller les amandes et pilez le tout au mortier. Versez le mélange dans un bol et incorporez graduellement 6 œufs et le lait. Dans un moule à flan, faites fondre du sucre de façon à créer une couche fine au fond et sur les parois du moule. Quand le sucre a durci, versez dans le moule le mélange aux amandes et cuisez-le au bain-marie. La rosada se sert froide.

Le vin conseillé

MOSCATO ROSA del TRENTINO. Couleur rosé grenat clair, parfum délicat et agréablement aromatique ; plein, agréable, parfois chaud.

La rosada.

Anca' 'sta chi l'è 'na roba tuta trentina.
La pela trei eti de mandorle pinzade su. En
d'en padelot se fa scaudar tredese deche de zucher d'orz e se ghe brestola le mandorle.
Se'l tra en de'l mortar e s'el pesta su tut
de nof. P'sel tra zo en de'na terina e se ghe
zonta se de qual sei ovi e trei o quater once de
lat. Se tol zo en stamp da la parè, se ghe
fa desfar en pugnat de zucher pasà entorn
per tut el stamp pena che'l s'è entempa se
ghe tra zo tut el smisiot e sel lasa coser a
bagnomaria.
La rosada se la magna sfredda.

« Sebadas »

Préparation : longue

Ingrédients : pecorino, écorce de 2 citrons, farine, 7 œufs, saindoux, sel, huile, 200 ml (4/5 tasse) de sucre, « miel amer »

Niveau de difficulté : complexe

Légendaires à Oliena, les délicieuses « sebadas » se préparent de la façon suivante : pour 6 personnes, réduisez en copeaux 500 ml (2 tasses) de pecorino frais que vous ferez fondre à feux doux dans une casserole (idéalement en terre cuite) pendant 20 minutes, en ajoutant une louche d'eau que vous verserez petit à petit à plusieurs reprises. Mélangez lentement avec une cuillère de bois et, une fois la préparation lisse, râpez l'écorce de citron, ajoutez 1/2 poignée de farine et laissez sur le feu jusqu'à ce que la farine soit bien incorporée. Dans des moules ronds, versez de petites quantités de fromage chaud d'une épaisseur d'environ 1 cm (1/2 po), et laissez reposer pendant quelques heures en les retournant souvent. Pendant ce temps, formez un puits avec 1 kg (2 lb) de farine blanche, versez-y 7 œufs, 375 g (3/4 lb) de saindoux fondu et une pincée de sel. Travaillez la pâte en deux abaisses. Sur une abaisse déposez les petits ronds de fromage tous les 2 cm (3/4 po), et couvrez de la seconde ; pressez bien autour des ronds de fromage que l'on séparera à l'aide d'une roulette de pâtissier. Dans une grande poêle, faites chauffer de l'huile et faites dorer les sebadas des deux côtés, en les maintenant sous l'huile avec une cuillère de bois. Laissez-les s'égoutter sur du papier de paille, saupoudrez-les de sucre et de « miel amer », et servez-les bien chaudes.

┌───┐
│   *Le vin conseillé*   │
│   │
│   VERNACCIA di ORISTANO: Couleur jaune ambré, parfum │
│   délicat, éthéré, avec un bouquet intense caractéristique │
│   d'amandier en fleurs ; sec, subtil, chaud.   │
└───┘

Se badas.

Segai ad arrogus su casu; poi, perxu po
perxu, usendi so trattacasu po is birduras,
faendindi pimpirinas; bisongiara a du ponni
in d'una cixedda e, sgundendiddu cun d'una
tassa de acqua, fai fundi a fogu lentu po circa
15 minutus sighendi a du girai cun d'una au-
gliora de linna. Candu su casu aressi beni seige-
tu, ghettainci una cugliera de farina e unu pa_
gu de croru de limoni trattau, e poi, sighendi a
girai, bogandeoldu de su fogu. Ponni su casu a
cuglieras in sa mesa, arruitendi finsas a candu
i callenti, craschendi poi cun sa manu finsas
a ottenni una forma tunda de su spessori de
mesu centimetru. Ponni a frairi su casu in
d'una sartagna; poi lassaddas arriposai in
sa mesa, furriendiddas de una parti a s'a

tra d'ugnia duas oras puita di boghinti su
seru. Cun farina, aus, unu paghedolu de sa_
li, fai unu pillu mannu cantu serbiri, a
sigunda de is sebadas chi si bollinti preparai.
Dividi in dus arrogus su pillu: in su prei_
mu arrogu ponni is forreddas de casu; cun
s'atru pillu tuppai tottu, poi cus s'arrodedda
dentara segai is sebadas cummenti chi fes_
sinti angiolottus. Craccai beni cun is ditus
tottu a giru e cummenzai a das friri a fogu
lentu, una po una, in ollu (o ollu 'e porcu)
buddendi, furriendiddas meras bortas finsas
a candu non antessi beni doraras. Po no
suszeri chi su pillu, mentri è friendi, si
gonfiri, o peus, scoppiri, in su principiu
appoggiai liggermenti sa cugliera de linna.
A manu a manu-che is sebadas si bogan_
ta lassadolas scolai in d'unu papperi de
tipu assorbenti. Ponni in d'unu prattu
prenu de zuccuru sperrumendiddas cun atru
zuccuru, appuru, fendi sciolli in d'unu
tianeddu postu in su fogu unu pagu de
meli cun pagu acqua, sfundendinci is se_
badas una po una e poi ponendiddas in
d'unu prattu de portata.
Serbiri callenti.

554

Sfogliatelle frolle

Préparation : longue

Ingrédients : 625 ml (2 1/2 tasses) de farine, 330 ml (1 1/3 tasse) de sucre, 125 ml (1/2 tasse) d'eau, 80 ml (1/3 tasse) de saindoux, sel, 125 ml (1/2 tasse) de semoule, 250 ml (1 tasse) de ricotta, 1 œuf, 250 ml (1 tasse) de fruits confits, cannelle, jaune d'œuf, sucre glace

Niveau de difficulté : complexe

À ne pas confondre avec les fameuses sfogliatelle «ricce», difficiles à réaliser à la maison, les sfogliatelle frolle sont au contraire très faciles à faire. Mélangez 625 ml (2 1/2 tasses) de farine avec 80 ml (1/3 tasse) de sucre, l'eau froide, le saindoux et une pincée de sel. Travaillez la pâte jusqu'à ce qu'elle devienne moelleuse et laissez-la reposer pendant 30 minutes. Pendant ce temps, faites bouillir dans une casserole 500 ml (2 tasses) d'eau ; dès qu'elle commence à bouillir, versez en pluie la semoule et une pincée de sel. Laissez cuire à feu vif pendant quelques minutes. Étendez la semoule sur une surface mouillée et laissez refroidir. Dans un bol, mélangez la ricotta avec 250 ml (1 tasse) de sucre, 1 œuf, les fruits confits coupés en petits dés, une pincée de cannelle et la semoule. Divisez la pâte en petites boules et aplatissez-les. Déposez au centre de chacune une cuillerée de garniture et repliez-la sur elle-même en faisant bien adhérer les bords. Pour donner une forme plus régulière aux sfogliatelle, utilisez une roulette à pâtisserie. Badigeonnez de jaune d'œuf et enfournez pendant 30 minutes au four préchauffé à 220 °C (425 °F). Laissez refroidir et saupoudrez généreusement de sucre glace.

MOSCATO di TRANI. Couleur jaune doré, parfum intense et caractéristique ; doux et velouté.

'E sfugliatelle frolle -

Nun sanna cunfondere cu 'e famose sfugliatelle
"ricce", ca so difficile 'a farse dint'a casa, mentre 'e sfugliatelle frolle so tutt'o cuntrario
pecché so semplice a fare: 'mpastate 250 gr.
'e farina cu 80 gr. 'e zucchero, miezu bicchiere d'acqua fredda, 50 gr. 'e 'nzogna 'e nu pizzeco 'e sale. Faticate 'a pasta fino 'a farla
addeventà morbida 'e facitela arrepusà pe
na mez'ora. Intanto facite ò 'ore dinto
'a nu pentuline miezo litro sca o d'acqua,
'e appena volle menatece 'a ppioggia 150 gr.
'e semmuline, 'e na presa 'e sale. Facite
cocere 'a fuoco vivo pe pochi minuti.
Stennite pò 'o semmulino 'ncopp'a nu marmo
bagnato 'e facitelo raffreddà. Dint'a na zuppiera faticatece 250 gr. 'e ricotta cu 200 gr. 'e
zucchero, 1 uovo, 100 gr. 'e candite tagliate 'a
pezzettini, nu pizzeco 'e cannella 'e ò semmulino. Spartite 'a pasta 'e facitela in tante
palline 'e schiacciatele facennele a forma
ovale. 'Ncopp'a ognuna d'essa, mmiezo, 'nce
mettite nu cucchiaro 'e ripieno 'e chiatela
'ncopp'a essa stessa facenne azzeccà buono
'e borde. Pe 'nce dà na forma chiù regolare
'a 'e sfugliatelle, basta ritaglià 'e cuntorne
cu nu taglia pasta. Spennellate 'ncopp'e
sfugliatelle 'o russo 'e l'uovo 'e 'nfurnatele
dint'o furno caldo pe quase mez'ora. Facitele
raffreddà 'e spànnitece 'ncoppa assaie zucchero
'a velo.

Sfrappole di carnevale

Préparation : longue

Ingrédients : 1,25 litre (5 tasses) de farine, 3 œufs, 30 ml (2 c. à soupe) de sucre, 60 ml (1/4 tasse) de beurre, sel, 1/2 citron, 125 ml (1/2 tasse) d'anis, lait, saindoux, sucre glace

Niveau de difficulté : facile

Mélangez la farine avec 3 jaunes d'œufs, le sucre, le beurre, une pincée de sel, l'écorce râpée de 1/2 citron et l'anis. Ajoutez quelques gouttes de lait si nécessaire. La pâte doit être plutôt consistante. Laissez-la reposer pendant quelque temps, puis abaissez-la finement. Avec la roulette à pâtisserie, coupez des bandes de 3 cm (1 1/4 po) de large et de 20 cm (8 po) de long, et nouez-les comme bon vous semble. Faites frire quelques sfrappole à la fois dans beaucoup de saindoux bouillant, en les faisant à peine dorer. Laissez-les s'égoutter sur du papier absorbant et saupoudrez de sucre glace. Elles sont bonnes tièdes ou froides.

Le vin conseillé

MALVASIA AMABILE dei COLLI DI PARMA. Couleur jaune paille, parfum agréable, très aromatique ; doux, harmonieux, fruité, naturellement pétillant.

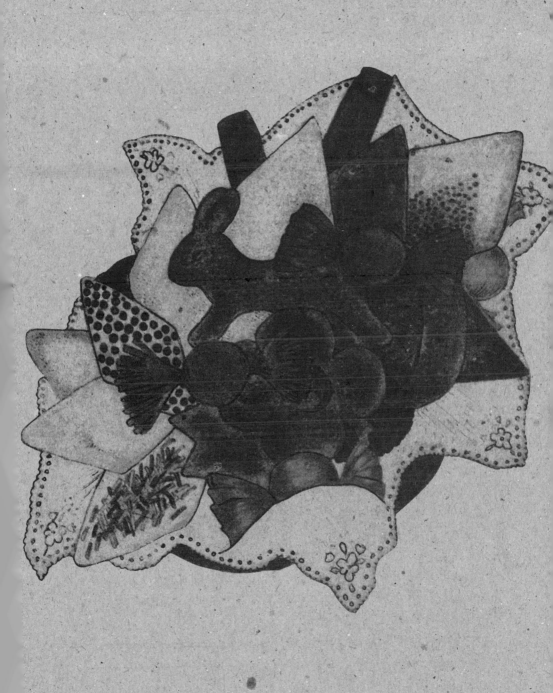

Sfrâpel ed' carandèl.

Impastè 500 gr. ed faréina con 3 tòrrel d'ôr, du cuciarè col càuculm ed zòccher, 50 gr. ed butìr, un pzigutéin ed sèl, la gassa gratè ed ½ li màn e ½ bichìr d'ànic. S'al fòss nezessìri a utgnìr l'impâst abastanza tànder azuntèi quèlca cuciarè ed làtt. Adèss a stindrì la pâste con al matarièll in môd da utgnìr 'na spôia sutila. Con la rudléina dintè, taiè la spôia in strèssel lèrghi 3 cm. e longhi 20 cm. annu dàndi a môd d'un nàster. Adèss aviè da frèzzei in dal gràss bianch ed minéin, tiran dì fòra quand i' én apanna duvè.

Scuilè sàura a chòrta sugànta e spulvrèi con zòccher ed Janézlia. J' én boni tant tàvdi che fraddi.

Sospirus

 Préparation : longue

 Ingrédients : 4 blancs d'œufs, 310 ml (1 1/4 tasse) de sucre,
30 ml (2 c. à soupe) d'amandes sucrées, farine

 Niveau de difficulté : complexe

La préparation du sospirus est similaire à celle des meringues.
Montez 4 blancs d'œufs en neige très ferme et incorporez petit à
petit le sucre et les amandes sucrées, pelées et hachées. Beurrez
une plaque à biscuits et saupoudrez de farine. À l'aide d'une
cuillère, déposez le mélange, en donnant à chaque sospirus la
forme d'un petit œuf. Prenez soin de laisser un certain espace
entre les sospirus, car ils gonfleront un peu en cuisant. Enfournez au four préchauffé à 160 °C (325 °F) pendant environ
30 minutes.

Le vin conseillé

MOSCATO di CAGLIARI. Couleur jaune doré brillant,
parfum intense et caractéristique ; délicieusement doux, velouté,
qui rappelle le raisin.

Saspirus

Sfundi in acqua buddendi is mendulas, limpiaddas e faidolas coi in su forru; si usas is muxeolas non da deppis fai coi troppu, ma si deppi scetti abbruxhiai su croxixeddu chi poi frighendiadda cun is manus in d'unu setaxxu de ferru si 'noli boganta a lestru. Sega sa mendula e sa muxedda, axxiandi a nii su biancu de s'ou acciungi su zuccuru in pruini, su croxu trattau de menu limoni e is mendulas (o is muxeddas). Poni sa mistura a cuocerimus in d'una teglia tuppara de papperi oleau e coi is bianchittus po vinti minutus in su forru a calori moderau.

Torta di nocciole e cioccolato
Gâteau aux noisettes et au chocolat

Préparation : longue

Ingrédients : noisettes, sucre, 125 ml (1/2 tasse) de beurre, œufs, chocolat, sel, citron, confiture

Niveau de difficulté : complexe

Cassez et grillez les noisettes pour les peler, puis pilez-les ou hachez-les menu avec la moitié du sucre, que vous ajoutez peu à peu. Dans un bol, mettez le beurre et battez-le jusqu'à ce qu'il soit crémeux, ajoutez petit à petit l'autre moitié du sucre, les jaunes d'œufs et, toujours en battant, les noisettes sucrées, une cuillerée à la fois. Pendant que le chocolat fond à feu doux, montez en neige les blancs d'œufs avec une pincée de sel. Quand le chocolat a fondu, mélangez-le bien à la crème dans un bol. Incorporez délicatement les blancs en neige, puis l'écorce râpée de 1 citron. Mélangez bien, puis versez le tout dans un moule beurré et légèrement fariné ; passez au four préchauffé à 190 °C (375 °F) pendant environ 45 minutes, jusqu'à ce que la surface ait pris une belle couleur dorée. Sortez le moule du four, laissez refroidir, démoulez le gâteau et coupez-le en deux horizon-talement avec un couteau à lame longue. Badigeonnez l'intérieur de confiture, recomposez le gâteau et servez.

Le vin conseillé

BRACHETTO d'ACQUI. Couleur rouge rubis tirant sur le grenat, parfum musqué très délicat, avec des arômes de rose ; doux, souple, pétillant.

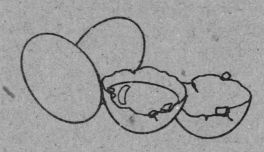

Torta ëd ninsòle e cicolata

Dësgrojé e tosté le ninsòle per spleje, peuj pisteje ò ciapuleje fin- e ansema a metà del sùcher, giontà pòch a pòch.

Ant un fojòt buté g. 100 ëd butir e sbaté fina a felo diventé cremos, peuj gionteje pòch per vòlta l'aotra metà del sùcher, i ross ëd j'euv e sempre sbatend, le ninsòle ansucrá.

Antant che la cicolata a se slingua a fiama bassa, monté a fiòca i bianch d'euv con un pëssion ëd sal.

Slinguà la cicolata, mes- cela bin a la crema ant un fojòt, peuj gionté pian el bianc montà e dòp la scòrsa gratà del limon.

Mes- cié bin e vërsé el compòst ant un- a tortera òita con el butir vanssà e legerment anfarinà, passé an forn a calor moderà per 45 minute apeupré; fin che a l'avrà pià un bel color dorà.

Gavé la tortera dal forn, lassé sfreidé un pòch, dësforné la torta, tajela a metà con un cotel a lama longa, orizontalment.

Spantié le doe part, an drinta, con dla marmlada, arcompon- e e serve.

Torta paradiso

🕐 *Préparation* : rapide

✗ *Ingrédients* : 5 œufs, 250 ml (1 tasse) de sucre, jus de citron, 250 ml (1 tasse) de fécule de pomme de terre, 15 ml (1 c. à soupe) de sucre vanillé

🍴 *Niveau de difficulté* : facile

Il s'agit d'un gâteau délicieux et facile à préparer. Battez 5 jaunes d'œufs avec le sucre. Ajoutez 15 ml (1 c. à soupe) de jus de citron, la fécule de pomme de terre, le sucre vanillé et les blancs d'œufs montés en neige. Continuez à travailler la pâte jusqu'à ce que vous obteniez une crème dense. Versez dans un moule bien beurré et enfournez.

Le vin conseillé

SCIACCHETRÀ delle CINQUE TERRE. Couleur jaune doré avec des reflets ambrés, parfum agréable ; de doux à quasi sec.

Torta paradiso.

A l'è unn-a torta tanto bonn-a quanto facile da preparà. Battei 5 rossi d'euvö con
250 grammi de succao, 1 cûggiâ de sûgo de limon, 100 gr. de fecoa de patatte e 1 cûggiâ di
sûccao vaiggioii e i gianchi d'euvo montè a
neive. Continuè a sbatte fin quando aviei ot-
tegnûo unn-a pasta spessa. Versèla in tê
unn-a fôrma bûtirrà e infornela.

Zuppa inglese

🕐 *Préparation* : longue

🍴 *Ingrédients* : Pan di Spagna, rhum, alkermès, 3 œufs, 90 ml (6 c. à soupe) de sucre, 30 ml (2 c. à soupe) de farine, 500 ml (2 tasses) de lait, fruits confits, sucre

🍴🍴🍴 *Niveau de difficulté* : complexe

La zuppa inglese, production caractéristique des pâtisseries romaines, est un dessert de longue tradition, même si de nombreuses variantes ont désormais été introduites dans sa préparation qui était, jadis, beaucoup plus élaborée. En fait, aujourd'hui, la recette est très simple. Couvrez deux assiettes de fines tranches de Pan di Spagna, mouillez-en une avec du rhum, l'autre avec de l'alkermès. Pendant ce temps, préparez une crème pâtissière avec 3 jaunes d'œufs, 45 ml (3 c. à soupe) de sucre, la farine et 500 ml (2 tasses) de lait. Si vous le souhaitez, vous pouvez ajouter des morceaux de fruits confits. À part, faites monter les blancs en neige ferme et incorporez 45 ml (3 c. à soupe) de sucre. Prenez maintenant un petit plateau qui va au four, garnissez-en le fond avec l'un des deux Pan di Spagna, versez la crème en forme de coupole, couvrez l'autre de Pan di Spagna puis des blancs en neige. Saupoudrez de sucre et enfournez à basse température, le temps de faire dorer la couche supérieure.

Le vin conseillé

FRASCATI CANNELLINO. Couleur jaune paille, parfum vineux, caractéristique et délicat ; doux, souple, sapide et fin.

La zuppa 'ngrese -

La zuppa 'ngrese cià 'ma tradizzione antica,
ma strada facenno s'è perza la ricetta
origginaria e mò, ar giorno d'oggi, è più
facile a fasse. Se pijeno 2 fette nun troppo
erte de pan de Spagna. Una s'annaffia
bbene de rummme, l'antra co' l'archemme.
L'annaffiata ha da esse abbonnante.
'Ntanto preparate 'ma crema co' 3 rossi
d'ova, 3 cucchiari de zucchero, 2 de farina
e 1/2 litro de latte. Si a quarcuno je piace
er cannito ce lo pò mette. A parte se monta
er bianco de 3 ova co' 3 cucchiari de zucchero.
Fatta bbene 'sta preparazzione, se pija 'n
recipiente pe' er forno e ce se mette uno dei
dua pan de Spagna co' 'nzù la crema
architettata 'n mezzo più arta che a li'
lati; se copre er tutto co' l'antro pan de
Spagna e sopra er bianco d'ova montato.
Sopra sopra ce sta mejo 'na sporverata
de zucchero. 'Nfornate quanno che er forno
s'è scardato bbene e quanno che er bianco
montato s'è 'ndorato, vordì che er dorce
è cotto.

Index

⟰ Soupes, sauces et entrées

∽ Plats principaux de viande

Plats principaux de poisson

∽ *Desserts*

DATE DUE

JAN 0 4 2011	